W9-BZC-323

El jardín
a la luz
de la luna

Título original:
DER MONDSCHEINGARTEN

Diseño de cubierta:
OPALWORKS

Fotografía de la autora:
SABINE FRÖHLICH

© Ullstein Buchverlage GmbH, Berlín. Publicado en 2013 por Ullstein Taschenbuchverlag
© de la traducción: VALENTÍN UGARTE, 2014
© MAEVA EDICIONES, 2014
Benito Castro, 6
28028 MADRID
emaeva@maeva.es
www.maeva.es

ISBN: 978-84-15893-33-2
Depósito legal: M-11.272-2014

Fotomecánica: Gráficas 4, S.A.
Impresión y encuadernación: Huertas, S.A.
Impreso en España / Printed in Spain

Este libro se ha elaborado con papel procedente de bosques gestionados de forma sostenible y de fuentes controladas, certificado por el sello de FSC (Forest Stewardship Council), una prestigiosa asociación internacional sin ánimo de lucro, avalada por WWF/ADENA, GREENPEACE y otros grupos conservacionistas. Código de licencia: FSC-C007782.
www.fsc.org

MAEVA desea contribuir al esfuerzo colectivo y permanente de proteger y preservar el medio ambiente con el compromiso de producir nuestros libros con materiales responsables.

CORINA BOMANN

El jardín
a la luz
de la luna

**Tras los pasos de una misteriosa partitura,
de Berlín a la isla de Sumatra**

Traducción:
Valentín Ugarte

MAEVA

PRÓLOGO

Consternada, Helen Carter observó su faz reflejada en el espejo. Una larga grieta atravesaba su lívido rostro partiéndolo en dos, y el maquillaje, corrido por el llanto, había formado en sus mejillas unas vetas como las del mármol. Rodeados por la densa capa de sombra negra, sus exóticos ojos color ámbar desprendían un brillo extraño que le confería el aspecto de una diva del cine mudo.

A Helen nunca le había interesado el cine; su única pasión era la música. Sin embargo, en ese momento tenía la sensación de estar actuando en una película. Lo que acababa de suceder bien podría haber salido de la pluma de uno de esos escritorzuelos que, cargados con sus guiones, merodeaban a las puertas de los grandes estudios con la esperanza de toparse con algún productor.

Helen se rio con amargura y al poco se le escapó un hipido. Los ojos volvieron a llenársele de lágrimas, que se tiñeron de negro cuando comenzaron a deslizarse por sus mejillas.

Hasta hacía apenas unos minutos todo iba de perlas. Como la floreciente violinista que era tenía todas las puertas abiertas. En menos de media hora se subiría al escenario del London Hall para interpretar a Tchaikovski. Incluso el rey Jorge V y su esposa habían confirmado su asistencia, un honor al alcance de muy pocos músicos.

Helen siempre había gozado de ese tipo de agasajos. A los diez años ya se la consideraba una niña prodigio, y ahora, frisando la veintena, era reconocida como una de las mejores intérpretes del mundo. La prensa italiana enseguida se hizo eco de la irrupción de la inglesita y la apodó «la nieta de Paganini». Cuando su representante le enseñó los titulares, no pudo evitar sonreír. ¡Que digan lo que les venga en gana! Ella sabía muy bien a quién agradecer su éxito. ¿Cómo olvidar la promesa que había hecho en su día?

Entonces apareció esa mujer. Durante tres días había estado siguiéndola a todas partes como si fuera su sombra. No había momento que saliera a dar un paseo por las calles de Londres que no se la encontrara, y cuando miraba por la ventana durante los ensayos, la veía apostada en la acera de enfrente.

El primer día, Helen lo tomó como una mera coincidencia, pero al ver que en los dos siguientes volvía a repetirse empezó a perder los nervios. No era la primera vez que sufría el acoso de los admiradores, entre los que también se contaban muchas mujeres, y sabía bien que, en su ofuscación, eran capaces de cualquier cosa por quedarse con ella a solas un instante.

Trevor Black, su representante, se limitó a menear la cabeza cuando ella se lo contó.

—Es solo una pobre vieja, una loca inofensiva.

—¿Inofensiva? ¿Acaso hay algún loco inofensivo? ¿Quién me asegura que no oculta un cuchillo en el bolso? —repuso Helen.

Pero Trevor parecía estar convencido de que la vieja era incapaz de hacerle nada.

—Si después del concierto sigue molestándote, daremos parte a la Policía.

—Y ¿por qué no ahora?

—Porque se reirían de nosotros. ¡Haz el favor de mirarla bien!

Trevor señaló la ventana, a través de la cual podía verse a la desconocida haciendo guardia en la otra acera. Estaba un poco encorvada, llevaba un vestido negro raído y sus rasgos eran ligeramente... ¡orientales! Helen no alcanzaba a ver el motivo por el que esa mujer la perseguía. Por un instante, algo le hizo remontarse a su infancia, pero enseguida descartó esos pensamientos. Sin embargo, no lograba quitarse de la cabeza que esa extraña la estaba vigilando y que aguardaba la menor oportunidad para intentar hablar a solas con ella. Y casi lo logró cuando se coló en su camerino justo después de que Rosie, a petición de la propia Helen, se asomara a ver lo concurrido que estaba el auditorio.

Al verla, Helen quiso pedir socorro, pero esa mujer tenía algo hipnótico que le impidió gritar. Lo que la visitante le contó en esa breve conversación fue algo tan terrible y estremecedor que hizo saltar un resorte en su interior. Presa de la ira, Helen agarró lo primero que encontró y se lo lanzó, pero falló y lo estrelló contra el espejo. La anciana salió despavorida, pero el eco de sus palabras aún resonaba en la estancia. Por supuesto, cabía la posibilidad de que todo fuera una sarta de mentiras; sin embargo, algo le decía a Helen que no era el caso. Todo concordaba: imágenes olvidadas hacía mucho tiempo, retazos de conversaciones escuchadas, recuerdos difusos... Todo había cobrado sentido.

Helen detuvo la mirada sobre el violín que había a su lado. Antes de que la desconocida hiciera acto de presencia tenía previsto repasar un fragmento especialmente difícil del concierto; ahora se sentía incapaz. Con las manos temblorosas, la joven alcanzó el instrumento y le dio la vuelta. Mientras deslizaba los dedos por la rosa grabada en la madera, imaginó un rostro: el de la mujer que le había regalado aquel violín. ¿De verdad sería posible...?

Cuando la puerta se abrió de golpe detrás de ella, el violín emitió un extraño sonido metálico. La cuerda que acababa de romperse azotó su piel, provocándole un feo cardenal. Conmocionada, Helen vio cómo brotaban gotas de sangre de la herida. El recuerdo de su cruel profesora de música reavivó su cólera. De buena gana se habría levantado de un brinco y habría arrojado el violín a un rincón, pero justo entonces apareció el amable rostro de Rosie reflejado en el espejo.

—Está lleno hasta la bandera —dijo justo antes de que la sonrisa se le borrara de golpe—. ¡Virgen santa! —Asustada, la doncella se llevó la mano a la boca—. ¿Se encuentra bien?

—No es nada —repuso Helen conteniéndose. Apenas sentía dolor en la muñeca; la ira que bullía en su interior era lo bastante fuerte como para mitigar cualquier sensación corporal—. Ha saltado una cuerda y me ha pillado desprevenida.

Habría querido recoger el violín y mandar repararlo, pero ni siquiera era capaz de levantarse del taburete; incluso dudó de poder llegar a hacerlo en algún momento.

—¿Necesita alguna cosa, señorita Carter? —preguntó desconcertada la muchacha, pero Helen negó con la cabeza.

—No, todo está bien, Rosie, no necesito nada.

Las palabras salieron de sus labios demasiado a la ligera.

—Pero, *madame,* la actuación es ahora mismo. Y el violín...

Helen asintió, ausente. Cierto, la actuación. La inesperada visita no solo había removido algo en su interior, también le había arrebatado el temple necesario para tocar. Eso podía incluso suponer el final de su carrera, pero en ese momento lo único que quería era huir y perder de vista el maldito violín, que acababa de castigarla como en otros tiempos lo hiciera su profesora de música; ese violín que era el regalo de una muerta.

Con él en la mano, se levantó, encaró la puerta con la cabeza bien erguida, la abrió y abandonó el camerino. No prestó atención a los gritos de la doncella ni a la cuerda rota que ahora colgaba golpeándole las pantorrillas. De la sala llegaba el estruendo de los músicos afinando sus instrumentos; vano esfuerzo, pues el concierto no tendría lugar; a ello se añadía el murmullo expectante de los asistentes.

Con paso firme enfiló el camino de la puerta trasera e ignoró las miradas de asombro de los tramoyistas. Este no es mi sitio, se dijo. Renuncio a todo esto. Lo único que quiero es que me dejen en paz, lo único que quiero es... poner las cosas en claro.

Cuando empujó la puerta, el violín emitió un sonido estridente que sonó casi a advertencia, y un aire frío y húmedo le golpeó en el rostro. En esa época del año, las noches londinenses eran especialmente inhóspitas, pero a ella le dio igual. El corte en la mano latía, y el violín de pronto le pesaba un quintal. Los ojos de la muerta no dejaban de acosarla, impulsándola a echar a correr por la calle que salía del London Hall. Al oír un bocinazo estremecedor, se quedó paralizada como una estatua de sal; unas potentes luces la iluminaban. Helen levantó los brazos.

1

Cuando faltaba poco para que las agujas del robusto reloj de pie marcaran las cinco, Lilly Kaiser se convenció de que ya nadie entraría en su tienda. Ocultos tras las solapas subidas de sus abrigos y con las gorras caladas hasta los ojos, los viandantes pasaban por delante del escaparate sin siquiera dignarse a echar un vistazo.

Las primeras semanas del nuevo año la gente no mostraba el menor interés por las antigüedades. Las carteras y las cuentas corrientes estaban tiritando y nadie sentía la necesidad de buscar algo especial para sus seres queridos. Ya cambiarían las cosas en primavera y verano, cuando turistas provenientes de todo el mundo empezaran a dejarse ver. Hasta entonces no quedaba otra que sobrellevar esa calma imperturbable.

Entre suspiros, Lilly se dejó caer en su pequeña butaca Luis XV y miró a través del escaparate hacia ese cielo del que desde hacía días no había cesado de caer nieve. De reojo, vio su rostro reflejado en la brillante pared lacada de un armarito que pertenecía a su pequeño contingente de trastos invendibles. Sus delicadas facciones casi de niña le resultaron desdibujadas y apagadas; solo sus ojos verdes y su pelo rojo parecían brillar. Las vacaciones de Navidad no habían resultado precisamente reparadoras: como era de esperar, la visita a casa de sus padres había terminado con la ridícula y consabida promesa de volver a buscar marido. Lilly los quería con locura, pero se había visto superada por la situación. Desquiciada, regresó a Berlín, donde celebró la Nochevieja en la soledad de su apartamento para luego concentrar sus energías en hacer el inventario de su negocio. Ahora que ya había terminado, solo le quedaba esperar a que la clientela entrase en la tienda. Lilly odiaba estar ociosa, pero ¿qué otra cosa podía hacer? Quizá lo mejor sería cerrar por las buenas y tomarme ocho semanas libres, se le ocurrió. A la vuelta ya no nevará y la tienda volverá a llenarse.

El sonido de la campanilla de la puerta —una pieza original de una casa de campo que siempre le evocaba el trasiego de la servidumbre— la sacó de sus pensamientos.

Un anciano aguardaba en el umbral, como pidiendo permiso para entrar; sobre su abrigo brillaban copos de nieve, que empezaron a derretirse al entrar en contacto con el calor del local. Su rostro, curtido por las inclemencias del tiempo, le daba el aire de un marinero salido de un anuncio. Bajo el brazo llevaba un viejo estuche de violín con algunas rozaduras. ¿Querría venderlo?

Lilly se puso de pie, estiró un poco su chaqueta de punto de color azul marino y se encaró al hombre.

—Buenos días. ¿Qué se le ofrece?

Él la observó por un instante y luego esbozó una tímida sonrisa.

—Supongo que es usted la dueña.

—Así es —respondió Lilly devolviéndole la sonrisa mientras intentaba hacerse una idea de qué tipo de cliente era. ¿Sería un viejo músico que volvía de un concierto?, ¿un profesor de música harto de lidiar con alumnos de escaso talento?—. ¿En qué puedo ayudarle?

El hombre la observó con detenimiento, como buscando algo en su rostro. Acto seguido le enseñó el estuche.

—Tengo algo para usted. ¿Me permite mostrárselo?

En realidad, Lilly no quería comprar nada más ese mes, pero era tan raro que alguien le ofreciera un instrumento musical que no supo decir que no.

—Acompáñeme, por favor.

Lo condujo a una sencilla mesa que había junto al mostrador. Ahí era donde los clientes solían enseñarle los objetos que pretendían colocarle. La mayor parte de las veces no traían nada decente. La gente tiende a atribuir a lo que se encuentra en los desvanes y trasteros de sus allegados fallecidos más valor del que realmente tiene. La de reproches que había tenido que aguantar cuando les decía que esas viejas figuritas de porcelana no eran más que baratijas...

Sin embargo, cuando el anciano abrió el estuche, Lilly presintió que le aguardaba algo especial. Sobre el forro desgastado y apolillado, que en tiempos debió de haber sido rojo oscuro, yacía un violín. Un violín antiguo. Lilly no era experta en la materia, pero calculó que el instrumento tendría unos cien años, quizá más.

—Sáquelo con cuidado —dijo el anciano sin quitarle ojo.

Titubeante, siguió sus instrucciones. Lilly sentía un profundo respeto por los instrumentos musicales, y eso que no sabía tocar ninguno. Nada más asirlo por el mástil pensó en su amiga Ellen, cuyo oficio y pasión era precisamente restaurar preciosidades como aquella; seguro que sería capaz de calcular el valor de ese instrumento con solo echarle un vistazo.

Mientras se recreaba observando el violín —el extraordinario barniz, la curiosa voluta—, descubrió una marca en el fondo: una rosa esquemática, pero muy estilizada, que daba la impresión de ser obra de un niño y que aun así era reconocible.

¿Qué maestro lutier decoraba sus instrumentos con ese ornamento? Lilly se apuntó mentalmente llamar esa misma noche a Ellen. Estaba claro que no podía permitirse el violín, pero aun así quería preguntarle a su amiga por el grabado, y si ese señor se lo permitía, le haría una foto...

—Me temo que no tengo suficiente dinero como para comprarle este ejemplar —dijo mientras volvía a depositar con suma precaución el violín en su estuche—. Seguro que vale una fortuna.

—Sin duda —repuso pensativo el anciano—. Noto cierto pesar en su voz. Quiere el violín, ¿no es cierto?

—Sí. Es tan... especial.

—Bien. ¿Y qué diría si le aseguro que no es mi intención vendérselo?

Lilly arqueó las cejas.

—¿Qué le ha traído entonces hasta aquí?

El hombre se rio para sus adentros y dijo:

—Es suyo.

—¿Perdón? —Lilly miró al hombre sumida en el desconcierto. No podía hablar en serio...— ¿Va a regalarme el violín? —preguntó a sabiendas de lo absurdo de sus palabras.

—No exactamente, ya que no puedo regalar algo que no me pertenece. Este violín es suyo. A no ser que el padrón no esté en lo cierto y usted no sea Lilly Kaiser.

—Por supuesto que soy yo, pero...

—Pues, entonces, este violín es suyo. Y hay algo más.

La cálida sonrisa del hombre no disipó las dudas de Lilly. Su cabeza le decía que se trataba de un truco o quizá de una equivocación. ¿Por qué razón iba a regalarle ese señor un violín? Si no lo había visto en toda su vida...

—Mire bajo el forro —insistió el hombre—. Puede que lo que hay le diga algo.

Primero titubeante y luego con las manos temblorosas, Lilly extrajo un papel con manchas de humedad y lo desdobló.

—¿Una partitura? —murmuró sorprendida.

La tomó entre sus manos y observó que llevaba por título *Moonshine Garden*. «El jardín a la luz de la luna», tradujo ella mentalmente. El trazo era algo torpe, como si hubieran escrito las notas a todo correr, y el nombre del compositor brillaba por su ausencia.

—¿De dónde ha sacado el violín? —preguntó confundida—. ¿Y cómo ha sabido que...?

El sonido de la campanilla la interrumpió. El hombre había salido zumbando, como un ladrón que huye de la Policía.

En un primer momento, Lilly se quedó pasmada, pero enseguida fue corriendo hasta la puerta y, tras abrirla y hacerla repiquetear violentamente, miró en todas direcciones. El anciano había desaparecido. En su lugar, se topó con un frío que le mordió las mejillas y las manos, atravesó sin esfuerzo su ropa y le hizo volver a meterse en la tienda. El violín seguía allí, en

14

su estuche, y solo entonces reparó Lilly en que aún tenía la partitura en la mano. ¿Qué hacer? Volvió a mirar fuera: ni rastro del anciano. Y ni siquiera le había dicho su nombre.

Sintió un escalofrío al contemplar el singular color del violín. Recorrió con la mirada sus tensas y plateadas cuerdas extendidas sobre el fino mástil y se detuvo en la afiligranada y retorcida voluta. ¡Qué maravilla de instrumento! No podía creerse que fuera realmente suyo. ¿Y la partitura?, ¿qué papel jugaba en todo aquello?, ¿por qué ese hombre le había llamado la atención sobre ella de manera tan explícita?

Un estruendo le hizo dar un brinco. Asustada, se dio la vuelta y vio pasar una horda de niños bulliciosos por delante de la tienda. Una bola de nieve se había estrellado contra la A del rótulo «Antigüedades Kaiser». Tras soltar un resoplido de alivio, se concentró de nuevo en el violín. Tenía que enseñárselo a Ellen. Quizá ella supiera quién lo había fabricado y, con un poco de suerte, también quién era el compositor de esa pieza.

Como estaba segura de que ningún cliente iba a hacer acto de presencia, y mucho menos otro anciano provisto de un instrumento encantado, fue a la puerta, colgó el cartel de «cerrado» y se puso el abrigo.

2

Lilly subía las escaleras de su casa en la Berliner Strasse con el estuche del violín bajo el brazo. El edificio era bastante antiguo y estaba pegado a un viejo teatro que llevaba cerrado unos cuantos años a la espera de un nuevo dueño o arrendatario.

Los peldaños crujían bajo sus pies mientras iba adentrándose en los característicos aromas de la finca. En la escalera anidaban distintos olores, uno por planta. Abajo olía a gato, en medio a lombarda y más arriba a humedad y ropa tendida, aunque nadie sacaba el tendedero al rellano. De vez en cuando, esos olores remitían y los límites se desdibujaban, pero volvían a aflorar en cuanto alguien se ponía a preparar la comida del domingo, dejaba salir al gato o hacía cualquier otra cosa que mantuviera vivo el olor de su planta. La planta de Lilly era la que olía a ropa tendida; tenía que dejar atrás cuatro tramos de escalera para poder cerrar por dentro la puerta de su casa y librarse de aquel hedor a humedad.

A medida que subía, la vida iba volviendo a sus mejillas, ateridas por el frío; a pesar de llevar puestos los guantes, no sentía las manos. Lo único que le daba fuerzas para continuar eran sus tremendas ganas de tomarse un café y llamar a Ellen.

A mitad de camino se encontró con Sunny Berger, una estudiante veinteañera plagada de tatuajes y con muy buen ojo para las antigüedades que a veces le echaba una mano en la tienda. Algunos clientes la miraban con sorpresa cuando reparaban en los numerosos dibujos que cubrían su piel, pero Sunny solía ganárselos rápidamente gracias a sus encantos. Lilly, por su parte, había sucumbido a ellos casi al instante; apenas una semana después de que la chica se mudara a su edificio, ya se habían hecho amigas.

—Eh, Sunny, ¿qué tal? —dijo Lilly sin dejar de darle vueltas en la cabeza a la idea de tomarse unas breves vacaciones. La estudiante era la única persona a la que podía pedir que la sustituyera.

—Bien, ¿y tú? —repuso tan contenta la joven, al tiempo que se subía la manga del jersey—. Mira, este es nuevo.

El tatuaje mostraba una *pin-up girl* montada en una bola de billar negra con el número ocho. A pesar de que Lilly ni loca se dejaría taladrar la piel con fines decorativos, no pudo evitar expresar su admiración ante un trabajo tan limpio y delicado.

—Es impresionante. ¿Dónde te lo has hecho?

—En un local de la Torstrasse —respondió Sunny con una sonrisa casi de enamorada—. Creo que voy a volver, el tatuador es majísimo.

—¿Le serás fiel para toda la vida? —le preguntó Lilly a sabiendas de que, al contrario que los tatuajes, sus relaciones eran todo menos duraderas.

—Hasta el próximo tatuaje seguro. Aunque...

Con pesar, Sunny levantó la mano izquierda y con la derecha señaló hacia el dedo anular, donde tenía tatuado con elegantes trazos la palabra «Love».

—Casado, qué lástima —constató Lilly, a lo que Sunny asintió.

—Sí, una pena. No habría estado mal pescar a un tatuador. La de dinero que me iba a ahorrar...

—Y en apenas un año no tendrías ni un palmo de piel libre.

—Bien visto. Entonces la cosa se pondría aburrida. De todos modos, Dennis es un cielo...

—Hazte amiga de él, puede que te haga descuento.

—Ya veremos. ¿Qué tal por la tienda?, ¿necesitas que te eche una mano? —preguntó Sunny tras bajarse la manga del jersey.

Lilly se rio para sus adentros. Sunny siempre le formulaba la misma pregunta después de hacerse un nuevo tatuaje. Su afición por tatuarse dejaba a menudo tiritando su cuenta corriente, lo que no era impedimento para que en pocos días volviera a darse un capricho.

Iba a decir que no, pero entonces recordó la idea de las vacaciones, escaparse de ese Berlín lluvioso y frío.

—Puede ser —respondió, consciente además de que, si no mantenía vivo su vínculo con Sunny, quizá más adelante, en caso de necesidad, no podría contar con nadie—. Sería en una o dos semanas. ¿Tú podrías?

—¡Pues claro! —exclamó la joven—. Para ti siempre estoy libre. Tú solo dime cuánto tiempo me necesitas. Ya casi están aquí las vacaciones del final del primer semestre.

Tres meses de vacaciones... Lilly recordó sus tiempos de estudiante. Como Sunny, también ella iba entonces a la caza de un trabajillo que sanease sus cuentas. Las vacaciones de invierno eran la mejor época en la vida de un estudiante.

—No quisiera chafártelas del todo, aunque quizá puedas reservarme tres o cuatro semanas.

—¿Te vas de viaje?

—Tal vez.

Una sonrisa asomó en el rostro de Lilly; luego, con gesto ausente, acarició el estuche del violín que llevaba bajo el brazo.

—¿Vas a aprovechar para empezar con el violín?

—No, ha llegado hoy a mis manos y... —Lo que tenía en mente era ir a Inglaterra, pero a pesar de su vivo interés no quería contárselo a Sunny, aún no—. Ya veremos.

—De acuerdo, pues entonces avísame cuando me necesites. Sabes que por tu tienda soy capaz de dejar colgada cualquier otra oferta.

—Muchas gracias, te digo algo en los próximos días.

—¡Perfecto!

Sunny desapareció en la planta de tufo a gato. Lilly reemprendió la subida hasta verse envuelta por el olor a ropa tendida.

—¡Qué tal, señora Kaiser! —exclamó Martin Gepard a punto de cerrar su puerta.

18

Martin se había mudado hacía un mes al piso contiguo al de Lilly y trabajaba en un supermercado del barrio. Aunque eran más o menos de la misma edad y ambos sabían perfectamente que el otro no tenía pareja, aún no habían intimado. Como siempre, Lilly se limitó a devolver el saludo y cerró con rapidez la puerta para que el olor del rellano no se le colara en casa. Dentro olía a vainilla, ropa limpia, madera y libros.

Aún no había caído en la tentación de decorar el piso con muebles antiguos de los que vendía en su tienda. Antes, en su vida anterior, tenía la casa llena de antigüedades, pero desde la muerte de su marido Lilly había decidido darle un toque de modernidad a su hogar. Todos los muebles eran nuevos, y no demasiado valiosos sino de la omnipresente marca sueca. Lo único que conservaba de su otra casa era el cuadro de una mujer que, asomada a una ventana, contemplaba un jardín envuelto en la oscuridad. Al comenzar su nueva vida, Lilly se había sentido especialmente identificada con el lienzo. La mujer del cuadro también era pelirroja y parecía algo desconcertada. Era imposible distinguir lo que el lóbrego jardín albergaba en su interior, pero en cualquier caso la mirada de la mujer no era muy halagüeña. Más bien parecía preguntarse qué hacer y si valía la pena seguir adelante y dejar atrás el jardín.

Lilly también se hacía esa pregunta a menudo. Pero le encantaba su piso, y marcharse lejos era del todo imposible a causa de la tienda. Unos cuantos días o incluso algunas semanas no supondrían ningún problema, pues podía contar con Sunny, pero abandonar Berlín era algo impensable. ¿Para ir adónde? Nunca había tenido demasiados amigos, y el número de estos se había reducido aún más tras la muerte de su marido. Esa circunstancia no la apenaba, sino todo lo contrario, pues podía afirmar, sin temor a equivocarse, que esos pocos que conservaba nunca la dejarían en la estacada.

Llevó el estuche del violín al escritorio y lo depositó allí con cuidado. Encendió el flexo y la luz dotó a la piel vieja y a los herrajes oxidados de un halo de misterio.

—¿Tú qué opinas? —le preguntó al retrato de su marido, que le sonreía desde un portafotos de marco austero—. ¿Me embarco en una nueva aventura?

Su marido siempre fue de la opinión de que las oportunidades estaban para aprovecharlas. Y también ahora parecía querer animarla con su sonrisa. Lilly apenas podía creer que ya hubieran pasado tres años desde su muerte. De vez en cuando, aún se sorprendía a sí misma esperando a que él entrara en la tienda para, dependiendo de la época del año, traerle café caliente o un helado y admirar las nuevas adquisiciones. Peter no era ningún experto en antigüedades, pero tenía buen gusto. Seguro que el violín le habría encantado.

Lilly acarició con ternura el retrato, pero enseguida notó que empezaban a brotarle las lágrimas y se volvió hacia el teléfono. Hablar con Ellen le haría pensar en otra cosa. Mientras marcaba el número, le vino a la mente la imagen de una mujer alegre, al final de la treintena, de ojos azules brillantes, nariz chata y barbilla enérgica. Aunque eran de la misma edad, Ellen siempre había parecido más madura que la aniñada Lilly. Y de hecho lo era. Ellen era la fuerte, la segura, Lilly, la infantil e indecisa. Quizá el secreto de su amistad fuera precisamente ese contraste.

—Hola, Ellen. Soy Lilly —dijo al escuchar una voz ronca de mujer al otro lado de la línea.

—¡Lilly, qué sorpresa! —exclamó su amiga—. ¡Hace mucho que no hablamos!

—Demasiado —repuso mientras echaba cuentas. Habían pasado tres meses desde la última llamada. Aunque se escribían correos electrónicos con regularidad, no dejaban de ser un pobre sustituto de las largas e íntimas conversaciones que solían mantener antes.

—¡Eso mismo opino yo! —Ellen soltó su característica risa de gallina—. ¿Puede saberse a qué debo este inmenso honor?

A juzgar por los ruidos que Lilly escuchaba de fondo, Ellen se encontraba en la cocina. En Londres estarían a punto de dar las siete, la hora idónea para preparar la cena. Aunque podía permitírselo, Ellen no tenía cocinera; si estaba en casa, prefería hacer ella misma la cena.

—Hoy ha venido a verme a la tienda un personaje curioso —dijo Lilly mordiéndose la lengua para no soltar de golpe lo del violín; sabía que Ellen adoraba los misterios y que quedaría defraudada si se limitaba a describir los hechos escuetamente. Por otro lado, ella misma lo encontraba todo tan increíble que aún dudaba de que hubiera sucedido.

Así que le contó con pelos y señales la aparición del anciano, sus palabras y su obsequio, sin reparar en el alto coste de la conferencia.

—¿Te ha regalado un violín? —La voz de Ellen estaba cargada de incredulidad.

—Como lo oyes. Y lo más raro es que insistió en que era mío; y eso a pesar de que no hay nada que lo demuestre. Lo único que he encontrado metido en el forro es una partitura titulada *Moonshine Garden*.

—«El jardín a la luz de la luna», qué bonito. ¿Y no tienes la dirección de tu benefactor?

—No, ni siquiera me dijo su nombre, y cuando quise darme cuenta ya se había esfumado.

Ellen chasqueó la lengua.

—Espero que hayas aprendido la lección. La próxima vez no te olvides de preguntar ese tipo de cosas: podría tratarse de mercancía robada.

Lilly no solía perder un instante en esas cuestiones. Tenía por costumbre no preguntarles el nombre a los clientes, a no ser que necesitaran una factura de la venta. Ahora se arrepentía de esa absurda manía suya; ¿cómo podía ser tan inocentona?

—¿Crees de verdad que podría ser robado? —dijo, y miró con desconfianza el estuche.

—No, seguro que no —admitió Ellen—. De lo contrario no te lo habría regalado ni habría insistido en que era tuyo. Si yo fuera una ladrona, habría intentado sacar un buen precio. Y, de no conseguirlo, preferiría tirarlo por la ventanilla del coche antes que dártelo.

21

—Dudo mucho que hicieras algo así —repuso Lilly algo más tranquila. No, el violín no era robado. Algo en él olía a chamusquina, eso era cierto, pero no era robado.

—Vale, quizá sea incapaz de arrojar un instrumento musical por la ventanilla, pero porque no soy una ladrona. Y dime, ¿qué aspecto tiene esa joya?

Lilly describió el violín lo mejor que supo: la elegancia de la voluta, el largo del mástil, la disposición de sus oídos en forma de efe. También el tamaño y el color. La rosa grabada en el fondo fue lo último que mencionó. Cuando le dijo que parecía haber sido impresa en la madera con un hierro candente o con un soplete, Ellen soltó un bufido de espanto. Al instante, se oyó ruido de cacharros; probablemente algo llevaba demasiado tiempo al fuego.

—*Sorry* —se disculpó antes de que el auricular del teléfono golpeara contra la encimera y Lilly fuera testigo de un juramento en arameo en medio de un gran estruendo.

Un minuto después volvió a oír unos pasos ajetreados acercándose al auricular y, enseguida, la voz de Ellen.

—Perdona, casi se me quema el estofado.

Lilly sonrió para sus adentros. Ellen no era un ama de casa demasiado hacendosa; sus talentos iban por otro lado. Aun así, se esforzaba por dominar los fogones.

—¿Qué opinas de la rosa?

—Casi me da un patatús —contestó Ellen. Luego debió de sentarse, o al menos eso parecía delatar el sonido de la silla arrastrándose por el suelo—. ¿Han grabado esa marca sobre el barniz? ¿Qué tipo de cafre ha podido hacer algo así?

—Cálmate —la apaciguó Lilly mirando de reojo el estuche—. La marca está por debajo del barniz. Da la impresión de que el fabricante lo hizo para decorar la madera antes de barnizarla, algo así como una firma.

—Eso no sería nada habitual. Los lutieres nunca firman sus obras por fuera. Hoy en día solo se hace por encargo de alguno de esos músicos extravagantes que se cree Dios.

—Pues parece que nuestro lutier quiso hacer algo especial con este violín. ¿No hay más violines con este tipo de grabados?

—Sí, claro que hay violines decorados con marcas, pero no suelen ser obra de un gran maestro. Me gustaría haber visto la reacción de Guarneri o Stradivari si alguien les hubiera encargado un violín garabateado.

—Seguro que lo harían... A cambio de un buen pellizco, claro.

—Me temo que te equivocas, querida. Como es natural, admitían encargos, pero nunca uno que pusiera en peligro su prestigio. Si alguien hubiera osado encargar un violín para su hija decorado con una rosa, sin importarle si el adorno podía afectar al sonido del instrumento, ten por seguro que el maestro habría rechazado el encargo y lo habría remitido a un colega menos excelso. Del taller de Stradivari solo salían los instrumentos que contaban con la bendición del maestro.

—Entonces, está claro que poseo un violín sin valor alguno. —Al decir esas palabras, Lilly no se sintió decepcionada, a nadie le regalan un violín excepcional por su cara bonita.

—Para estar segura, tendría que ver a tu bebé. ¿Por qué no vienes a verme y le echo un vistazo? Y así también podría examinar la partitura.

—¿Lo dices en serio? Seguro que tienes mucho trabajo.

—¡Y tanto! —resopló Ellen—. Pero tú ven de todos modos. Para mí será un placer examinar el violín y la partitura, y si además consigo arrastrarte hasta Londres... ¡Salimos las dos ganando! Hace siglos que no nos vemos y, si he de serte sincera, llevo un par de semanas buscando un pretexto para que vengas.

—¿No habrás sido tú la que me envió al bicho raro ese del violín?

—No, te juro que no tengo nada que ver. Aunque no es mala idea para la próxima vez. ¿Cuándo vienes?

—¿No te voy a dar mucha guerra? No quisiera ser una carga...

—¡Bobadas! —la cortó Ellen—. No me vas a dar ninguna guerra, te lo prometo. Necesito romper un poco con la rutina, y además tengo muchas ganas de verte. ¡Te echo muchísimo de menos, Lilly! Y Dean, Jessi y Norma también se alegrarán de que vengas. Ya sabes que mis chicas están locas por ti.

—Claro que lo sé. Y a mí también me apetece muchísimo veros a todos.

—¿Significa eso que vienes?

Lilly sintió un subidón de alegría.

—Sí. Solo me falta confirmar que tengo quien se ocupe de la tienda. Y tú, si mi visita trunca tu viaje a Nueva York, haz el favor de decírmelo.

—Tranquila, todo está controlado. Espero que tu violín esconda una historia fascinante. O un enigma que podamos resolver juntas. ¿Te acuerdas de nuestra búsqueda del tesoro en el desván de la casa de tus padres?

Lilly se rio para sus adentros.

—Claro que me acuerdo. La pena fue que no encontráramos nada realmente misterioso.

—Más bien un montón de trastos viejos. Puede que ahí arriba naciera tu amor por las antigüedades.

Sí, era más que probable. A Lilly siempre le habían llamado la atención las cosas viejas, y el desván de sus padres se convirtió en un verdadero parque de atracciones donde pasar largas horas con Ellen. Era un lugar lleno de cajas y muebles del año de la polca. Una enorme colección de objetos que habían sobrevivido a la guerra, pasado de moda o, simplemente, caído en el olvido. A Ellen le encantaba esconderse entre las cajas para asustarla. Lilly, en cambio, podía pasarse horas observando un viejo arcón con unos grabados cuyo significado una niña no podía alcanzar a comprender; más adelante, sabría que se trataba de una danza de la muerte.

—Y también el tuyo por los instrumentos antiguos —repuso Lilly regresando de sus recuerdos.

Ellen se echó a reír.

—¡Desde luego! ¿Te acuerdas del viejo acordeón?

—¡Cómo olvidarlo! La murga que diste con él...

24

—Ya. Lo cierto es que desde entonces mi fascinación por los instrumentos no ha dejado de crecer... Cuanto más antiguos, mejor.

Se hizo una breve pausa, como si ambas tuvieran que sacudirse los recuerdos para volver al presente.

—Vale, pues entonces cuento contigo —dijo Ellen al fin.

Lilly se la imaginó mirando de reojo el estofado. Llevaban media hora hablando y Dean debía de estar a punto de regresar del trabajo. Además, el coste de la llamada iba a hacer de todo menos gracia...

—Dalo por hecho. Déjame que arregle lo de la tienda y te cuento.

—¡Perfecto! Cuídate mucho, ¿me oyes? Y no olvides mandarme un correo mañana.

—Prometido. Da recuerdos a Dean y a las niñas de mi parte.

—Así lo haré. *Bye!*

Tras colgar, Lilly se quedó como abstraída durante unos minutos. Aquella llamada había abierto una ventana en su alma. Ellen y ella eran amigas desde niñas, prácticamente hermanas, lo cual despertaba no pocas envidias a su alrededor. Eran uña y carne, y si discutían, el enfado duraba poco, enseguida se reconciliaban. Cuando Ellen conoció a un chico durante unas vacaciones en Inglaterra, ella fue la primera en saber que estaba colada por él. Años después estaba plantada en una pequeña iglesia de Londres junto a Ellen en calidad de madrina, y acabó llorando más que la propia novia. Esos recuerdos siempre traían un poco de luz al corazón de Lilly. No es que lo iluminaran del todo, pero al menos arrojaban un par de rayitos de sol capaces de atravesar los grises nubarrones que se habían instalado en él tras la muerte de Peter.

Finalmente se levantó, fue al escritorio y abrió el estuche. La luz del flexo se posó con suavidad sobre el barniz de la tapa armónica. ¿A quién demonios le importaba si el violín era valioso o no? Lo que ella quería saber era por qué ese anciano se había empeñado en afirmar que era suyo, y qué le había impulsado a huir de su tienda como alma que lleva el diablo.

Con sumo cuidado extrajo la partitura y la observó detenidamente. *El jardín a la luz de la luna*. Sonaba tan romántico...
¿Qué jardín había querido inmortalizar el compositor? ¿Quién
sería? ¿Era la partitura la clave para dar con la procedencia del
violín? Y ¿qué pintaba ella en todo aquello? Eran tantos los interrogantes...

La decisión estaba tomada.

3

—Acuérdate de echar la llave si decides tomarte un descanso y salir de la tienda un rato. Puede que la gente no demuestre demasiado interés por las antigüedades, pero cuando algo es gratis la cosa cambia.

—Por supuesto —repuso Sunny conteniéndose para no poner los ojos en blanco. Al fin y al cabo, hasta entonces había demostrado ser digna de absoluta confianza. Y eso no tenía por qué cambiar a partir de ahora: aunque iba a aprovechar para avanzar en sus trabajos para la universidad, lo tendría todo bajo control.

—Si viene alguien para vender mercancía, dale nuestra tarjeta y dile que regrese dentro de un par de semanas. Me gusta examinarla personalmente.

—Lógico, estás mucho más puesta que yo en el negocio —dijo Sunny sin dar la menor impresión de sentirse ofendida.

Lilly no pudo evitar añadir una apostilla.

—No es que dude de tu buen ojo, pero hay algunas piezas que a este paso no voy a colocar en la vida —dijo señalando el armarito que había bautizado como «el invendible»—. Por ejemplo, ese armario de ahí. Es magnífico, pero por alguna razón misteriosa nadie se fija en él. Es como si tuviera mal karma.

—Pues a mí me parece una maravilla —concluyó Sunny apretando los labios e intentando sonreír.

—Si es así, puedo dártelo en pago por tus servicios. ¿Qué te parece?

—Mejor no, Lilly, prefiero los quinientos que me prometiste —se apresuró a decir meneando la cabeza—. El armario me lo puedes regalar cuando me case.

—¿Con el tatuador? —Lilly le guiñó el ojo.

—Con quien sea, con él o con cualquier otro, tengo previsto casarme en diez años.

—Como el armario siga ahí dentro de diez años no tendrás ni que casarte; te lo regalo por tu cumpleaños y listo.

De pronto, y sin saber por qué, Lilly tomó dolorosa conciencia de que podía haber tenido una hija de la edad de Sunny. Aunque no exactamente, ya que conoció a Peter a los veintiuno... Aun así, si el destino se hubiera portado mejor con ella, ahora tendría una hija adolescente que le ayudaría en la tienda y a la que podría regañar con cariño por sus dispendios. A veces se sorprendía a sí misma albergando sentimientos maternales hacia Sunny, pero intentaba no manifestarlos, pues aunque la apreciaba mucho no quería aburrirla con monsergas que ni le iban ni le venían.

Aún soy joven, se dijo. Lo bastante como para encontrar otro hombre. Lo bastante como para tener un hijo. Pero su reloj biológico no se detenía, y todavía no se sentía preparada para embarcarse en otra relación de pareja.

—En fin, en cualquier caso, ahora eres tú quien manda, y cuento con encontrarme todo tal y como está a mi regreso... Salvo lo que logres vender, claro. —Lilly sacó la cartera y le dio un billete de cien—. Aquí tienes un pequeño anticipo. El resto te lo daré cuando vuelva.

—Gracias, ha quedado todo claro. —Sunny se guardó el dinero en el bolsillo de los vaqueros—. Y qué, ¿estás nerviosa?

Lilly echó una mirada a los bultos que le esperaban junto a la puerta. En realidad había previsto llevar poco equipaje, pero sin querer había empezado a acumular cosas tan «necesarias» como regalitos para los anfitriones y demás pequeñeces, hasta acabar con una maleta de ruedas y una bolsa de viaje llenas hasta los topes. Y obviamente el estuche del violín, que se había negado a entrar en la maleta y en la bolsa, como si se hubiera propuesto que, una vez en la calle, Lilly se convirtiera en el blanco de todas las miradas.

—¡Por supuesto! Hace mucho que no veo a mi amiga.

—¿Y te llevas el violín?

—Quiero que ella lo examine.

—¿Es valioso?

—Ni idea. De todos modos, lo que me interesa es saber a quién perteneció. Y puede que ella me ayude a averiguarlo.

—Estoy segura de que sí. ¡Y también de que no tendrás que esperar diez años para venderlo!

Lilly renunció a explicarle que no tenía la menor intención de ponerlo a la venta. Más adelante, a su regreso, quizá le contaría la historia completa. Siempre que al final hubiera una historia que contar...

Tras echar un último vistazo alrededor como queriendo memorizar el aspecto de su tienda, se colgó la bolsa de viaje al hombro, se colocó el estuche bajo el brazo y, con la mano libre, agarró el asa de la maleta.

—¡Que te vaya todo muy bien, Sunny!

—¡Lo mismo digo, Lilly!

La campanilla de la puerta sonó sobre su cabeza. Luego salió al frío invernal de la calle.

Lilly se sorprendió de lo rápido que a veces suceden las cosas. Hacía apenas nada se estaba planteando el viaje y ya estaba embarcada en él. El mismo día de la conversación telefónica con Ellen había llamado a la puerta de Sunny, y la estudiante se había mostrado encantada de poder empezar cuanto antes, sobre todo porque necesitaba un lugar tranquilo donde poder darle un empujón final al trabajo que tenía que entregar en la universidad.

Todo había funcionado a la perfección, como los engranajes de un reloj: la llamada a Ellen, la reserva del vuelo, hacer las maletas... Cuando le preguntó a su amiga por un buen hotel, esta no le había dejado ni terminar la frase: «Pero ¿tú estás loca o qué te pasa? ¡Dormirás en nuestra casa como está mandado!» Y ahora ya estaba camino de Londres, lista para tomar un avión que despegaría dentro de dos horas.

Con un cosquilleo en la tripa y la moral por las nubes, Lilly se dirigió a trompicones a la estación de cercanías. El frío le mordía las mejillas y el sol brillaba en el cielo, limpio; era como si el tiempo le dijera que estaba haciendo lo correcto. Los montículos de nieve, que, apilados al borde de las aceras, impedían aparcar a los coches, refulgían como si estuvieran formados por brillantes, y hasta los rostros de los viandantes parecían menos adustos que de costumbre.

Lilly reparó en lo poco que viajaba. A la gente le ponía la excusa de la tienda, pero en su fuero interno sabía perfectamente que el verdadero motivo era Peter. El miedo a sentirse sola en el viaje, a ser incapaz de conectar con nada y a que los recuerdos la atormentasen era tan poderoso que, cuando la casa se le venía encima, prefería conformarse con dar un paseo por el jardín botánico.

En tres cuartos de hora se plantó en el aeropuerto de Tegel, donde no tardarían en llamarla para el embarque. Entretanto, su móvil había sonado sin que pudiera atenderlo. Una vez hubo facturado, comprobó que había recibido un mensaje de Ellen. Le decía que en cuanto llegara se fuera directa a su casa y que le prepararía algo de comer. Lilly leyó el mensaje con una sonrisa. Por más estresada que estuviera, Ellen siempre sacaba tiempo para cuidar hasta el último detalle.

Al subir al avión con el violín percibió la mirada de asombro de la azafata, que prefirió no decir nada y centró sus esfuerzos en ofrecer una sonrisa forzada. Lilly no se había atrevido a facturarlo. Por suerte era lo bastante liviano como para poder incluirlo como equipaje de mano. Debido a su baja estatura, tuvo dificultades para introducirlo en el compartimento superior.

—¿Puedo ayudarle? —preguntó en inglés una voz masculina.

Lilly volvió la cabeza y se topó con un pecho cubierto por una camisa de color antracita. Luego, alzando la vista, vio el rostro de un hombre de unos cuarenta años cercado por un cabello rizado y entrecano. Parece salido de un anuncio, pensó Lilly pese a que su mente estaba concentrada en cómo colocar el estuche del violín.

—Sería muy amable por su parte —respondió en inglés.

—¿Es usted música? —preguntó el hombre después de acomodar el estuche.

Lilly negó con la cabeza.

—Me han regalado este instrumento y ahora pretendo que me lo tasen.

—¿Y sabe tocarlo?

—No, vendo antigüedades.

—Pues qué lástima... Seguro que su figura luciría espléndida en el escenario.

¿Era eso un cumplido? Lilly se puso roja como un tomate.

—Me temo que tendría que subirme a un taburete para que el público me viera —dijo intentado superar su timidez. Hacía siglos que un hombre no le decía algo bonito.

—¡Y luego dicen que los alemanes no tienen sentido del humor! —exclamó entre risas el desconocido mientras le tendía la mano—. Me llamo Gabriel Thornton, y estoy encantado de compartir el vuelo con usted.

—Lilly Kaiser —dijo ella algo apurada al comprobar que el asiento del señor Thornton estaba en la misma fila que el suyo.

Entre ambos había una plaza libre, pero, en cuanto llegó su propietario, el inglés logró convencerlo con amabilidad para que se lo cambiara. Buen trato, ya que él tenía un asiento de ventanilla; un asiento al que había renunciado solo para poder hablar con ella...

Al poco de despegar, el señor Thornton le contó que dirigía una escuela de música en Londres y que impartía clases de musicología. Había estado en Berlín como invitado para participar en un ciclo de conferencias que había finalizado el día anterior. Mientras hablaba, Lilly se sorprendió a sí misma observando fijamente su boca, su nariz y sus ojos. Para no llamar demasiado su atención bajó la mirada, pero entonces topó con sus manos, que también eran un deleite para la vista. Fuertes pero dúctiles, y sobre todo muy cuidadas; las manos de un músico.

—¿Y qué le ha parecido Berlín? —dijo Lilly sin dejar de sentir un cosquilleo en la boca del estómago; un cosquilleo distinto al que había experimentado hacía un rato en el andén de cercanías.

Su ilusión por el viaje seguía intacta, pero ahora se añadía un ingrediente más: su interlocutor le resultaba especialmente simpático.

—Una hermosa ciudad. Y es todavía más agradable desde que no está dividida por un muro.

—¡El Muro cayó hace veinte años! —repuso Lilly divertida. ¿Cómo era posible que en el extranjero siguieran esperando encontrarse con la «franja de la muerte»?

—Lo crea usted o no, mi última visita fue en 1987, y entonces aún estaba el Muro.

—¿Estudió usted aquí?

—Sí. Vine lleno de ilusiones y sueños. Y también de una inmensa curiosidad por las alemanas.

Cuando él le guiñó el ojo, Lilly notó que le ardían las mejillas. ¿Se habría puesto colorada otra vez? Ese hombre no era más que su compañero de asiento. Seguramente estaba casado con una mujer hermosa, y no era descartable que tuviera unos niños encantadores. Además, lo más probable era que, tras el aterrizaje, nunca más volvieran a verse.

—Cuénteme algo de usted. ¿Nació en Berlín? —prosiguió Thornton.

—No, soy de Hamburgo. Tras la reunificación me mudé a Berlín con mi marido y abrí la tienda.

—Su marido debe de sentirse muy afortunado de tener una esposa tan encantadora.

Lilly frunció los labios. No era su estilo ir contándole a todo el mundo lo que le había sucedido a Peter, pero ese hombre era tan agradable que decidió hacer una excepción.

—Es posible que lo estuviera.

Una arruga reflexiva asomó entre las cejas de Thornton.

—Ah, de modo que ha fallecido —supuso con tino—. Lo siento muchísimo.

—Hace tres años —dijo Lilly antes de bajar la cabeza. Decidió omitir que la causa había sido un tumor cerebral.

Afectado, Thornton apretó los labios. Mientras, Lilly buscaba a la desesperada alguna frase que acabara con aquel incómodo silencio. La azafata se acercó para preguntarles si querían tomar algo. Ella pidió un vaso de agua y él un zumo de tomate.

—¿Sabía que el zumo de tomate es la bebida más popular en los aviones? —preguntó Thornton sonriendo de nuevo—. ¿Y que, sin embargo, los pasajeros luego no suelen tomárselo?

Lilly no pudo evitar sonreír.

—¿Hay un estudio al respecto?

—No, lo he leído en alguna parte, no me pregunte dónde.

Con una risa afable Thornton ahuyentó definitivamente los negros nubarrones que hacía un instante se cernían sobre la conversación.

—¿Y usted? Seguro que su mujer estará contenta de que vuelva a casa tras una larga ausencia —comentó Lilly, una vez la azafata les hubo dejado las bebidas sobre sus respectivas bandejas. Mirando de soslayo comprobó que, en efecto, en su fila había cuatro vasitos llenos de líquido rojo.

—Seguramente lo estaría, si la tuviera. —Una sonrisa misteriosa asomó en los labios de Thornton.

—¿No está usted...? —Presa del pudor, Lilly se censuró a sí misma.

—No, ya no. Nos separamos amistosamente, y nos vemos de vez en cuando, pero eso es todo.

De nuevo se quedaron en silencio. Tras unos cuantos minutos, Thornton volvió a la carga.

—¿Así que ha traído el violín para que lo examinen...?

—Exacto. No creo que valga demasiado, su valor es más bien sentimental.

—¿Se lo regaló un pariente?

—Un prófugo, diría yo —contestó Lilly—. Un hombre vino a mi tienda y me lo dio. Sin más. Luego desapareció, y no tengo ni idea de dónde buscarlo. Ahora lo que quiero saber es a qué debo el honor de haberlo recibido.

—Suena de lo más intrigante. ¿Quién se va a encargar de examinarlo?

—Ellen Morris. Quizá el nombre no le diga nada, pero...

—¡Ya lo creo que me dice! Es una restauradora, y de las mejores en su campo. No tengo el placer de conocerla en persona, pero todo lo que he oído de ella es bueno.

Qué contenta se va a poner Ellen, pensó Lilly. Siempre que aquel hombre estuviera hablando en serio, claro. Aunque lo cierto era que en sus palabras no había el más mínimo atisbo de ironía.

—¿Cómo dio con ella? Seguro que en Alemania hay también muy buenos expertos.

—Somos amigas desde el colegio. En realidad es alemana, pero se casó con un inglés, y al haber adoptado su apellido siempre la toman por nativa.

Thornton hizo un gesto de sorpresa.

—¿De verdad? Pues seguro que eso no lo sabe nadie del mundillo. Gracias por el dato, quizá me sea útil.

—¿Usted cree? —Lilly torció el gesto—. Dudo que difundirlo vaya a provocar que contraten menos sus servicios.

—Pero yo tendré algo de qué hablar si en alguna ocasión coincido con ella. Así me será más fácil preguntarle por su encantadora amiga, y entonces podré saber de usted.

El anuncio del capitán de que en breve aterrizarían en Heathrow puso fin a la conversación. Se abrocharon los cinturones de seguridad, las azafatas recorrieron una vez más el pasillo y el avión empezó a descender. Qué lástima no haber conocido a este hombre en un vuelo trasatlántico, pensó Lilly. Estaba segura de que no se les habría agotado la conversación. Pero no había tiempo para más. Cuando bajaron del avión, se despidieron cordialmente. Y como ella tenía que quedarse a esperar el equipaje, lo perdió de vista. No pudo evitar sentirse un poco triste.

4

Lilly tomó por un buen presagio que, en contra de todos los clichés, Londres no la recibiera con lluvia y nubarrones. Sobre el aeropuerto, el cielo era tan azul como el de una postal, solo lo surcaba alguna que otra nube plomiza. Parecía que se hubiera traído consigo el buen tiempo de Berlín.

Ellen la llamó mientras esperaba las maletas y, aunque le había dicho que fuera a su casa, se ofreció para ir a recogerla al aeropuerto, pero Lilly declinó su oferta. Sabía que su amiga volvía agotada del trabajo. Meditó durante unos instantes si merecía la pena alquilar un coche, pero finalmente optó por tomar un taxi. El conductor rondaba la cincuentena y, a juzgar por su acento, solo podía ser escocés. La chaqueta de *tweed* holgada, los pantalones de pana y la gorra le recordaban al típico parroquiano de pub de las series inglesas.

—¿Es usted artista? —le preguntó nada más salir de Heathrow, al tiempo que señalaba con la barbilla el violín, ahora sobre el regazo de Lilly.

—No, comercio con antigüedades —dijo ella, y se preguntó cuántas veces más tendría que dar la misma explicación.

—Entonces, ¿lo de tocar es un *hobby?* —insistió el taxista—. Mi hijo ha apuntado a su pequeña a una escuela de música en el barrio de Belgravia. Cree que algún día será una estrella del violín —sentenció dando un bufido.

—¿Es que su nieta no toca bien?

—Sí, claro que toca bien, para tener siete añitos... Pero en mi opinión la cría debería corretear al aire libre y relacionarse con otros niños de su edad.

Lilly se tomó unos instantes para meditar su respuesta. Sin duda el señor tenía razón: obligarla a tocar el violín podía llegar a convertirse en una tortura y hacer que dejara el instrumento en cuanto asomara la rebeldía propia de la pubertad. Pero también era posible que de verdad le gustara tocar. Muchos artistas han descubierto su vocación a edades muy tempranas, sin importarles lo más mínimo que los demás los tomaran por bichos raros; no a todos los niños les gusta restregarse por el barro y trepar a los árboles.

—Quién sabe, quizá llegue a ser una virtuosa del violín —dijo al fin Lilly—. Y si no quiere, seguro que sabrá dejarlo a tiempo, créame.

Cuando la charla con el taxista se agotó, los pensamientos de Lilly volvieron a dirigirse hacia el señor Thornton. De repente se dio cuenta de que tenía algo que le recordaba a Peter. De aspecto eran diametralmente opuestos: Peter era rubio y tenía los ojos azules, mientras que Thornton era moreno y de ojos marrones. Sin embargo, en la forma de ser del inglés había descubierto algunas similitudes con su marido. Su manera de hablar y de mirarla sonriendo...

—¡Madre mía, menuda choza! —El taxista soltó un silbido de admiración que sacó a Lilly de su ensimismamiento.

Alzó la cabeza y reconoció la casa de su amiga.

—¿Está segura de que es aquí?

—Sí, ahí vive mi amiga —dijo Lilly, y repentinamente experimentó una agradable sensación de calidez por todo el cuerpo. De pronto la nariz se le inundó de los aromas de la última Navidad, que había pasado junto a Ellen y su familia. Esos días la casa entera olía a almendra tostada, dulces, pasas y pudin de ciruelas.

El taxi se detuvo frente al señorial portón de hierro de estilo isabelino. Lilly pagó al conductor, que tras sacar su equipaje del maletero salió zumbando. La radio, que durante todo el trayecto se había hecho notar con su insistente carraspeo, apenas le había concedido un momento para observar con calma la propiedad.

Y ahora no podía apartar los ojos de ella. Como hechizada, se asomó entre los barrotes de la verja y no pudo evitar sentir un poco de envidia. La suerte siempre había acompañado a su amiga. No solo por haber podido dedicarse a lo que siempre había querido hacer, también por tener un marido maravilloso, dos hijas encantadoras y esa casa, a la que para ser justos y no minusvalorarla no se podía llamar casa sino mansión.

El edificio, cubierto por la escarcha, contaba con numerosos pináculos, torrecillas y chimeneas, y en los viejos ventanales se reflejaba el pálido azul del cielo invernal.

Ellen y su marido se la habían comprado diez años atrás a un hombre de negocios inglés de buena familia. Por aquel entonces estaba bastante deteriorada y el dueño no podía hacerse cargo de su mantenimiento, así que en el fondo se alegró de librarse de ella.

En apenas seis meses, Dean, propietario de una importante constructora londinense, convirtió aquella casa medio en ruinas en una auténtica joyita. Lo más curioso era que, a pesar del asombroso proceso de modernización que había sufrido, seguía transportando al visitante a la época Tudor.

De pronto, Lilly reparó en que tras la muerte de Peter ya no eran tan frecuentes sus visitas, y recordó lo estupendamente que su marido se llevaba con Dean. Si se había mostrado un poco esquiva últimamente era por el temor a que Dean y la propia Ellen la abrumaran con un exceso de condescendencia. Pero el tiempo había pasado y ahora presentía que la visita iba a hacerle bien. Con ese ánimo optimista, apretó el botón del portero automático.

La respuesta a su llamada fueron unos amenazantes ladridos. Al poco aparecieron en la lejanía dos rottweiler. Las temibles bestias se acercaron por ambos flancos del caminito de tierra enseñando sus aterradoras fauces. Al reconocerla se tranquilizaron un poco, apoyaron las pezuñas en la verja y le echaron su cálido aliento. Lo cierto era que inspiraban miedo, aunque Lilly, que precavidamente se había apartado unos pasos de la verja, sabía que por lo general solo atacaban si se lo ordenaban. Como para fiarse...

—¿Sí? —dijo tras un fuerte chasquido una voz de niña que, a pesar de sonar más mayor que en su última visita, Lilly reconoció al instante.

—¿Norma? Soy yo, tía Lilly.

—¡Hola! —contestó con alegría la voz—. Espera, que te abro.

Cuando la puerta empezó a abrirse, Lilly lanzó una mirada cargada de escepticismo a los dos perrazos. ¿Cómo demonios se llamaban? *¿Skippy* y *Dotty?* Optó por entrar sigilosamente y no decirles nada. Entonces sonó un potente silbido.

—¡Eh, vosotros dos, dejad a la señora en paz!

Al ver a Rufus, el jardinero, respiró aliviada. Los perros obedecieron su orden; tras continuar vigilándola unos instantes, dieron media vuelta y corrieron hacia él dando grandes saltos.

Cuando Lilly se acercó un poco más, vio que el hombre venía cargado con unos leños.

—¡Hola, señor Devon! —saludó al jardinero mientras este se sacaba algo del bolsillo para intentar alejar a los perros. La maniobra surtió efecto: ambos salieron corriendo tras la pelotita.

—Hola, señora Kaiser —repuso él, y se restregó la mano en sus pantalones de faena antes de tendérsela—. La señora Norris me avisó de que venía. Me habría encantado tener el jardín presentable antes de que usted llegara, pero es que esos dos granujas no me dejan tranquilo ni un instante.

Rufus Devon era todo un bromista, y además un loco de los perros. Daba igual que el animal fuera miedoso o pendenciero; él siempre acababa ganándoselo. Y no era de extrañar, pues su familia criaba perros desde siempre y llevaba el amor por ellos en la sangre.

—Me temo que ni siquiera David Copperfield tiene un truco para hacer crecer violetas entre la nieve —bromeó Lilly—. El mero hecho de que cuide del jardín en estas fechas ya me parece admirable; aún faltan un par de meses para que empiece la temporada.

—Cierto, pero para entonces quiero que todo esté listo. Así el jardín lucirá como merece.

—¡Estoy segura de ello!

Tras despedirse del señor Devon se dirigió hacia la casa. De camino, intentó llenarse los pulmones de ese aire tan distinto del de Berlín. Olía a astillas y humus, a hojas podridas y nieve sucia, a agujas de abeto y madera vieja, a alberca y juncos.

De pronto, a sus espaldas empezó a traquetear la trituradora de madera, un sonido que le ponía la piel de gallina. Siempre había sentido una gran aversión por los ruidos, así que apretó el paso instintivamente. Por suerte, en la escalera de la entrada casi no se oía nada ya.

Cuando vio las dos torrecillas de la fachada volvió a sentir algo muy cercano a la envidia. ¿Habría descansado tras esas paredes la reina Isabel I en sus jornadas de cacería? En cualquier caso no costaba imaginárselo, pues el lugar evocaba esa época lejana.

Apenas tuvo tiempo de recrearse en esa imagen del pasado, pues nada más subir un par de escalones se abrió la puerta. Las hijas de Ellen salieron a su encuentro corriendo como si se tratara del mismísimo Papá Noel y la abrazaron con tal ímpetu que casi se cae de espaldas escaleras abajo.

—¡Tía Lilly! —exclamaron al unísono las pequeñas. Al levantarlas comprobó que habían crecido lo suyo. Y bien que se lo habría dicho si no fuera porque recordaba cuánto odiaba que sus tías le dijeran siempre lo mismo.

—¡Cuánto me alegro de veros! —dijo en inglés, aunque ambas hablaban un alemán perfecto gracias a su madre.

—¡Y yo de verte a ti, tía! —dijo educadamente Jessi en alemán, robándole una sonrisa a Lilly—. Mamá nos dijo que te acompañáramos a tu habitación en cuanto llegaras.

—Sí, tienes que descansar un poco —añadió Norma.

—Pero si he venido sentada todo el tiempo. ¿Qué creéis, que he cruzado el canal de la Mancha a nado?

Las dos niñas rieron su ocurrencia y se metieron corriendo en casa.

Mientras las seguía reparó en algunos muebles que no estaban en su última visita. Del olor a barritas de azúcar de las Navidades pasadas no quedaba ni rastro. En su lugar reinaba un fuerte olor a pegamento, debido seguramente a que las niñas estaban haciendo los deberes de las vacaciones.

Las pequeñas correteaban por el pasillo donde estaba su habitación y a Lilly le vinieron a la mente recuerdos de cuando ella y Ellen corrían y daban saltos por el pasillo de la casa de sus padres; las largas piernas de su amiga le otorgaban cierta ventaja que ella solo podía compensar corriendo más.

—Mamá nos ha pedido que no te agobiemos con preguntas —dijo Jessi, la mayor, que a sus once años ya era casi tan alta como Lilly.

—Qué cosas tiene vuestra madre. Pero si he venido precisamente para someterme a vuestro interrogatorio. Aunque si lo que queréis saber es qué banda de rock está de moda en Berlín, me temo que no voy a poder ayudaros.

—Mamá dijo que traías un violín —dijo Norma, como si los grupos de música y la moda juvenil aún no fueran con ella—. ¿Puedo verlo?

—Claro. Luego te lo enseño. Pero primero déjame deshacer el equipaje.

Las niñas se detuvieron delante de una puerta artesonada, una de las pocas que seguían conservando su aspecto original. El corazón de Lilly empezó a palpitar de la emoción; era la habitación donde siempre dormía cuando venía de visita. Le recordaba tanto a la casa de su abuela que era como volver a un lugar de la infancia. Esa cama tan alta, la vieja tarima, los muebles antiguos...

En cuanto las niñas abrieron la puerta comprobó que apenas había cambiado nada. La cama seguía siendo el macizo armatoste que recordaba, y el vetusto armario sacado del dormitorio de los padres de Dean, fallecidos hacía años, también permanecía en el mismo sitio. Oteándolo todo desde las alturas estaba la vieja cabeza de *Heinrich,* un ciervo al que bautizaron con ese nombre en honor a otro ciervo que salía en un libro de cuentos. Lilly la había comprado en Berlín Oriental dos años antes de que cayera el Muro. La primera vez que se enfrentó a ese monstruo disecado casi se muere de miedo, pero con el tiempo la fiera fue perdiendo su aspecto aterrador. Ahora era parte del mobiliario, como el artesonado del techo y la tela roja que cubría las paredes, restaurada por un tapicero de Oxford. La única novedad era un largo paquete tendido sobre la cama.

—Es un regalo de mamá —le explicó Jessi, orgullosa como si ella misma lo hubiera elegido—. Lo trajo ayer... ¡No nos ha dejado husmear!

—¿Podemos abrirlo? —propuso al instante Norma.

—Claro que podéis. Pero primero dejadme sacar las cosas. —Colocó la maleta delante del armario bajo la atenta mirada de las niñas, que aguardaban expectantes junto a la cama. Lilly sonrió al comprobar lo obedientes que eran. Ellen y ella no habrían podido resistirse a echar un vistazo en cuanto sus madres se hubieran dado la vuelta. Aunque también podía ser que la estuvieran engañando.

Se acercó a la cama y abrió el paquete con parsimonia. Cuando vio el contenido se quedó sin aliento. Envuelto en un papel de seda de color verde claro y decorado con hojitas, había un vestido verde botella. ¡Justo el color que mejor conjuntaba con su melena roja!

—¡Qué mono! —exclamó Norma.

—¿Me lo puedo probar? —preguntó Jessi.

Lilly no sabía qué decir. Estaba demasiado acostumbrada a su vestuario, que era de lo más austero. Con unos vaqueros, unas cuantas blusas, un jersey negro de cuello alto para el invierno y un traje pantalón para los días señalados tenía más que de sobra. Sin duda lo suyo eran los vaqueros y las camisetas.

El vestido que ahora relucía bajo la tenue luz de la tarde superaba con creces todo lo que tenía en su armario, aunque era demasiado elegante para ir a un pub normalito o para salir a dar una vuelta.

—¿No te gusta? —preguntó Jessi, ansiosa por poner sus garras sobre ese vestido tan poco apropiado para una niña de once años.

—Claro que sí. Es... —Es disparatadamente caro, pensó, pero al final exclamó—: ¡Es precioso!

Acarició la tela con cuidado: era tan suave como parecía a simple vista. Vestida con él no desentonaría en Buckingham Palace, ni siquiera en Ascot. Estaba claro que Ellen iba a obligarla a estrenarlo. Quizá no en palacio ni en las carreras de caballos, aún no había llegado la temporada. Pero resultaba evidente que algo se traía entre manos.

—¡Cuando sea mayor quiero uno igual! —exclamó Norma—. O, si no, me lo dejas tú, tía Lilly.

—Cuando tengas edad para llevarlo seguro que la moda habrá cambiado una barbaridad, señorita —repuso ella mientras volvía a guardar el vestido, no sin antes echarle un último vistazo.

Las dos niñas se miraron a los ojos y acto seguido Jessi preguntó:

—¿Te traemos algo de beber, tía?

Las perfectas anfitrionas, pensó Lilly.

—Gracias, es todo un detalle por vuestra parte, pero antes tengo algo que daros.

Fue hasta donde estaba su maleta y sacó sus regalos. En una tiendecita muy cuca había encontrado unas camisetas estampadas y unos bolsos. La dependienta le aseguró que estaban causando furor entre las adolescentes.

—¿Qué hay dentro? —preguntó Norma agitando suavemente su paquete.

—Un poco de aire berlinés —respondió entre risas—. Lo mejor es abrirlo y, sobre todo, probárselo.

Las niñas aceptaron encantadas la propuesta y se fueron corriendo a su cuarto con el botín, lo que hizo que Lilly volviera a revivir momentos que había compartido con Ellen. Ellas siempre abrían juntas los regalos de Navidad de la madre adoptiva de su amiga, lo mismo que seguramente estaban haciendo ahora sus hijas. Unas niñas fantásticas, pensó mientras apartaba la caja del vestido y dejaba caer la maleta sobre la colcha, un *quilt* hecho a mano y con un estampado de rosas rojas. Niñas tan educadas no abundan en Berlín, se dijo.

Mientras colocaba la ropa en los cajones del armario intentó imaginar qué habría dicho Peter del vestido. A él no le hacía mucha gracia que su amiga le hiciera regalos caros, por más que ella insistiera en que no esperaba ser correspondida. «Lilly y yo nos conocemos desde mucho antes que vosotros dos», solía decirle Ellen en aquellos casos, y a Peter no le quedaba otra que quedarse callado. Seguro que le habría encantado, concluyó Lilly. Lo que no sabía era cuándo iba a estrenarlo.

El rugido de un motor y el crujir de la gravilla bajo unas ruedas la arrancaron de sus ensoñaciones. ¡Era Ellen!

Le bastó acercarse a la ventana y descorrer la gruesa cortina para confirmar su sospecha. Con una sonrisa en el rostro, Lilly observó cómo su amiga bajaba del coche, iba corriendo al maletero y sacaba dos bolsas llenas a rebosar. Después la vio subir renqueante las escaleras y desaparecer por la puerta.

Jessi y Norma ya le estarían contando que había llegado.

Volvió a correr la cortina, agarró el regalo de Ellen y abandonó la habitación. Ya en el pasillo se percató de que su amiga andaba trasteando en la cocina. Era evidente que había regresado antes que de costumbre para poder preparar algo, como siempre que venía a visitarla.

—¡Hola, Ellen!

Su amiga se llevó tal susto que estuvo a punto de tirar al suelo el paquete de carne que se disponía a meter en el frigorífico.

—¡Lilly! ¿Estás despierta? Pensé que te echarías un rato después del viaje.

—¿Por qué iba a hacer eso? —contestó Lilly sin dejar de sonreír—. Tampoco es que haya venido de Singapur. Además, estoy demasiado contenta como para pegar ojo. Aunque debería echarte la bronca.

La mirada de reproche dio paso enseguida a una amplia sonrisa y un afectuoso abrazo.

—De modo que ya lo has visto —repuso Ellen mientras Lilly la estrechaba en sus brazos—. Dime solo si te gusta.

—¡Pues claro que me gusta! Pero seguro que cuesta un ojo de la cara. ¿Y puede saberse cuándo demonios voy a poder ponérmelo?

Ellen se apartó. En su rostro asomó una sonrisa maligna.

—¿Acaso creías que iba a privarme de invitar al Ritz a mi mejor amiga, a quien por cierto apenas veo una o dos veces al año? O, si no, podemos ir a uno de esos locales nuevos y escandalosamente caros que están tan de moda. Hay unos cuantos restaurantes de lo más chic en los que podrías conocer a algún famoso.

¿Le apetecía algo así? En esos momentos, por extraño que pudiera resultar, el único hombre que Lilly quería volver a encontrarse era el del avión. Y le daba igual que fuera en un restaurante de postín o en un pub de barrio.

—Por tu culpa, ahora mi regalo va a parecer una birria —dijo Lilly dándole un paquete envuelto en un papel decorado con auténticas flores secas que había recogido hacía años en una excursión a la montaña.

Ellen llevó la caja a la mesa y meneó la cabeza.

—Nada que venga de ti me va a parecer una birria, ya lo sabes. ¿Qué es? —Su tono recordaba a la chica de catorce años que un día fue.

Lilly había estado dándole muchas vueltas a qué podía gustarle a su amiga. Regalarle algo de su tienda le pareció poco, así que acudió a la competencia y compró un candelabro de plata que pensó que quedaría muy bien en la larga mesa de su salón. Ahora dudaba de su elección. Sin embargo, en cuanto Ellen abrió el paquete, vio asomar una sonrisa sincera en su rostro.

—¡Qué maravilla! ¿Es de tu tienda?

—No, de la competencia. Han abierto una tienda preciosa en el barrio de Mitte. No me sorprende que los clientes no acudan a la mía.

Una fina arruga de preocupación se dibujó entre las cejas de Ellen.

—¿No van bien las cosas?

Lilly negó con la cabeza y dijo:

—Es solo un bache pasajero. Lo normal después de las Navidades. Ya remontaré cuando vengan los turistas. He pensado seriamente en llenar la tienda de relojes de cuco; los japoneses alucinan con ellos.

—Claro, como que son lo más típico de Berlín... —dijo Ellen entre risas antes de abrazar de nuevo a su amiga—. No sabes lo que te he echado de menos. La próxima vez no me hagas esperar medio año, ¿de acuerdo?

—Veré qué puedo hacer. Cuando la tienda vaya mejor me será imposible dejar sola a Sunny.

—¿Te sigue echando una mano?

—Sí. La pena es que tenga otras inquietudes. Esa chica ha nacido para ser anticuaria.

Ellen había conocido a Sunny en su última visita a Berlín. Entonces era verano, los clientes se agolpaban en la puerta del negocio y Lilly no habría podido dar abasto sin su ayuda. Y, además, gracias a ella había conseguido disfrutar un poco más de la visita sorpresa de su amiga.

—Pues convéncela. Seguro que la gente de humanidades lo tiene tan crudo en Berlín como aquí. Así al menos tendría un trabajo.

—Ya lo intento. De todos modos, cuando mejore la cosa me gustaría contratar a alguien. Así podría venir a verte más.

—Y también recorrer mundo, no lo olvides.

Lilly agachó la cabeza.

—Sí, viajar por todo el mundo... Si Peter viviera...

Lilly se detuvo al comprender que eso era lo último que su amiga quería escuchar. Esta le pasó el brazo por el hombro.

—¿Por qué no damos un paseo antes de que se vaya el sol?

5

El crujir de la gravilla bajo sus botas le pareció a Lilly estruendoso en mitad del silencio invernal. Rufus Devon ya debía de haber terminado de triturar madera, pues no había ni rastro ni de él ni de los perros. El cielo se iba tiñendo lentamente de violeta y el frío arreciaba, lo único que se oía era el murmullo de las ramas desnudas sobre sus cabezas y algún que otro graznido traído por el viento.

Después de salir de la cocina no habían vuelto a abrir la boca.

En su día, la muerte de Peter afectó mucho a Ellen. Para ella fue como perder a un hermano. Siempre que alguien hablaba de él se sumía en un terco mutismo que tardaba en irse unos minutos. Era como si al mencionarlo surgieran imágenes en su mente que quisiera contemplar sin ser importunada por nadie.

Lilly lamentó haber sacado el tema. Por supuesto, había momentos en que ella también se dejaba llevar por la melancolía, sobre todo cuando se hablaba de los viajes, pero no tanto como para perder el habla.

Como su amiga no decía nada y parecía inmersa en los recuerdos, guardó silencio y se limitó a observarla. Ellen no se mostraba insegura por la edad y no aparentaba ni por asomo los años que tenía. Esa era, precisamente, la clave de su éxito, esa seguridad que ella tanto envidiaba y que a Ellen parecía salirle por los poros. Lilly pensó que el destino estaba obligado a compensar a su amiga por todas las penurias sufridas en la infancia. Cuando Ellen, Ellen Pauly por aquel entonces, tenía tres años, su madre y su hermano murieron en un accidente de coche. A su padre ni siquiera llegó a conocerlo: su madre ocultó siempre quién era, ni siquiera sus padres sabían cómo se llamaba, y se llevó el secreto a la tumba. Probablemente aquel hombre nunca supo que tenía una hija. En un primer momento la acogieron sus abuelos, pero eran demasiado mayores y su salud no era lo suficientemente buena como para hacerse cargo de su nieta.

Que una familia la adoptara fue una gran suerte tanto para la propia Ellen como para Lilly, pues gracias a eso pudieron conocerse en tercero de primaria. Ellen siempre llamó mamá a su madre adoptiva. No es que ignorara que había tenido otra madre, pero, al fin y al cabo, Miriam Pauly y su hermano Martin no eran más que un borroso recuerdo, y, tal como era, no podía sino sentir auténtica devoción por las personas que estaban a su lado y que habían conseguido que se sintiese segura. Entre esas personas se contaba también Lilly.

Quizá ese era el motivo de que su amistad fuese tan duradera. Si bien ahora era Lilly la que necesitaba un poco de protección, antes había sido ella la encargada de sacar a Ellen de más de un apuro y de defenderla en las peleas. Y en ese instante, mientras caminaba junto a su amiga por el sendero de tierra que rodeaba la casa, Lilly volvía a sentir, en toda su intensidad, la misma profunda afinidad espiritual que las unía desde niñas.

—¿En qué piensas? —preguntó Ellen al notar que Lilly la observaba.

—Pienso en la suerte que has tenido en la vida. Tienes a Dean, a las niñas, esta casa...

Ellen la rodeó de nuevo con el brazo.

—Pronto tendrás tú algo parecido, te lo prometo. Un día de estos aparecerá un príncipe en tu querida tienda y te irás con él a recorrer el mundo.

—Sí, quizá —repuso Lilly no sin cierta amargura.

—¿Quizá? ¡Tienes que tener fe! —La apretó con fuerza contra ella—. ¿Cómo va a suceder si tú misma dudas?

—Mira, a mí me gusta saber lo que va a pasar, saber por dónde ando.

—Pues la vida no siempre es así. De pronto tomas una curva sin pensarlo y te topas con algo maravilloso.

O con algo terrible, pensó Lilly para sus adentros. Así había ocurrido con Peter: al principio, él le ocultó que había empezado a tener molestias, hasta que un día, como una tormenta de verano, llegó el fatídico diagnóstico.

—Bien mirado, todo el mundo tiene una cruz con la que cargar —prosiguió Ellen tras tomarse una breve pausa para reflexionar—. Naturalmente algunos han de soportar más carga que otros, pero problemas tenemos todos. ¡Tendrías que oírme blasfemar de la empresa! ¡O de Dean, cuando invierte en algo sin consultarme! Lo importante, con todo lo que uno tiene que tragar, es no perder el ánimo y encontrar la manera de librarse de lo malo.

—Desearía poder hacerlo —repuso Lilly un poco abatida—. Pero ya ha pasado bastante tiempo y aún sigo sorprendiéndome a mí misma esperando a Peter al caer la tarde, hablando con él...

—¡Eso es lo más normal del mundo! Y sería estúpida si te pidiera que dejases de hacerlo. Deberías salir más a menudo y conocer gente. Que hayas venido a verme ya es un paso, pero seguro que en Berlín también hay sitios interesantes a los que ir.

—Pues claro que sí, pero es que... —Lilly frunció los labios. Tenía razón, pero cuando salía no le resultaba fácil divertirse: ya nada era como antes.

—Pero ¿es que qué? —la azuzó Ellen.

—Que todo se vuelve triste sin él. Cuando me cruzo en el parque con una parejita se me rompe el corazón al verlos abrazarse y besarse. Y cuando veo una familia no puedo evitar pensar que podríamos ser nosotros.

Ellen se tomó un momento para pensar; Lilly escuchó el graznido de un cuervo y el suave batir de sus alas al alejarse.

—Quizá esto suene un poco fuerte, pero lo que ha sucedido no tiene marcha atrás ni va a cambiar —prosiguió Ellen—. A Peter le habría gustado que siguieras con tu vida, que viajaras cuanto pudieras... De ningún modo habría querido que te quedaras anclada en los recuerdos.

—¿Y cómo puedo librarme de ellos? —preguntó Lilly—. ¿Cómo voy a quitármelos de la cabeza?

—No puedes ni debes. Pero quizá haya una posibilidad de que... despiertes a la vida.

¿Despertar a la vida? Estuvo a punto de protestar enérgicamente, pero al momento comprendió que su amiga tenía razón una vez más. Sí, seguía respirando, sintiendo cosas, existiendo... Pero con Peter todo tenía otro color, todo era más vívido.

Siguieron paseando en silencio por el jardín, rodearon el pequeño pozo, cercado por una verja y condenado con unos tablones, y pasaron por delante de dos bancos muy bonitos y con muchos adornos que parecían estar esperando a que la nieve se derritiese y los dueños de la casa volvieran a sentarse en ellos a disfrutar del sol.

—¿De verdad que no hay ningún hombre que pudiera llegar a gustarte? —preguntó Ellen retomando la conversación.

—No, ninguno. Últimamente solo vienen a verme ancianos que me hacen regalos y luego se van sin dejar rastro.

—Algo es algo, a mí eso aún no me ha pasado. Me muero por ver tu tesoro. Le he dicho a Terence que aplace las citas previstas para mañana por la mañana, así tendré tiempo para ti.

—¿Terence?

—Mi secretario.

—¿Y qué vas a hacer, exactamente?

—Haré un análisis rutinario. Lo examinaré a fondo y mandaré unas muestras de barniz a nuestro laboratorio. Veremos qué sacamos en claro.

—¿Y si al final resulta que es una baratija?

—Al menos tendremos una historia curiosa que contar. Y ahora será mejor que entremos, se me está haciendo tarde para cocinar.

Ellen enganchó a Lilly del brazo y se la llevó para dentro.

Una hora después la cena estaba lista. Ellen había logrado sacarse de la manga un guiso de carne con tomate, patatas, hierbas aromáticas y vino blanco. De postre había una especie de arroz con leche a la inglesa, con vainilla, canela y nuez moscada. Lilly, sentada en el amplio alféizar de la ventana, se sentía agradablemente aturdida por el calor y por el vino que se habían tomado mientras Ellen cocinaba. Como casi nunca bebía alcohol le había hecho efecto enseguida, así que ahora se encontraba con la cabeza dispersa y el cuerpo clavado a su improvisado asiento. Podría quedarme aquí para siempre, pensó.

Desde la ventana de la cocina había visto cómo el sol se ponía tras los árboles pelados y cómo el cielo violeta se había tornado azul, un azul oscurísimo, y se había llenado de miles de estrellas. Las noches de Berlín no eran así, había más luz, una luz que se tragaba las estrellas y teñía el cielo de un naranja nebuloso, incluso cuando estaba despejado. Lilly se preguntó si en otras visitas ya se había dado cuenta de lo hermosas que eran las noches en casa de su amiga.

De pronto unos faros atravesaron la oscuridad y se acercaron a la casa.

—Ya está aquí Dean —avisó Lilly dejando la copa sobre la mesa.

Ellen se quitó el delantal. Luego le lanzó a su amiga una mirada tímida, como queriéndose asegurar de que estaba presentable para recibir a su marido. Lilly le sonrió con la misma sonrisa cómplice de cuando se contaban cualquier chiquillada en el colegio.

Dean entró por la puerta, saludó a Ellen afectuosamente y le dio un beso. Luego se volvió hacia Lilly y esbozó una amplia sonrisa traviesa.

—Qué alegría verte, ya me había olvidado de tu cara.

—No será para tanto —repuso Lilly al recibir su abrazo.

—Ya lo creo que sí. Si fuera tu anciana tía, te diría lo mucho que has crecido.

—Pues menos mal que no eres mi tía, porque ya me habrías puesto de los nervios.

Dean se la llevó al salón, donde charlaron de todo un poco, pero en especial del sector de la construcción, hasta que la cena estuvo lista. La mesa estaba puesta con sencillez pero con muy buen gusto; sobre ella, además del candelabro de Lilly, había un centro de flores artificiales que daba totalmente el pego.

—Bueno, ahora cuéntanos lo de tu violín —dijo Ellen justo cuando después de recoger los platos sucios se disponían a atacar el postre.

Lilly se aclaró la garganta, soltó la cucharilla y dedicó un instante a pensar cómo hacer la historia lo más excitante posible para Dean y las niñas. Aunque, bien mirado, que un perfecto desconocido te endilgara un violín y luego desapareciera como por arte de magia ya era bastante excitante, no había necesidad de muchos aderezos. Así que comenzó la historia con el anciano plantado en la puerta de su tienda y la terminó en el momento en que aquel pareció volatilizarse ante sus ojos.

—¿Y no será que un espía te ha enredado en una de sus tramas? —aventuró Dean, haciendo gala de su pasión por las novelas de espionaje en las que aparecía el servicio secreto de su majestad—. ¿Has mirado si bajo el forro hay una barrita de plutonio u otro mensaje secreto?

—¿Otro más? —Lilly sonrió entusiasmada—. ¿Es que crees que la partitura contiene un mensaje secreto?

—¿Por qué no? —repuso Dean como si fuera lo más normal del mundo.

—Es evidente que mi marido quiere emprender una nueva carrera como escritor de best sellers —apostilló Ellen entre risas.

—¿Tan descabellado os parece? No sería la primera vez que le cuelan un mensaje en clave a una persona normal y corriente para que, sin saberlo, lo lleve a la dirección correcta.

—Pues entonces ese hombre podía haber tenido la deferencia de darme las señas a las que enviar el violín.

—¡Quizá el destinatario sea Sherlock Holmes! —exclamó Jessi—. Acabo de leer un libro en el que sale.

—¿Dejas que las niñas lean a Conan Doyle? —se extrañó Lilly.

—No, lo leímos en el cole —explicó Jessi—. Una historia en la que Sherlock Holmes tocaba el violín.

—Dudo mucho de que el violín esté relacionado con un complot secreto. Más bien tiendo a pensar que se trata de una equivocación. En cuanto ese señor caiga en la cuenta vendrá a reclamármelo.

—O puede que tu familia esconda un oscuro secreto —volvió a la carga Dean, decididamente interesado en no desechar las tramas detectivescas—. ¿Has tenido algún antepasado músico?

—No que yo sepa. La única persona relacionada con la música que conozco es tu mujer. Ni mis padres ni mis abuelos tuvieron esa inquietud... Por suerte, pues de lo contrario yo habría sido su gran decepción.

—Y sin embargo hay un desconocido que asegura que el violín te pertenece. Qué extraño...

Dean le dio un trago al vino y luego observó, pensativo, cómo el resto del líquido volvía al fondo de la copa.

—Déjala. Al fin y al cabo está aquí para averiguar lo que la une a ese instrumento, ¿no? —intervino Ellen. Después se dirigió a sus hijas—: Jessi y Norma, acabo de descubrir que no me contáis nada de lo que hacéis en el colegio. ¿Desde cuándo se lee a Conan Doyle en las aulas?

Cuando las niñas empezaron a contar lo que habían hecho ese día en el cole, Lilly reposó su espalda en la silla, relajada y feliz de formar parte de una familia aunque solo fuera por esa noche. Las dos crías vestían las camisetas que ella les había regalado, y además les sentaban de maravilla.

—¡Mañana llevaremos los bolsos al cole! —le prometieron ambas al unísono cuando, en el relato de su día, llegaron al momento en que habían recibido a Lilly en la casa.

Después de cenar, cuando las niñas estaban frente a la tele, Ellen le pidió a Lilly que fuera a buscar el violín para poder echarle un vistazo. Dean preguntó si podía quedarse, lo que extrañó un poco a su mujer, pues normalmente su interés por los objetos de madera quedaba limitado a los grandes armazones.

Lilly apareció con el estuche. Por la forma de portarlo parecía que contuviera una valiosa reliquia. Ellen le había pedido que volviera a meter la partitura entre el forro, pues quería experimentar lo mismo que ella al abrirlo por primera vez. Lo depositó en la mesita que había junto al sofá *chester*. Entretanto, Ellen se había puesto unos guantes blancos de algodón que a

Lilly le recordaron a los de un mayordomo. Abrió la tapa con cuidado y la dejó a un lado. La luz de la araña se reflejó en la roja madera veteada y barnizada, confiriéndole un aspecto como de ser vivo; parecía palpitar. Solo entonces reparó Lilly en que las cuerdas estaban algo gastadas. De hecho, el violín entero le pareció algo más ajado que antes.

Al verlo, Ellen dejó escapar una bocanada de aire.

—A simple vista parece de lo más normal, si no fuera por el curioso barniz. ¿Puedo?

Lilly asintió, y su amiga, con cuidado, extrajo el instrumento del estuche.

—El cuerpo es precioso... Muy delicado —comentó mientras le daba la vuelta—. Aquí la tenemos.

Ellen acarició con delicadeza el lugar donde estaba grabada la rosa.

—Está intacto, salvo por el uso, claro. Sin duda grabaron la rosa en la madera antes de darle el barniz. —Lo siguiente fue examinar las cuerdas—. Totalmente desafinado —constató, y empezó a tensarlas con suma cautela—, pero las clavijas se conservan muy bien.

Una vez satisfecha con el sonido de las cuerdas, se quitó los guantes, tomó el arco, tensó la cinta de crines, le aplicó un poco de colofonia y se colocó el instrumento bajo la barbilla.

—¿Podrías interpretar la partitura?

Lilly sacó la hojita de entre el forro y se la dio.

—El jardín a la luz de la luna —murmuró Ellen—. El nombre del compositor no aparece por ninguna parte. Quizá sea obra del anciano.

—No creo —dijo Lilly—. El papel tiene más años que él. Y fíjate en la escritura. A veces recibo libros antiguos con inscripciones y dedicatorias escritas a mano muy parecidas. Además, ¡mira la tinta! Negra, pero con los contornos ligeramente parduzcos. Si te interesa mi opinión, diría que esta partitura tiene unos cien años.

Ellen se mordió el labio inferior y frunció el ceño; señales inequívocas de que estaba intentando desentrañar la melodía.

Mientras Lilly la observaba impaciente, Dean aprovechó para servirse otra copa de vino. Pasados unos minutos, Ellen apoyó la partitura sobre la mesita.

—¿Y bien? —la instó Lilly—. ¿Tiene algún sentido para ti?

—Sí, claro, pero hay cosas que no me cuadran... —Ellen le dio la vuelta a la hoja, pero, salvo un par de manchas de moho, no halló nada reseñable—. En cuanto al papel en el que está escrita quizá tengas razón, pero para haber sido compuesta a finales del siglo XIX o a principios del XX la pieza es increíblemente vanguardista.

—Más a mi favor para que la toques, tesoro —propuso Dean—. Quién sabe, quizá seamos los primeros en escucharla después de un siglo.

A pesar de que antes Ellen parecía decidida a probar el violín, ahora vacilaba.

—Venga, no te hagas de rogar —insistió Lilly—. Me muero por saber cómo suena.

Ellen volvió a colocarse el violín y posó el arco sobre las cuerdas. Nada más tocar los primeros acordes, una extraña sensación recorrió el cuerpo de Lilly. La pieza sonaba muy exótica, pero al mismo tiempo le resultaba extrañamente cercana. Aunque no recordaba haberla oído antes, la melodía desprendía una curiosa familiaridad. Quizá fuera por el título, que sin saber por qué, en esos momentos, le evocó una de sus primeras citas con Peter. Era primavera y se habían acurrucado juntitos bajo un magnolio a contemplar la luna, tan hermosa y pálida...

La imagen se fue tan de repente como vino, y Lilly escuchó fascinada toda la pieza. Cuando terminó, Ellen volvió a dejar delicadamente el violín en su sitio.

—¡Vaya! —exclamó Lilly con la mirada fija en el instrumento, como si una mano invisible hubiera sido la encargada de tocar la melodía—. ¡Hacía mucho que no oía algo tan hermoso!

—No es un mal violín, ¿no os parece? —repuso Ellen algo abrumada por el entusiasmo de su amiga.

—Desde luego que no. Quien lo hizo debía de ser un maestro. Al igual que el que escribió la pieza.

—A mí me ha evocado un poco los Mares del Sur —se atrevió a decir Dean—. Pero ya sabéis que yo para el arte soy un negado.

—No, de eso nada —repuso Lilly—. A mí también me ha sonado exótica... Como una noche bajo un magnolio en flor.

—Vosotros y vuestras comparaciones... —Ellen recuperó la sonrisa—. Aunque es posible que el compositor quisiera evocar un jardín. ¿Recordáis *Las cuatro estaciones* de Vivaldi? En «La primavera» se oyen los pajarillos y los truenos.

—A mí siempre me ha gustado más «El invierno», pero sé a qué te refieres —apuntó Lilly.

—Me muero de ganas por saber dos cosas: quién es el compositor y quién el fabricante de esta maravilla.

Ellen le dio la vuelta al violín para examinar de nuevo la rosa bajo la brillante capa de barniz. Mientras lo hacía, Lilly reparó en que Dean observaba fascinado a su mujer, como si su innegable talento musical fuera algo del todo nuevo para él.

—Probablemente un desconocido —dijo dirigiéndose hacia Ellen.

—El paso del tiempo y la corta memoria de los hombres han sumido en el olvido a muchos maestros lutieres. Veamos si esta criatura aún conserva en el interior algo de su creador.

Ellen sacó una linternita de un cajón y apuntó a las orejas del violín. El desaprobatorio chasquido de su lengua no se hizo esperar.

—¡Nada! Ni sello ni pegatina. A nuestro muchachote debió de darle pena dañar su precioso violín.

Lilly, algo ducha ya en la jerga de su amiga, sabía que al decir «pegatina» se refería a la etiqueta del fabricante, una pequeña tira de papel que pegaban en el interior del instrumento con ayuda de unas pinzas. Tras echarle un último vistazo, Ellen volvió a dejar el violín en su estuche.

—Bueno, la cosa está difícil, pero no hay que perder la esperanza. Mañana te vienes conmigo y veremos qué se puede hacer. Aunque el chiquitín se muestre esquivo, acabará contándonos su secreto.

Esa noche, pese al blando colchón y al agradable aroma a lavanda de las sábanas, Lilly no logró conciliar el sueño. Apenas iluminada por la pálida luz de luna que entraba por la ventana, y con la mirada clavada en las vigas del techo, oía sin cesar en su cabeza *El jardín a la luz de la luna*. ¿Qué secretos encerraba ese violín? Según Ellen, era un buen instrumento, pero ¿por qué le pertenecía precisamente a ella?

Se estrujó las meninges para traer a la memoria historias de su madre y de la abuela Paulsen, pero no encontró en ellas nada que pudiera arrojar algo de luz sobre el enigma que intentaba desentrañar. Sus abuelos eran gente normal y corriente, hamburgueses de pura cepa. Y si bien su desván albergaba incontables recuerdos, ninguno de ellos encerraba misterio alguno a los ojos de un adulto.

Hacía unos años que ambos habían muerto; primero su abuelo y poco después su abuela. Vendieron la casa, y con ella todas las cosas que había en el desván. ¿Estaría entre ellas el violín? Jamás había oído que sus abuelos tocaran ese instrumento. Y aunque hubiera estado oculto en algún rincón de esa casa, ¿por qué motivo el comprador iba a devolvérselo a ella? Habría tenido mucho más sentido intentar vendérselo... Lilly cerró los ojos y viajó con la mente hasta el desván. ¿Podría ser que hubiera más patrimonio familiar y que ni siquiera sus padres supieran de su existencia? Sus abuelos no guardaban objetos de valor en aquel sitio; esas cosas suelen esconderse en un lugar donde nadie pueda encontrarlas y, al mismo tiempo, siempre estén a mano. Al menos eso era lo que ella hacía cuando no quería que nadie viese algo.

Por un momento se le pasó por la cabeza llamar a su madre para preguntarle directamente sobre el asunto, pero al final desistió de la idea. Poco después se le encendió una bombillita: ¡la cámara! Tres años atrás su compañía aseguradora le había obligado a instalar en la tienda un circuito cerrado de videovigilancia. Tenía que haber imágenes del anciano por fuerza. ¡Cómo no se le había ocurrido antes!

Saltó de la cama como un resorte: ¡Sunny! ¡Ella podía extraer las imágenes y enviárselas! Sin pensar alargó la mano hacia la mesa de noche en busca de su móvil, pero luego cayó en la cuenta de que seguramente Sunny ya estaría durmiendo. No quedaba otra que esperar a que amaneciera para poder llamarla a la tienda. Suspiró y volvió a dejarse caer sobre la almohada. Ahora estaba aún más excitada. Si el anciano había sido filmado, quizá fuera posible seguirle el rastro. Cómo hacerlo era algo que aún se le escapaba, pero estaba segura de que acabaría encontrando la manera. Al final, el cansancio empezó a vencerla. Justo antes de ingresar en el reino de los sueños, creyó oír nuevamente los últimos acordes de *El jardín a la luz de la luna*.

6

–Qué hermosa vista, ¿no te parece?

Paul Havenden, flamante y joven lord que tras la muerte de su padre se había puesto al frente de una de las más antiguas y prominentes familias de la aristocracia inglesa, se llenó los pulmones de ese aire cálido en el que se mezclaban todos los olores del puerto. ¡La visión del mar era fastuosa! Bajo un cielo sin nubes se extendía un maravilloso y cristalino espejo de agua azul. La cálida brisa que arribaba del mar mecía las palmeras que adornaban el enclave. Los edificios cercanos al puerto eran en su mayoría de estilo colonial, y dotaban al lugar de un aire holandés muy marcado. Casas como esas, con amplias columnas y tejados ligeramente combados, ya las había visto en Ámsterdam, pero entre ellas también había exóticas construcciones nativas que daban a la ciudad un aspecto muy peculiar.

Nada más llegar había notado una clara mejoría. Hora tras hora sentía que su cuerpo recobraba las fuerzas y que su piel se iba liberando de las feas costras a las que el húmedo clima inglés lo tenía condenado. ¡Cuánto había anhelado el buen tiempo, especialmente en los últimos meses!

Maggie, la mujer que no hacía mucho se había desposado con Paul, tenía un aspecto bien diferente. Postrada en la *chaise longue,* no cesaba de darse aire con el paipái, pues el ventilador del techo no bastaba para atenuar el bochorno. El monzón se avecinaba, o eso parecía a juzgar por la enorme humedad del aire; sin duda el mejor clima para un enfermo de la piel, pero un auténtico suplicio para una mujer que se sentía como pez en el agua en los frescos salones de Londres y que no estaba dispuesta a renunciar al corsé ni siquiera en el trópico.

–Hasta donde alcancé a ver desde el barco, parece un hermoso lugar –repuso Maggie haciendo de tripas corazón–. Aunque enseguida me entraron ganas de meterme en la cámara refrigerada de la bodega... ¡Hace un calor insufrible! Y lo peor es que todo lo que se me ocurre para hacerlo más llevadero atenta contra el decoro...

Paul rio a carcajadas.

–Ay, querida, ya te acostumbrarás a este clima. En una o dos semanas no querrás moverte de aquí, te lo prometo. ¡No irás a comparar la gris Inglaterra con esta delicia para los sentidos! ¿Has visto a toda esa gente en el puerto vestida de vivos colores? ¿Te has fijado en los vendedores? Nada que envidiar al más espléndido bazar de Oriente.

Maggie sonrió por deferencia, pero Paul sabía bien que, cuando su mujer se enteró de que había aceptado la invitación del gobernador local, la noticia le había causado de todo menos entusiasmo. Por aquel entonces daba comienzo la temporada de bailes, y ella, que era un animal social, no pudo evitar vivirlo como un destierro en toda regla. Pese a ello, Paul no pudo rechazar la oferta de *mijnheer* Van Swieten. Primero, porque era amigo de su padre, y después, porque le había dejado entrever un negocio extraordinariamente lucrativo. Sumatra era famosa por sus plantaciones de azúcar y tabaco, todas ellas monopolizadas por los holandeses. Así que, cuando Van Swieten le propuso adquirir parte de una próspera plantación de azúcar de un propietario con pésimo ojo para los negocios, sus palabras le sonaron a música celestial.

Naturalmente, a Maggie no le había contado nada de la propuesta, pues no quería agraviar a su esposa imponiéndole un engorroso viaje de negocios que de seguro no le interesaría en absoluto. Sin duda lo mejor habría sido dejarla en Inglaterra, pero Van Swieten había insistido en conocer a la nueva señora Havenden. A eso ella no podía negarse, por ello, para hacerle más agradable la idea de ausentarse por una buena temporada de su querido Londres, Paul le contó que iban en busca de inspiración para un libro de viajes que tenía en mente escribir.

Presentado así, el viaje se presentaba más agradable para Maggie, pues si había algo que la sociedad londinense sabía apreciar eran las historias sobre lugares exóticos.

No obstante, ante la perspectiva de tener que esperar a Paul sola en el hotel, renunciando a placeres cotidianos como tomar el té con otras damas, la ya de por sí tocada moral de Maggie había ido minando. Añadido eso a la repentina e insoportable bofetada de calor que había recibido nada más salir a la cubierta del barco, no era de extrañar que su interés por ese lugar hubiera desaparecido, por muchas cosas maravillosas que pudiera ofrecerle.

—Tendrás que admitir que la gris Inglaterra es un país civilizado con una rica oferta cultural —comentó Maggie—. Al menos podrías procurarme una guía de viajes donde poder leer qué encantos ofrece este lugar.

—Te conseguiré una en cuanto me sea posible —le aseguró Paul cariñosamente—. Y te prometo que después de que me reciba el gobernador te llevaré donde quieras. ¿Qué te parecería visitar la selva virgen que se extiende más allá de la ciudad?

—¿La selva? —Maggie puso los ojos en blanco—. ¿Bromeas, verdad? Deja ya de reírte de mí.

—Nada de eso. Seguro que hay algún modo de atravesar la jungla sin correr peligro. Puede que montados en elefante, como en la India.

—¡Sabes perfectamente que sufro de miedo a las alturas!

—Pues tendrás que ir en búfalo —dijo entre risas Paul. La sola idea de ver a Maggie montada en un búfalo de agua era para desternillarse.

Pero a su mujer no pareció hacerle tanta gracia la ocurrencia.

—¡Paul Havenden! —le gritó—. ¡No creo que merezca ser el blanco de tus pesadas bromas!

—Discúlpame, querida, no pretendía contrariarte. Aunque no deberías descartar la visita a la jungla. Así tendrías algo emocionante que contar a tus amigas.

Un campanillazo interrumpió la conversación.

—Debe de ser el criado del gobernador —dijo Paul antes de apresurarse hacia la puerta.

Allí plantado esperaba un muchacho bronceado por el sol. En cuanto vio a Havenden, tomó sus manos y se las llevó a la frente.

Paul no se extrañó; sabía que se trataba de un gesto de cortesía con el que los niños rendían respeto a los mayores.

—¿Qué te trae por aquí? —preguntó en neerlandés, la lengua de su madre. Esta era hija de un rico comerciante holandés, y se había obstinado en que Paul dominara ambos idiomas a la perfección, pues, como ella misma solía remarcar, ambas eran las lenguas del comercio mundial.

Le bastó ver el rostro del muchacho para saber que le había entendido.

—*Mijnheer* Van Swieten me envía para entregarle esto.

El pequeño, ataviado con unos bombachos blancos y una chaquetilla rojo oscuro, le entregó un sobre que lucía unas cuantas manchas; era evidente que el mensajero se había dado un pequeño garbeo por el mercado. Paul le ofreció un par de monedas, pero el muchacho se negó a aceptarlas y salió corriendo.

—¿Y bien? —preguntó Maggie, que había conseguido incorporarse un poco.

—El gobernador nos manda un recado —dijo Paul tras cerrar la puerta. Luego abrió cuidadosamente el sobre con el cuchillo que solía llevar en los viajes metido en la caña de la bota.

Van Swieten, tan cortés como siempre, les había escrito en inglés.

—Es una invitación. *Mijnheer* Van Swieten nos invita este fin de semana a una cena de gala en su residencia, *Wellkom*.

—¿Ha llamado a su casa «Bienvenido»? —se sorprendió Maggie.

—Sí, los holandeses son así de hospitalarios, y este ha querido recalcarlo.

De pronto Maggie pareció revivir. La perspectiva de pasar una noche con gente refinada hizo que le brillaran los ojos.

—¿Quién crees que irá?, ¿las personas más insignes de la zona?

A Paul le bastó mirar a Maggie para saber que tras su frente se había puesto a funcionar la maquinaria. Se estaría preguntando cómo hacer llegar hasta allí a una buena modista capaz de confeccionarle en cinco días un vestido que hiciera palidecer de envidia a las otras damas.

—Probablemente los amigos del gobernador. Y por supuesto los dueños de las plantaciones de azúcar y tabaco.

—¿Ingleses?

—Seguro. Y también holandeses y alemanes. Y todos llevarán a sus mujeres para que tú no te aburras.

—Si yo no me aburro nunca... —protestó Maggie, que ahora incluso se había puesto de pie—. Lo que sucede es que la idea de pasar unas semanas entre palmeras y monos no me seduce demasiado.

—Pero si aún no has visto ni palmeras ni monos —repuso Paul, que de pronto pareció tener una idea brillante—. ¿Y si nos damos una vueltecita por la ciudad? Seguro que habrá infinidad de tiendas que te alegrarán el corazón. Así podrás comprarte alguna joya para la recepción del gobernador, o incluso un vestido nuevo.

El brillo en los ojos de su esposa le transmitió que acababa de dar en el clavo.

—Un vestido nuevo estaría muy bien. Además, he oído que Sumatra es la isla del oro. ¡Las joyas de aquí tienen que valer la pena!

—Pues entonces arréglate, que nos vamos a dar una vuelta y, de paso, a buscar un vestido acorde a la ocasión.

Mientras Maggie se refrescaba un poco en el cuarto de baño, Paul volvió a asomarse a la ventana y observó el trajín de la calle. Fijó la vista en un grupo de mujeres vestidas con unas túnicas blancas como la nieve. Entre el vivaz gentío multicolor, parecían margaritas en medio de una rosaleda, lo que las hacía aún más llamativas. Llevaban el pelo recogido bajo un largo velo, como dictan las costumbres de los musulmanes, pero sus rostros eran arrebatadoramente hermosos.

Su padre le había hablado mucho de las bailarinas balinesas, que había podido admirar en sus visitas a casa de los Van Swieten. ¿Habría preparado el gobernador un espectáculo semejante para ellos? Con un indefinible sentimiento de nostalgia en el pecho siguió observando a esas mujeres hasta que su esposa salió del baño.

Saber que pronto iba a estar en compañía de europeos volvió a Maggie algo más receptiva. Ya no le molestaban los vendedores ambulantes que atestaban las aceras ni las hordas de niños que los perseguían por todas partes pidiendo una limosna. Cuando el muecín llamó al rezo, incluso se animó a comentar:

—Es casi como estar en Egipto. Solo que esto no es tan seco ni tan polvoriento.

Maggie, detalle que ya conocía Paul, había ido a Egipto de jovencita con sus padres. Él financiaba unas excavaciones en el valle de los Reyes que por desgracia no llegaron a buen puerto. Y aunque Maggie se pasó la mayor parte del tiempo en el campamento, de vez en cuando recordaba con entusiasmo los ocasos en el desierto, para enseguida renegar de lo terriblemente frías que eran allí las noches.

La llamada al rezo trajo también consigo que en apenas unos instantes se encontraran en medio de una muchedumbre sin poder hacer otra cosa que dejarse arrastrar por esa corriente humana hasta que dieron con una callejuela por la que escapar. Durante el trance, Maggie se aferró al brazo de Paul y no dejó de lanzar miradas de alarma a su alrededor. El barrio donde ahora se encontraban parecía estar habitado solo por nativos, pues la mayoría de las edificaciones eran de madera, como si se tratara de una aldea. Entre las casas crecían palmeras, algunas tan pegadas a las viviendas que sus habitantes las empleaban para atar en ellas las cuerdas de la ropa. Como acababan de llamar al rezo, los hombres habían desaparecido y solo quedaban mujeres que, en compañía de sus hijos, descansaban en la veranda o bien realizaban las faenas del hogar.

Cuando pasaban se los quedaban mirando. Algunas mujeres juntaban sus cabezas y cuchicheaban en una lengua que Paul no lograba entender. En ese momento se dio cuenta de que eran los únicos europeos que había en toda la calle y que, para colmo, no parecían holandeses; por sus trajes de domingo saltaba a la vista que venían de lejos.

—Deberíamos volver —le susurró Maggie, a lo que él respondió acariciándole la mano.

—No debes temer a esta gente, solo sienten curiosidad. Mi padre nunca fue atacado en las calles de Padang. Y menos por mujeres.

Maggie no ponía en duda las palabras de su marido, pero no se fiaba en absoluto de aquellas desconocidas. Y ellas parecían notar su recelo, pues cuando unos niños hicieron amago de acercárseles se lo prohibieron. Paul se limitó a sonreír como pidiendo disculpas por la intromisión y tiró de su mujer. Una vez recorrido un trecho de la calle, empezó a subirles por la nariz un olor familiar. Paul no tardó mucho en descubrir su procedencia.

—Mira, querida, ahí hay árboles de la canela.

Detrás de una de las casas de madera más grandes se erigía una especie de plantación de árboles de la canela. Más atrás, dispuestos en terrazas, había numerosos arrozales. Y más allá empezaba la jungla.

—Esa es la famosa canela de Padang de la que siempre me hablaba mi padre —le explicó a Maggie señalando los árboles—. Según él es aún mejor que la de Ceilán. Si te fijas, allá hay arrozales. El arroz es la principal fuente alimenticia de la región.

Mientras Maggie se moría por seguir avanzando, como queriendo darse a la fuga, Paul filosofaba, fascinado, sobre lo cercana que estaba Padang a la naturaleza en comparación con otras capitales. El vivísimo verde de los campos de arroz inundaba sus ojos, y ese olor, que a cada paso parecía hacerse más intenso, causaba en él un efecto embriagador. Ahora entendía qué era lo que forzaba a su padre a venir una y otra vez a esas tierras. Le habían bastado unas horas para hacerse adicto a ese país. Quizá Maggie necesitara un poco más de tiempo... Al final llegaron a una avenida donde las casas solo aparecían de manera aislada. En su lugar se erigían altas palmeras cuyas copas crujían misteriosamente dejando escapar de vez en cuando extraños chillidos.

—¿Por qué no habrán querido asentarse aquí los holandeses? —preguntó Maggie sin dejar de mirar a su alrededor, algo angustiada.

—Seguro que el motivo no es que la zona sea peligrosa —la tranquilizó Paul—. Muchos holandeses y alemanes han levantado aquí sus plantaciones, y también algún que otro inglés. Sus residencias se encuentran fuera de la ciudad. Te apuesto lo que quieras a que esos árboles de la canela pertenecen a una plantación.

De pronto, algo salió de la maleza y se les cruzó en el camino. Paul apenas alcanzó a distinguir una piel rojiza, ya que el animal pasó como un rayo. A Maggie se le escapó un gritito.

—¡Vámonos de aquí, Paul! —exclamó sin dejar de empujarlo.

Paul se echó a reír.

—No entiendo tus miedos, querida. Pero si solo era un mono. ¡Fíjate, está ahí, en lo alto de esa palmera!

Maggie se quedó paralizada.

—Has viajado con tu padre. ¿A qué viene ahora este pánico? —insistió Paul—. En Egipto también hay monos.

—No es por los monos —dijo ella, al fin—. Lo que ocurre es que no me encuentro bien. Y además he oído que por aquí hay tigres.

—Pues claro que los hay, pero no osan acercarse a donde habita el hombre. Se han cazado tantos por estos lares que me atrevo a decir que son ellos los que tienen que temernos y no a la inversa.

Sus palabras no lograron calmar a Maggie, cuyas ganas de dar un paseo parecían haberse esfumado.

—De acuerdo, volvamos al centro —concedió Paul dándose la vuelta—. Seguro que allí habrá una *boutique* o una sastrería donde sea imposible que merodeen los tigres.

—No te enfades —musitó Maggie—. Me he puesto nerviosa con tanto animal y tanta gente extraña... En Egipto me pasó lo mismo, pero después logré acostumbrarme. Ten paciencia conmigo.

—Claro que sí, mi amor. —Paul tomó su mano y la besó—. Yo estaría igual si mi padre no me hubiera contado tantas cosas de este país. Me encantaban sus historias, y puede que esa sea la causa de que aquí me sienta como en casa.

De regreso, por la calle, fueron de nuevo el blanco de las miradas de los nativos. Maggie procuró ignorarlas. Una pena, le hizo saber Paul más tarde, pues en absoluto eran hostiles. Lo que esas miradas reflejaban era curiosidad, y probablemente tampoco lo que murmuraban en esa lengua extraña era despectivo o insidioso. Con todo, hasta que no hallaron una sastrería, Maggie no logró serenarse. La modista era una joven china, y el escaparate de su tienda era realmente impresionante. Cuando oyó decir a una de las clientas allí presentes que esa *boutique* era muy apreciada por las mujeres de los dueños de las plantaciones, Maggie terminó de reconciliarse con el mundo.

Paul acortó el tiempo de espera observando el trajín de la calle y recordando las historias de su padre con una indeleble sonrisa. ¡Qué pena que ya no viviera! Entonces comprendió lo importante que habría sido para ambos haber viajado juntos.

SURABAYA, 1902

Vestida solo con un corsé, una camiseta y unos pololos, Rose Gallway afinaba su violín sentada en su silla con las piernas abiertas mientras la estridente voz de la señorita Faraday, su vieja profesora de música de Londres, resonaba en sus oídos: «¡Estas no son formas para una dama! ¡Menuda indecencia!».

Pasado el tiempo, Rose seguía sin entender qué tenía de indecente ponerse lo más cómoda posible para cambiar las cuerdas de su violín y afinarlas. Ahora, la *Music School* de la señorita Faraday quedaba muy lejos, y, a pesar de que aún no había logrado quitarse de la cabeza sus amonestaciones, no pudo evitar esbozar una sonrisa. En pocos años había llegado a ser una de las mejores violinistas del país, o quizá del mundo entero. La suya era una trayectoria fulgurante.

Pese a su nombre inglés, Rose era de Padang, fruto de la unión de un empleado británico del puerto y una nativa. Aunque su padre no era un hombre muy dado al dispendio, tuvo que romper alguna de sus propias reglas cuando se hizo evidente que su hija poseía un talento especial para la música. Un buen día, una de las profesoras holandesas de la escuela, *mejuffrouw* Dalebreek, fue a ver a sus padres tras una clase de música para rogarles encarecidamente que animaran a la niña a que aprendiera a tocar algún instrumento. De modo que su padre le regaló un violín, el instrumento que la muchacha llevaba tiempo anhelando en secreto. Y así fue cómo su vida cambió radicalmente de un día para otro. A las clases de la señorita Dalebreek les sucedió una invitación para ingresar en la *Music School* de la señorita Faraday.

Rose aún se acordaba perfectamente de lo que experimentó al recibir la noticia: una mezcla de miedo y excitación que sonrojó sus mejillas y le encogió el estómago. En un primer momento, su padre se negó a dejarla marchar. Tras largo tiempo intentándolo, su mujer había vuelto a quedarse embarazada, y en un futuro inmediato cualquier ayuda en casa iba a ser poca. Sin embargo, la insistencia de su dulce pero pertinaz esposa hizo que al final cediera. Que tres meses después el embarazo terminara en aborto era algo que nadie podía saber...

¡La de lágrimas que había derramado Rose en el barco rumbo a Inglaterra! ¡Y las que siguió derramando al constatar la desmedida competitividad de las alumnas y la brutal disciplina de las profesoras del conservatorio! Pero logró acostumbrarse. Se acostumbró al frío, a los días grises, a las ofensas de sus compañeras y a la perversidad de la señorita Faraday. Tanto se acostumbró que acabó graduándose con el honor de ser la mejor de su promoción.

Le debía muchas cosas a la enseñanza en el conservatorio, pero se aferraba a algunas peculiaridades que ni siquiera las estrictas profesoras habían logrado erradicar. Rose, en el fondo, estaba orgullosa de ello, pues le servía para diferenciarse de esas muñequitas inglesas que, en cuanto se casaban, dejaban el violín.

Una vez hubo terminado, deslizó el arco sobre las cuerdas. Como el sonido no acabó de convencerla, echó mano de su diapasón y le dio un golpecito. Luego hurgó en las clavijas hasta dar con el sonido buscado. Justo cuando iba a calarse el violín bajo el mentón se abrió la puerta del camerino.

—*Miss!* —exclamó Mai agitando en el aire un trozo de papel—. *Mijnheer* Colderup me ha dado esto para usted. Me dijo que se lo entregara inmediatamente.

Rose soltó un bufido, agarró la nota y le lanzó una mirada envenenada a la doncella, de marcados rasgos achinados.

—La próxima vez entra con más cuidado. ¡Casi se me cae el violín al suelo del susto!

—Perdone, *miss,* es que...

Mai enrojeció. En realidad era una sirvienta tranquila y eficaz que adoraba a su señora, pero había momentos en los que se dejaba llevar por el entusiasmo.

—No hay peros que valgan, Mai. El violín no solo me da de comer a mí, tú también vienes en el lote. Sin mi instrumento no podría tocar. Si no toco, no gano dinero, y sin dinero no podría permitirme una doncella... ¡Así que a partir de ahora *pianissimo* y no *forte!*

Mai asintió con ahínco, aunque Rose tenía serias dudas de que hubiera comprendido esos conceptos. Su enfado desapareció en cuanto leyó el nombre del remitente.

—¿Un carta del gobernador Van Swieten? —exclamó asombrada mientras rompía el lacre y abría el sobre—. ¿Qué querrá?

—¡Seguro que quiere que toque para él! —profirió Mai perdiendo de nuevo los papeles.

Rose la miró con tal severidad que la sirvienta bajó la vista, por más que hubiera dado en el clavo.

Estimada señorita Gallway:

Tras llegar a mis oídos que va a actuar en nuestra ciudad, quisiera aprovechar la oportunidad para invitarla a dar un concierto en mi casa el día 25 de este mes. Admiro su arte desde que una vez la escuché tocar en el conservatorio de Londres, y sería para mí un gran honor

poder saludarla en persona y deleitarme con su música en Wellkom.
Si decidiera aceptar mi invitación, hágaselo saber a mi secretario Wes-
traa; él le aclarará todos los detalles.
   Con todo mi respeto y admiración,
   Piet Van Swieten

Rose dejó escapar un silbido de asombro. Jamás imaginó que *mijnheer* Van Swieten se encontrara entre sus admiradores. Él ya era gobernador de la isla cuando ella no era más que una niña, pero seguro que entonces no se habría interesado por Rose Gallway. Era evidente que las cosas habían cambiado.

—Mai, acércame la agenda —ordenó a la sirvienta, que fue a por ella más rauda que una gacela. Aunque los compromisos eran competencia de su agente, a Rose le gustaba apuntarlo todo.

Rápidamente comprobó que no había nada previsto para esa velada, y de haberlo, por importante que fuera, seguramente lo habría aplazado para darle preferencia a Van Swieten. Además, así podría pasar un par de días en su ciudad y visitar de una vez a sus padres.

—Parece que hemos tenido suerte —le dijo feliz a Mai, que ya se había puesto a recoger las cosas que su señora tenía desparramadas por el camerino.

Mai sabía muy bien que Rose odiaba la inactividad y que apenas se concedía descanso. Si no estaba actuando, afinaba su instrumento, y, si no, ensayaba, ensayaba y volvía a ensayar.

—Vamos a tocar para el gobernador, ¿no es estupendo?

Mai asintió por compromiso y enseguida regresó a sus quehaceres.

Rose se levantó, dejó con cuidado el violín en su estuche y se acercó al escritorio, escribió su respuesta al gobernador y se la dio a Mai junto con una nota para su agente, que seguramente andaría zascandileando con el propietario de la sala de conciertos donde iba a tocar al día siguiente.

—Toma, y no se te ocurra perderlo. ¿Estamos?

—Sí, *miss*. —Sin dejar de asentir machaconamente, la sirvienta se metió las dos notas en el bolsillo de la chaqueta.

—Y date prisa, que te necesito antes de la actuación.

—Sí, señorita, vuelvo enseguida.

En cuanto Mai salió por la puerta, una sonrisa asomó en el rostro de Rose. El gobernador de Sumatra la había invitado a tocar en su casa. Eso era casi tan bueno como tocar para el sultán. Bien mirado era incluso mejor, pues, como era sabido por todos, el sultán apenas gozaba de poder en la isla. En casa del gobernador habría gente rica e influyente. Y, quién sabe, quizá podría hacer unos cuantos contactos que le abrirían puertas por todo el mundo. Ya había actuado en Europa y Asia, pero su sueño era América. Tocar allí la convertiría en la mejor violinista del mundo.

7

A la mañana siguiente, Lilly fue a la ciudad con Ellen para dar comienzo a las pesquisas. Mientras su amiga conducía, ella acariciaba el estuche con la mirada ausente. La interpretación de Ellen de la noche anterior seguía resonando en sus oídos. ¡Qué hermosos sonidos había sacado del violín!

—¿Por qué dejaste de tocar el violín? —preguntó dando voz a sus pensamientos—. Oírte tocar ayer fue como... Hasta anoche no me había dado cuenta de tu genialidad.

—¿A eso lo llamas tú genialidad? —Ellen meneó la cabeza con una sonrisa—. Lo de ayer no fue más que técnica. Una repetición maquinal de movimientos de dedos que aprendí de niña y que aún no he olvidado. Cualquier crítico medianamente serio se habría llevado las manos a la cabeza y habría tildado mi interpretación de mera musiquilla acartonada.

Lilly no tenía esa sensación.

—Pues a mí me pareció una maravilla. Con el mérito añadido de que no conocías de nada la pieza. Sonó como si la hubieras ensayado a conciencia.

—Al igual que montar en bici, hay cosas que nunca se olvidan —insistió Ellen.

Ambas guardaron silencio, hasta que Lilly volvió a la carga.

—¿De verdad no tienes ni idea de quién pudo haber hecho el violín?

—No, te juro que no. Su sonido recuerda un poco al de un stradivarius, si no fuera porque es bastante más dulce. No se me ocurre ningún maestro lutier capaz de sacar un sonido similar al de tu violín. Aunque quizá el señor Cavendish sepa algo más.

—¿Quién es?

—El jefe de mi equipo de restauradores.

La aclaración de su amiga refrescó la memoria de Lilly, que enseguida recordó que Ben Cavendish era un restaurador de prestigio en Inglaterra.

El instituto apareció ante ellas. Ellen condujo hasta el aparcamiento que había debajo del edificio y estacionó el coche en una de las plazas reservadas. Hasta entonces, Lilly nunca había estado en el *Morris Institute,* así que no pudo evitar sentir cierta emoción al conocer el lugar de trabajo de su mejor amiga. El ascensor las llevó hasta la segunda planta. Las paredes estaban decoradas con cuadros que destilaban modernidad, y los suelos, cubiertos con alfombras sencillas aunque caras.

—Aquí recibo a mis clientes. En el primer piso están los talleres de restauración.

—¡Me muero por verlos! —dijo Lilly, con el asombro de una niña que recorriera los pasillos de un gran museo.

—Enseguida te llevo. Pero primero quiero que veas mi oficina.

Ellen la condujo hasta la última puerta del pasillo. La cruzaron y entraron en una especie de antesala donde las recibió un joven de lo más atildado.

—Este es Terence, mi secretario. Terence, esta es Lilly Kaiser, una de mis mejores amigas.

—Encantado de conocerla.

Terence no solo tenía un aspecto arrebatador, también sabía dar la mano con una despampanante virilidad. Lilly se quedó de piedra; hacía muchísimo que no veía un ejemplar así, y de llegar a tener trato mejor no hablar.

—Terence, me has dejado la mañana libre, ¿verdad?

—Por supuesto, señora Morris. He logrado incluso darle largas al señor Catrell, de Sotheby's. Llamará mañana.

—¡Madre mía, mañana me esperan tres horas de charla! —se lamentó en broma Ellen—. ¡Mil gracias por evitarme ese suplicio hoy, Terence!

Una vez entraron en el despacho, Lilly señaló hacia la puerta con la boca abierta y los ojos como platos.

—¡Me cuesta creer que puedas permitirte un doble de Markus Schenkenberg como secretario!

La primera vez que Ellen mencionó a Terence, Lilly se había imaginado a un vejete en manguitos.

—Sí, yo también le veo cierto parecido con el modelo. Si estuviera soltera, no te digo yo que no cometería una locura. Aunque, desgraciadamente, hay otros factores que me impiden tener un lío con él además de mi alianza.

—¿El hecho de que seas su jefa?

—Ese no sería ningún impedimento.

—Entendido: es gay.

—¡Bingo! Una suerte para ellos. Y una desgracia para nosotras.

Ellen condujo a Lilly hasta un alto ventanal que ofrecía unas hermosas vistas del Támesis y del Puente de Londres.

—¡Qué maravilla!

De pronto sonó el teléfono. Ellen fue hasta su escritorio y descolgó. Aunque Lilly no podía oír de quién se trataba dedujo que su amiga estaba esperando la llamada. Y así era.

—El señor Cavendish me acaba de comunicar que ya puede atendernos. Bajemos a su despacho.

La naturalidad con que Ellen hablaba de ese hombre, su empleado al fin y al cabo, fascinó a Lilly. Cavendish era una autoridad en su campo, por lo que ardía en deseos de bajar a sus dominios. Ellen llamó con cuidado a la puerta, le respondió una oscura voz masculina con un «adelante» y entró. Tanto el lugar en el que se encontraban como el señor Cavendish ofrecían una imagen muy distinta de la que Lilly se había formado de los talleres de restauración y de los restauradores. En las películas, estos iban vestidos con largas batas blancas y se movían por habitaciones asépticas. Para su sorpresa, la estancia que tenía delante era realmente confortable y no estaba repleta de muebles antiguos. Una de las paredes quedaba cubierta por una estantería con libros, y el escritorio, detrás del cual había una silla antigua y robusta, albergaba una gran cantidad de papeles y más libros. En la mesa de trabajo que había junto a la ventana, sobre un paño blanco, reposaba un violín aparentemente impecable, y a su lado se extendían una serie de herramientas ordenadas a la perfección. Era evidente que acababa de terminar un encargo.

Nada más verlo, el señor Cavendish le recordó a Lilly al actor que interpretaba a Q en las primeras películas de James Bond. Su cuerpo, ligeramente encorvado, iba enfundado en una chaqueta de *tweed* y unos pantalones de pana; la camisa, recién planchada, era de un blanco impoluto, y el nudo de la corbata estaba bien hecho. De su pelo apenas quedaba una coronilla gris, pero el brillo de sus ojos oscuros tras las gafas plateadas recordaba al joven que un día fue. Lilly pensó que debía de tener éxito entre las mujeres, pues aún estaba de buen ver.

—Buenos días, Ben. Permíteme presentarte a mi amiga Lilly Kaiser.

—Ah, la dama del famoso violín. —La miró sonriente a la cara e inmediatamente sus ojos se posaron en el estuche que llevaba bajo el brazo—. Encantado de conocerla. A usted y a su violín. —Le tendió la mano, suave y cálida—. Según la vieja escuela, ahora vendría un intercambio de cumplidos, pero esos tiempos ya han pasado y, como podrá corroborar la señora Morris, la paciencia no es mi fuerte. Me hago mayor y no tengo tiempo para formalidades, así que déjeme decirle que soy un loco de los violines y que me muero de ganas por ver el suyo.

—Faltaría más. —Lilly miró de reojo a Ellen, que ya se estaba dirigiendo hacia el tablero.

En cuanto abrió el estuche, Cavendish apareció a su lado; observó que se había puesto unos guantes blancos. Por un instante barajó la idea de contarle toda la historia, pero prefirió cerrar la boca y apartarse.

—¿Qué clase de persona es usted, señora Kaiser? —preguntó mientras sacaba el violín con cuidado, sin dejar de observarlo con la mayor de las atenciones—. ¿Va a tocar este violín o va a guardarlo en una vitrina?

—En realidad lo que quiero saber es por qué ha llegado a mis manos. Alguien me lo dio alegando que era mío, pero ignoro el porqué.

Cavendish le dio la vuelta al instrumento y soltó una sonora bocanada de aire.

—¡Mira lo que tenemos aquí! —exclamó.

—¿Puede decirme algo?

—Ya lo creo. Ha hecho buena pesca, señora Kaiser. El violín está en muy buen estado. Podrían cambiársele algunas piezas, pero no vamos a hacerlo. Lo que no le vendría mal es una limpieza y un pulido. Estimo que fue fabricado a principios del siglo XVIII. Es todo lo que puedo decir antes de analizar el barniz.

Lilly miró a Ellen.

—No te asustes —la tranquilizó su amiga—. No vamos a hacerle ningún arañazo. Tomaremos una muestra minúscula. Tras la limpieza y el pulido, el rasguño será prácticamente inapreciable.

—Se lo garantizo —añadió Cavendish mientras examinaba el violín bajo el flexo—. Es una pieza exquisita.

—¿Y la rosa? ¿Sabe qué puede significar?

—No, por desgracia no lo sé —respondió Cavendish tras un silencio—. En cualquier caso, este tipo de marcas no es nada habitual, y el modo en que la rosa ha sido grabada corrobora mis sospechas de que el violín es de principios del XVIII.

Cavendish tecleó algo en su ordenador y luego introdujo un endoscopio por una de las orejas del violín. En la pantalla apareció el interior del instrumento. Con ayuda del ratón recorrió todos sus recovecos.

—No hay ninguna inscripción. Y, si la vista no me confunde, tampoco ha llevado nunca una etiqueta pegada.

—Quizá no la pusieran para no dañarlo, ¿no? O puede que el lutier no quedara del todo satisfecho con el resultado y no quisiera reconocer su autoría...

—O que alguien lo robara antes de que pudiera ponerle la etiqueta. —Cavendish retiró la microcámara—. Un trabajo muy bueno como para no querer firmarlo.

Lilly dedicó un momento a ordenar sus pensamientos. Luego sacó la partitura y dijo:

—Señor Cavendish, ¿podría echarle un vistazo a esto? Esta partitura venía con el violín. La señora Norris y yo no atinamos a dar con el compositor, pero quizá usted pueda descubrirlo a tenor del estilo.

—Si quiere un consejo, hágasela llegar a Gabriel Thornton —dijo Cavendish, tras examinar la partitura—. Dirige una escuela de música en Londres, una escuela que en el pasado fue un famoso conservatorio. Hasta donde sé, el señor Thornton está realizando un estudio sobre antiguos alumnos graduados en la institución. Quizá tenga usted suerte y él reconozca el estilo de algún alumno ilustre. Sería fantástico que el compositor de la pieza fuera el antiguo propietario del violín.

Por un instante, el nombre de Thornton descolocó a Lilly. ¿Sería posible? También podía ser que el célebre director de la escuela de música se llamara igual que su compañero de asiento en el avión... Pero que ambos se dedicaran a lo mismo era demasiada coincidencia.

—¿Qué sucede? —preguntó Ellen.

—Ayer conocí a Thornton en el vuelo a Londres. Parece una locura, pero es cierto.

—¡Qué casualidad! —exclamó el señor Cavendish dando una entusiasta palmada.

—¿Por qué no me lo habías contado? —le preguntó Ellen con un gesto de sorpresa.

—No me pareció importante. Al fin y al cabo, no sabía quién era. Pensé que se trataba de un simple profesor de música.

—Pues es mucho más que un simple profesor —intervino Cavendish—. Es un destacado musicólogo. Y un profundo conocedor de los instrumentos de las alumnas que pasaron por su conservatorio.

—Me da la impresión de que se está guardando un as en la manga, Ben —observó Ellen visiblemente intrigada. Lilly también estaba en ascuas; ya no sabía si le interesaba más el violín en sí o el motivo por el que supuestamente le pertenecía.

—Hay una historia que llegó a mis oídos hace muchos años —dijo Cavendish, que parecía ser el único capaz de mantener la calma–. En su día no le di demasiada importancia, pero se me quedó grabada en el cerebro... Y ahora, al ver el violín y la partitura...

–Deje ya de torturarnos, ¿no ve que nos tiene en vilo? –insistió Ellen, que ya llevaba un rato dando vueltas por la habitación como una leona enjaulada.

Lilly observó que Cavendish se esforzaba por recordar.

–Cuentan que una alumna del conservatorio tenía un violín muy especial, un violín con una rosa grabada en el fondo. No sé cómo se llamaba, no recuerdo si lo he olvidado o nunca me lo dijeron... En cualquier caso, seguro que el señor Thornton podrá contarles mucho más al respecto.

8

Tras haber fotografiado el violín por todas partes, sacado copias en su despacho y fotocopiado la partitura, Ellen se lo dio todo a Lilly y llamó a un taxi para que la recogiera y la llevara a la Faraday School of Music, la escuela de música de Thornton, que había resultado ser un conservatorio en toda regla.

—Fríelo a preguntas... Y luego me lo cuentas punto por punto —dijo Ellen mientras bajaban a la calle. Una vez allí, le guiñó el ojo a su amiga, que tuvo que subirse al coche precipitadamente, pues el taxista, harto de esperar, ya había tocado el claxon varias veces.

De camino a la escuela, apenas podía dejar de menear la cabeza en señal de asombro. Era increíble. ¡Primero el violín y luego el encuentro fortuito con Thornton! ¿Sería verdad la teoría de que el batir de las alas de una mariposa puede desencadenar una tormenta? ¿Sería la aparición del anciano del violín su particular batir de alas? ¿Y cómo sería la tormenta que sin duda se avecinaba?

—¿Se encuentra bien, señora? —dijo el taxista, que con su peinado rastafari parecía un Bob Marley jovencito.

—Sí, perfectamente. Solo estaba pensando.

—Pues, a juzgar por cómo mueve la cabeza, no debía de estar pensando en nada bueno...

Lilly apenas podía creerse lo que le estaba pasando. Tras esbozar una sonrisa, se dirigió al conductor:

—¿Cree en las coincidencias?

El taxista se echó a reír.

—Pues claro. El mundo está lleno de ellas. Ayer mismo me encontré a un viejo amigo que no veía desde la escuela. Justo un día antes había estado preguntándome qué habría sido de Bobby... Y a la mañana siguiente me topo con él.

—Puede que lo llamara con la mente.

—Es posible, aunque prefiero pensar que fue una coincidencia. Suceden a menudo. Y a veces nos cambian la vida. Hablaba con Bobby y era como si los diez años en los que no nos habíamos visto no hubieran transcurrido. Resulta que ha vuelto a Londres. Hemos quedado en que vendría a casa a conocer a mi novia este fin de semana. ¡Qué cosas!

—Y tanto —observó Lilly.

—¿Y a usted qué le ha sucedido? A juzgar por cómo movía la cabeza, aún no puede creerse a quién ha vuelto a ver.

—A quién voy a volver a ver, mejor dicho. —Cuando observó que el taxista, expectante, arqueaba las cejas, Lilly se animó a continuar—: En el vuelo que me trajo a Londres conocí a un hombre encantador. Y ahora me entero de que es precisamente él quien puede ayudarme en un asunto. Menuda coincidencia, ¿no cree?

—Pero eso no es una coincidencia —dijo el taxista con todo el convencimiento—. Mi abuela diría que se trata del destino. La voluntad divina. Estoy seguro de que ese hombre le será de ayuda, ya verá.

¿Estará en lo cierto?, se preguntó Lilly. ¿Tendría Thornton la respuesta? ¿Sabría al fin qué la ligaba a ese enigmático violín?

El taxi se detuvo ante un edificio clásico de dos pisos.

—Hemos llegado —dijo innecesariamente el taxista mientras Lilly pagaba y se bajaba del coche—. ¡Mucha suerte, señora!

—¡Lo mismo digo! —repuso ella antes de que el motor volviera a rugir.

Un viento helado la destempló mientras contemplaba la fachada, bañada por el sol del mediodía. El edificio era tal y como ella se imaginaba un conservatorio. Tuvo que acercarse un poco más para comprobar que compartía sede con otras dos empresas. En el recibidor, que recordaba al de un museo, un cartel bastante chillón daba a elegir entre una inmobiliaria y una agencia de conciertos. La planta alta estaba reservada en su totalidad a la Faraday School of Music. Sin vacilar, subió los peldaños de mármol que en otro tiempo habrían pisado altas personalidades. Cuando llegó se puso instintivamente a calcular el valor de una vieja cómoda que debía de llevar ahí desde que levantaron el edificio. Ahora servía para ofrecer al visitante propaganda diversa, folletos del conservatorio e información sobre eventos. Ante ella se extendían largos pasillos con puertas a ambos lados, de donde salía ruido de violines, violonchelos y pianos; incluso se oía la voz de una soprano ensayando un aria. ¿Dónde estaría el despacho del señor Thornton? Debería haber llamado, se lamentó para sus adentros. No va a hacerle ni pizca de gracia que me presente así sin más. Tras recorrer varias puertas, se dirigió a la primera persona que encontró.

—Doble la esquina. El despacho del señor Thornton está en mitad del pasillo de la izquierda —le dijo una chica que obviamente salía de su clase de música, pues llevaba bajo el brazo un estuche de violín.

Lilly le dio las gracias y siguió sus indicaciones. Vio la puerta abierta y respiró con alivio, pero al entrar comprobó que se trataba de una antesala con secretaria incluida. Era una rubia cuarentona de buen ver, aunque con el encanto de un carámbano de hielo.

—Hola, me preguntaba si sería posible hablar con el señor Thornton —le dijo, y tuvo la extraña sensación de que los pies se le acababan de quedar fríos—. Me llamo Lilly Kaiser.

—¿Tiene cita? —le espetó con voz cortante.

—No, vengo directamente del instituto de Ellen Morris. Se trata de un violín, que quisiera que el señor Thornton viese.

A juzgar por la mirada de aquella arpía, era evidente que pensaba que su jefe tenía cosas más importantes que hacer que perder el tiempo con un violín.

—Pues es una lástima, porque el señor Thornton tiene la agenda llena en estos momentos. En el mejor de los casos tendría hueco para usted en abril.

Lilly no daba crédito a sus oídos. ¿Abril? ¡Pero si era más fácil conseguir cita para el especialista en el sistema sanitario alemán!

—Disculpe, me temo que en abril ya no estaré en Londres. ¿No sería posible hablar con él esta semana o la próxima? Lo único que pretendo es que le eche un vistazo al instrumento, nada más...

El rostro de la secretaria permaneció impertérrito.

—Pues búsquese a otro. La agenda del señor Thornton está completa esta semana y la que viene.

Entre suspiros, Lilly pensó en cómo lograr que Thornton viera su violín. Quizá no fuera descabellado abordarlo en el aparcamiento...

—¿De qué se trata? —preguntó una voz a sus espaldas.

Lilly se volvió y vio a Thornton apoyado en el marco de la puerta dedicándole una sonrisa jovial. A la secretaria también pareció sorprenderle su repentina aparición, ya que le costó unos instantes recuperar el habla.

—Esta señora desea entrevistarse con usted —dijo tras volver en sí.

—¡Pero si es la dueña del violín del vuelo de Berlín! ¿Qué, interesada en recibir clases?

Lilly notó cómo le hervían las mejillas. Era tal la vergüenza que apenas podía articular palabra. Thornton le guiñó el ojo para infundirle ánimos y luego miró a su secretaria, que a esas alturas ya no sabía bien de qué iba aquello.

—No exactamente... Es otro el asunto que me trae aquí —dijo al fin Lilly—. Prometo no entretenerle. Por desgracia no voy a estar mucho tiempo en Londres, así que sería muy amable si pudiera atenderme.

Thornton la observó un buen rato y luego se dirigió hacia su secretaria.

—¿Cómo lo ves, Eva? ¿Hay algo ahora mismo que no pueda esperar?

Lilly vio con el rabillo del ojo cómo Eva se ponía roja como un tomate, y no le sorprendió en absoluto oírla responder:

—No, señor Thornton, la próxima cita es a la una y media.

—¡Espléndido! ¿Tiene algo en contra de que la secuestre y la lleve a almorzar a nuestra galardonada cantina, señora Kaiser?

—Al contrario, me parece un gesto muy generoso por su parte.

Lilly se abstuvo de lanzarle una mirada hostil a la secretaria y siguió a Thornton.

—Por cierto, he de confesarle que lo del galardón era broma —se explicó él mientras recorrían un largo pasillo que olía a comida—. Pero se come muy bien. Le recomiendo el filete con puré de patata.

Lilly se vio transportada a los tiempos de la universidad, cuando iba eligiendo platos bandeja en mano. Por otro lado, le pareció un buen detalle que propusiera sentarse a comer con sus empleados y alumnos. Al rector de su universidad jamás se le vio el pelo en el comedor. No tenía nada de hambre, pero optó por el recomendado filete, que tenía una pinta estupenda.

—Bueno, ¿en qué puedo ayudarle? —le preguntó Thornton tras degustar un bocado de filete empapado en puré.

Lilly apartó el plato y sacó las fotos.

—No sé si conoce a Ben Cavendish... Trabaja para la señora Morris. Él sí lo conoce a usted y cree que podría ayudarme.

—¡Dispare!

—¿Se acuerda del violín que tan amablemente me ayudó a subir al portamaletas del avión?

—Sí, el que quería usted tasar.

Lilly asintió y desplegó las fotografías.

—Pues aquí lo tiene.

—¿No lo ha traído consigo? —Thornton frunció el ceño.

—No, lo tiene Ellen. Van a analizarlo. Me gustaría saber a quién perteneció, y también por qué llegó hasta mí. Al parecer es una herencia.

Thornton ojeó las fotos. Al llegar a la del fondo del violín se detuvo.

—¡No es posible! —exclamó dejando la imagen sobre la mesa—. Pensaba que había sido destruido.

Lilly arqueó las cejas. Sus palabras carecían de sentido para ella; al menos de momento.

—¡No me diga que conoce el violín!

Thornton asintió y se quedó abstraído mirando la rosa.

—Venga conmigo —dijo al fin.

—¿Adónde? —se extrañó Lilly.

—A nuestro archivo. A no ser que prefiera terminarse el filete.

Pero a Lilly se le había quitado la poca hambre que tenía. El corazón le latía desbocado y las mejillas le ardían. Se levantó tan bruscamente que casi tira la silla al suelo, pero supo reaccionar a tiempo y la sujetó antes de que la cantina entera se la quedara mirando.

—Con calma —dijo Thornton esbozando una sonrisa—. Lo que tengo que enseñarle no se va a escapar.

Avergonzada, Lilly recogió las fotos y siguió a Thornton hasta el sótano, donde se encontraba el archivo del conservatorio.

—En el pasado, a los alumnos menos obedientes se los amenazaba con encerrarlos ahí abajo —comentó Thornton cuando el ascensor comenzó a descender—. Hoy en día eso no sería un castigo para nadie; guardamos cosas muy interesantes en el sótano: grabaciones antiguas, instrumentos, partituras, expedientes de alumnos...

¡Partituras! A Lilly le habría encantado hablar de la que acompañaba al violín, pero se mordió la lengua.

—¿También fotos? —prefirió preguntar.

—Sí, hay a montones. Contratamos restauradores periódicamente para recuperar los ejemplares que se encuentran en peor estado. Y por supuesto digitalizamos todos nuestros fondos. Actualmente estamos copiando en MP3 cilindros de fonógrafo y discos de pizarra. No es una tarea sencilla, ya que esos viejos reproductores no tienen puerto USB.

Lilly se echó a reír. La sola idea de que un gramófono tuviera puerto USB resultaba del todo absurda. Había tenido uno en su tienda, y aún se lamentaba de no habérselo quedado.

—¡Aquí es!

Thornton señaló una puerta de cristal con un viejo letrero en el que ponía «archive». Contra todo pronóstico, no había tras ella estanterías polvorientas. La estancia estaba bien ventilada y climatizada, y olía a papel y a madera.

—Espero que no pase frío. Como le decía, además de instrumentos de otras épocas conservamos grabaciones, fotos y partituras muy antiguas. Algunas son de antes del Gran Incendio de Londres de 1666. No me pregunte cómo sobrevivieron al fuego. Hay algunos ejemplares fascinantes, como por ejemplo un original de tiempos de Enrique VIII. Al alcance de la mano y listo para ser tocado.

—Imagino cómo debe de sentirse —repuso Lilly, cada vez más excitada—. Yo también me emociono cuando cae en mis manos una pieza realmente antigua.

—¿Qué es lo más antiguo que ha pasado por su tienda?

—Un secreter del siglo XVII. El propietario lo tenía en un granero sin darle valor alguno. Lo restauré y lo vendí francamente bien. Era una maravilla digna de un museo.

—Puede ser, y está muy bien que los museos adquieran esos tesoros. Pero en un principio fueron concebidos para su uso. Me hierve la sangre cuando llega a mis oídos que alguien tiene un stradivarius metido en una caja fuerte en Suiza sin que nadie pueda tocarlo. Además de los daños irreparables que puede causar al instrumento ese tipo de almacenamiento, lo más indignante es que los mejores virtuosos del mundo harían cualquier cosa, ya fuera legal o ilegal, para poder tocarlo. No debería ser tan sencillo llevarse a casa maravillas así.

Thornton abrió un armario y sacó una especie de fichero. No parecía contener demasiadas cosas, y por delante llevaba un nombre escrito: Rose Gallway.

—Por desgracia, esto es todo lo que tenemos —dijo como disculpándose al tiempo que sacaba una foto—. El violín que usted posee perteneció en el pasado a una alumna de esta institución. Se lo garantizo.

La fotografía mostraba a una joven de pelo oscuro embutida en un vestido blanco muy cerrado. Por desgracia, sus rasgos faciales estaban bastante borrosos, pero el violín que llevaba en la mano era perfectamente reconocible. A Lilly le resultó extraño que Rose le hubiera dado la vuelta para la foto, como para enseñar el fondo: lo habitual es que los músicos muestren la parte frontal de sus instrumentos. Era como si quisiera dejar claro que su violín no era como los demás.

—Llevamos años y años guardando fotografías y retratos de los hombres y mujeres que han pasado por nuestras aulas. La mayoría posa con sus instrumentos, así que no resulta difícil identificarlos. —Thornton señaló con el dedo índice la foto y le dio unos golpecitos—. Esta jovencita es toda una leyenda en el mundillo. Fue una de las mejores violinistas de su tiempo. Pero, como suele decirse, las estrellas que más brillan son las que antes se apagan, y Rose Gallway hizo honor al dicho.

—¿Qué pasó?

—Nunca se supo a ciencia cierta. —Thornton se encogió de hombros—. Se dice que desapareció durante una gira sin dejar rastro. La prensa de aquellos años ofrece un sinfín de teorías especulativas. Algunos periódicos hablan de un rapto, e incluso de un asesinato... Otros señalan que se casó con el gobernador de un reino exótico. Nunca llegó a aclararse. Lo que sí se sabe es que tocaba un violín muy especial.

—El violín de la rosa —musitó Lilly con los ojos clavados en la fotografía—. ¿Tuvo hijos Rose Gallway?

—No se sabe. Desapareció de un día para otro. Pero el violín volvió a aparecer en manos de otra joven: Helen Carter.

Lilly se tomó un instante para asimilar toda la información. ¡Su violín perteneció a una famosa violinista! Pero ¿cómo había llegado hasta ella?

—¿Quién era Helen Carter?

—La hija de un matrimonio inglés que vivió en Sumatra. Helen también llegó a ser una famosa violinista, pero sufrió un grave accidente en el cenit de su carrera. Afortunadamente sobrevivió, pero nunca volvió a tocar. El rastro del violín se perdió en la Segunda Guerra Mundial. Hasta ahora estábamos convencidos de que había sido destruido durante los bombardeos. Pero según parece estábamos equivocados.

—¿Tuvo hijos Helen Carter?

—Sí, dos, que murieron en la guerra junto a ella y su marido alemán, en un ataque a la isla.

—¿Y qué relación puedo tener yo con el violín? —Solo tras un instante reparó Lilly en que se había hecho esa pregunta en voz alta—. Me temo que no me une nada a Sumatra —prosiguió un poco avergonzada—. Mi madre y mi abuela eran de Hamburgo, y jamás mencionaron nada sobre un violín.

Un pensamiento empezó a asomar en su mente. Hasta entonces solo había pensado en ella y en su familia. Pero, y si Peter...

—Pues sospecho que va a tener que recorrer el camino del violín para poder averiguarlo —aventuró Thornton—. Quizá durante la guerra cayó en manos de otra persona, alguien que logró salvarlo del naufragio que acabó con la vida de Helen y su familia. ¿El apellido Rodenbach le dice algo?, ¿no figurará por casualidad en su árbol genealógico? Así se apellidaba el marido de Helen.

Lilly meneó la cabeza.

—No que yo sepa —dijo al tiempo que recordaba que llevaba una copia de la partitura en el bolso—. Había algo más en el estuche del violín.

Sacó la copia y se la dio a Thornton, que, tras observarla un momento, dio un paso atrás y se apoyó en el lateral del pesado escritorio que tenía a su lado, como si hubiera sufrido un mareo.

—El jardín a la luz de la luna —musitó con apenas un hilo de voz.

—¿Es posible que la compusiera Rose Gallway? O quizá Helen Carter...

Durante unos segundos, Thornton no dijo nada, pero sus ojos iban absorbiendo una nota tras otra, de un modo similar a como lo había hecho Ellen. Probablemente ya tendría la melodía en la cabeza.

—Si esta composición es de alguna de esas dos mujeres, estamos ante un auténtico prodigio —dijo sin dejar de mirar la partitura.

—La obra suena bastante exótica, y como dijo que Rose Gallway era de Sumatra...

—¿Ya la ha oído?

—Mi amiga la tocó con el violín de la rosa.

Thornton respiró hondo.

—A mí también me habría gustado hacerlo... —Y, tras pensárselo un momento, dijo—: ¿Qué le parece si hacemos un trato, señora Kaiser?

—¿Un trato?

—Sí. Yo le ayudo en su búsqueda y usted me permite tocar su violín, aunque solo sea una vez.

—Pero si su agenda está llena —Lilly arqueó las cejas sorprendida—, y además...

—Y además estoy muy interesado en saber cosas de nuestras antiguas alumnas —añadió él, completando la frase—. Tanto en la biografía de Rose Gallway como en la de Helen Carter hay puntos oscuros. Y luego está esa composición. Hasta ahora no teníamos noticia de que ninguna de las dos compusiera música. En nuestro mundillo sería muy celebrado un descubrimiento así. Y yo podré colgarme la medalla de haber contribuido a resolver el enigma.

—¿Cree que eso es posible?

—Seguro que hurgando un poco en la historia encontraremos algo.

—De acuerdo, señor Thornton, si para usted no supone una molestia... —dijo al fin ella, a lo que su nuevo socio respondió sonriendo y estrechándole la mano.

—Llámeme Gabriel.

—Solo si usted me llama Lilly.

—Eso está hecho. Créame, para mí es todo un honor poder colaborar en este proyecto. No descansaremos hasta averiguar qué la une con el violín. Y cuál de esas dos mujeres compuso la pieza. Por cierto, ¿puedo hacer una copia de la partitura?

Lilly asintió sonriendo y, para sus adentros, se preguntó cómo sonaría interpretada por él.

La velada se alargó hasta tarde. Como Dean estaba de viaje, Ellen y Lilly cenaron solas con las niñas y luego se decidieron a abrir una botella de vino francés que la anfitriona había adquirido en un viaje a París. Disfrutando del calor de la chimenea y de la agradable sensación de relajación provocada por el vino, Lilly le contó a su amiga con pelos y señales todo lo que Gabriel le había dicho y propuesto. Aunque la situación seguía pareciéndole increíble, en su cabeza ya había trazado un minucioso plan.

—Has hecho muy bien en aceptar su ayuda —dijo Ellen con la mirada perdida en su copa de vino—. Si alguien puede averiguar quién compuso *El jardín a la luz de la luna,* ese es Thornton. Sin embargo, da la sensación de que no hay mucho por dónde empezar a investigar.

—Seguro que hay pistas que seguir —repuso animada Lilly.

—Sí. Quizá esa Rose tuviera descendencia. Y puede que hasta tú formes parte de ella.

—No, eso seguro que no. —Lilly meneó la cabeza—. Mírame, soy pelirroja y pecosa. Rose tenía el pelo negro como el azabache y la tez blanca como la leche. Además, mi talento musical brilla por su ausencia. Tienes más papeletas tú que yo: al menos eres morena y sabes tocar el violín.

—Bobadas —respondió secamente Ellen—. El anciano fue a verte a ti y no a mí, así que esto concierne a tu familia.

—O a la de Peter. —Lilly observó que Ellen la miraba desconcertada—. ¿Por qué no? Quizá ese señor lo buscaba a él, y al enterarse de que había muerto recurrió a mí, a su mujer...

Lilly sintió una opresión en el pecho. De pronto, empezó a cuestionarse si conocía a su marido tan bien como creía. ¿Residiría el misterio en la familia de Peter y no en la suya?

—¿Tienes noticias de Sunny? —le preguntó Ellen intentando cambiar de tema. Luego apuró su copa y la mantuvo en alto, como si fuera a leer el poso.

De camino a casa, Lilly le había contado lo de la cámara de seguridad.

—Aún no. Me temo que hasta mañana no sabremos nada. Si logra ver la imagen grabada y capturar el momento preciso, tengo pensado enseñárselo a mi madre. Quizá ella sepa quién es ese hombre. Y si ella no lo conociera...

En ese momento, cayó en la cuenta de que hacía más de dos años que no tenía contacto con su suegra, y eso que se llevaban bien. Aunque quizá no tan bien como para seguir viéndose tras la muerte de Peter.

—Entonces te quedarían Per y Anke. —Por la rapidez de sus reflejos, era evidente que Ellen se acordaba perfectamente de ellos.

—Sí, Per y Anke. Quién sabe lo que dirán cuando me vean cruzar la puerta de su casa y les cuente la historia.

—Ellos te querían, Lilly, lo sabes bien. Y te seguirán queriendo. Y seguro que comprenderán que no puedes ir todos los domingos a tomar café a su casa. Que Peter ya no esté entre nosotros no quiere decir que tú no sigas viva.

—No sabes las veces que he deseado que fuera al revés...

Lilly profirió un profundo suspiro que sumió a ambas en el silencio durante un par de minutos.

—¿Te dijo Thornton qué tiene pensado hacer? Supongo que os habréis intercambiado los números de teléfono y los correos electrónicos —dijo Ellen al fin.

—Sí, eso hicimos. Pero supongo que pasará algún tiempo hasta que averigüe algo. ¿Puedo usar tu ordenador para ver el correo? Si llego a saber lo que se me venía encima, me habría traído el portátil...

—¡Eso ni se pregunta, mujer! La puerta de mi despacho está siempre abierta para ti. Aunque tendrás que vértelas con Jessi y Norma. Si no tuvieran que ir al colegio, estarían todo el día pegadas a esa pantalla.

—¿Lo dices en serio?

—¿Lo de mis hijas o lo de mi ordenador?

—Lo de tu ordenador.

—Pues claro, no seas boba, úsalo como si fuera tuyo. Así podrás hacer un registro de todo lo que vayas averiguando. Y deberías avisar a Sunny de que vas a quedarte un poco más de lo previsto. No pienso dejarte marchar hasta que no sepamos en qué taller fabricaron el violín y por qué ha llegado a tus manos. Al menos, ahora Thornton está en el mismo barco. Acceder a sus archivos es todo un privilegio: son oro puro.

—¿Cómo es que no has contactado antes con él? —preguntó Lilly, sin poder evitar pensar en su rostro viril y sus oscuros y penetrantes ojos. ¡Qué atractivo era el ladrón! Por un lado, tener asuntos pendientes con él le ilusionaba, pero por otro le ponía de los nervios. ¿Y si no estaba a la altura de ese hombre?

—Hasta ahora nuestras empresas no han coincidido en ningún proyecto. Él investiga partituras y vidas de músicos, mientras que yo me limito a los instrumentos musicales. Aunque ambas cosas estén relacionadas, nuestras metas son muy diferentes. Yo analizo, restauro y taso instrumentos antiguos. El aspecto científico de nuestro trabajo queda relegado a un segundo plano. En cambio, Thornton es un científico puro y duro, y en el caso de que pase por sus manos un instrumento, él ya tiene a su propia gente. —Ellen sonrió y le pasó el brazo por encima del hombro como cuando de niñas se sentaban en el desván—. Me encanta tenerte aquí y que vayamos a hacer algo juntas.

—A saber dónde nos va a llevar esta búsqueda —dijo Lilly con cierto escepticismo—. Thornton dijo que tanto Rose Gallway como Helen Carter estaban relacionadas de algún modo con Sumatra. ¿Alguna vez has pensado en ir allí de vacaciones?

—¡Ni en el mejor de mis sueños! —exclamó Ellen. Lilly sabía de sobra que, desde que su instituto había empezado a marchar viento en popa, ella apenas había podido ausentarse–. Pero si te soy sincera, no le haría ascos a un viajecito así.

–¿Y el trabajo?

–Pero si esto es precisamente mi trabajo, ¿no? Incluiría los gastos del viaje como dietas y listo.

Bastó una mirada cómplice para que ambas se echaran a reír.

9

Wellkom, la residencia del gobernador, estaba fuera de Padang, cerca de las montañas Barisan. Enclavado en una alfombra verde de arrozales y palmerales, el edificio de color blanco semejaba una perla preciosa. El estilo colonial de los holandeses difería un poco del inglés, pero aun así a Paul la arquitectura le pareció perfecta. Las columnas de la entrada le daban un aire distinguido, y en los numerosos ventanales se reflejaba el cielo rojizo del ocaso. Gracias a una escalinata con peldaños no muy altos y a que el terreno se había dispuesto en terrazas, el visitante salvaba la pronunciada cuesta casi sin enterarse. El lugar era aún más hermoso de lo que Paul había imaginado a tenor de las historias de su padre y de otros viajeros. Las palmeras y los melonares le daban cierto aire caribeño a los jardines que Maggie y él recorrían en su coche de caballos. Según se iban adentrando, Paul descubrió jazmines, orquídeas, franchipanes y otros arbustos que de lejos no había reconocido. Todas esas flores impregnaban el aire de un aroma embriagador en el que se distinguía un sutil toque a canela, lo cual hizo pensar a Paul que en los jardines del gobernador también crecía ese árbol.

Como si Van Swieten hubiera persuadido a la naturaleza para ofrecer un espectáculo único, una bruma rosácea bajaba de las montañas, detrás de las cuales el pálido reflejo de la luna luchaba contra los ya débiles rayos de sol. A lo lejos se oían los casi fantasmales gritos de los monos de distintas especies que poblaban la región. Paul ardía en deseos de ver a los famosos antropoides llamados en malayo *Orang Hutan* —hombre de la selva— en libertad. Hacía poco que habían traído al zoológico de Londres un par de ejemplares, pero los férreos barrotes les robaban gran

92

parte de su grandeza y dignidad. Como atracción de feria sin duda lograban asustar a temperamentos más simples, pero él deseaba verlos en todo su esplendor, y eso solo podía hacerlo allí. A Maggie, por el contrario, esos extraños berridos le ponían los pelos de punta. No se quejaba en absoluto, pero Paul sabía por su mirada que la naturaleza salvaje le provocaba más miedo que curiosidad. ¿Sería capaz en algún momento de apreciar la belleza de aquellos parajes?

—Maggie, querida —dijo Paul intentando animarla mientras señalaba un franchipán en flor especialmente hermoso que tenía toda la pinta de llevar ahí unas cuantas décadas. Alrededor de sus ramas revoloteaban unos pájaros blanquinegros con un enorme pico amarillo—. ¡Mira ese árbol! Deberíamos tener uno así en nuestro jardín de Inglaterra, ¿no crees?

Ver esas flores rosas con el centro amarillo hizo que al fin Maggie esbozara una sonrisa.

—Tienes razón, es precioso. ¿Crees que el gobernador nos dará unos esquejes?

—Estoy seguro de que, si se lo pedimos, lo hará. Ese árbol sería el remate perfecto para nuestra *orangerie*. Puede que hasta nos regale un pájaro de esos. ¿Sabías que los llaman «pájaros rinoceronte»?

—Supongo que por ese pico tan grande.

Por un momento su mujer pareció relajarse un poco.

—Exactamente, porque les sale del pico una especie de cuerno. Con un ejemplar de esos serías la envidia de la sociedad londinense. Allí lo más que se ve es un triste papagayo.

Maggie asintió y apoyó la cabeza en el hombro de Paul, que notó que volvía a ponerse tensa.

—¿Cuánto tiempo crees que tendremos que pasar aquí?

—El que sea necesario.

—¿Y cuánto es eso?

—Honraremos a este hermoso país con nuestra presencia hasta que logre acordar con el propietario de la plantación de azúcar qué parte de sus tierras me vende.

Paul se echó como un resorte sobre su mujer y, antes de que esta pudiera rechistar, le estampó un beso en la mejilla. El tacto de sus labios hizo que su piel de porcelana enrojeciera.

–Paul, eso no...

–¿No está bien? –terminó la frase antes de esbozar una amplia sonrisa y besarle la otra mejilla–. ¿Estando casados aún te sigue pareciendo indecoroso? Sospecho que nadie lo vería así aunque te besara en la boca a plena luz del día y rodeados de gente. ¡Pero si soy tu esposo!

De pronto, la cara de Maggie resplandeció como una manzana roja bañada por el sol, pero en vista de que en la amplia escalinata había más gente, Paul se abstuvo de darle otro beso.

En la entrada los recibió un sirviente de piel morena vestido a la manera de los *batak,* con un característico pañuelo oscuro que llevaba enrollado en la cabeza como un turbante. Tras hacerles una reverencia, les indicó por señas que lo siguieran. En el recibidor había más invitados. Fragmentos de conversaciones en alemán, inglés y neerlandés se entremezclaban en la enorme y lujosa estancia formando un zumbido, en medio del cual Paul incluso creyó oír un par de palabras en francés. Con el rabillo del ojo vio que Maggie escrutaba a las damas presentes. Algunas de ellas eran casi niñas, y a juzgar por sus ropajes, tremendamente ricas.

Paul se alegró de haber convencido a su mujer de dar un paseo por la ciudad; sabía lo fácil que era que se sintiera inferior si veía a una mujer mejor vestida que ella. El vestido de seda de color melocotón que le había hecho una sastra china en el tiempo record de tres días podía competir sin problemas con los de las otras señoras; incluso había robado alguna que otra mirada de envidia, que Maggie había recibido de buen grado irguiendo la cabeza.

El gobernador no tardó demasiado en advertir la presencia de los recién llegados. Piet Van Swieten era un hombre alto, de cara ancha, cabello rubio surcado de canas y perilla blanca. Sus vivos ojos eran del azul del cielo que cubría el puerto de Padang, y su risa atronadora resonaba por toda la estancia. Se acercó a Paul y a Maggie con los brazos abiertos y, en un inglés con marcado acento extranjero, exclamó:

—¡Queridos míos! ¡Cuánto me alegro de poder saludarlos!

—*Mijnheer* Van Swieten, el placer es todo nuestro —repuso Paul en neerlandés—. Permítame presentarle a mi esposa, *lady* Maggie Havenden.

—Todo un honor, *milady* —dijo el holandés inclinándose para besar su mano—. Espero de corazón que la velada cultural que hemos organizado colme sus expectativas. Aquí lejos, en los confines del mundo, como quien dice, se suele pensar que rigen reglas muy distintas a las de Europa. Y en parte es así, por lo que, ante las lógicas carencias con respecto al Viejo Mundo, a menudo nos vemos obligados a improvisar.

—¿Va a deleitarnos con unas bailarinas balinesas?

Van Swieten se echó a reír.

—Su padre le habló de ellas, ¿me equivoco? No, me temo que esta vez vamos a degustar otro tipo de arte. También es hija de esta tierra, y se trata de alguien que últimamente está acaparando los titulares de la prensa, de lo cual estoy especialmente orgulloso. Y usted también debería estarlo, pues de alguna forma es paisana suya.

—¡Una mestiza! —exclamó Maggie.

—Si prefiere decirlo así... En todo caso, los llamados mestizos son un pilar fundamental de este país, y no menos abnegados y comprometidos que los foráneos.

A Paul no le pasó inadvertido el ligero reproche que se desprendía de las palabras de Van Swieten. Sabía muy bien que los holandeses veían los matrimonios mixtos con ojos muy distintos a los de los ingleses. Su objetivo era hacer perdurable su gobierno y, sobre todo, el comercio, y para ello necesitaban el apoyo de los nativos y de las generaciones venideras, fueran mestizas o no.

—Discúlpenos, Maggie lo ha dicho sin mala intención. En las colonias inglesas no es habitual ver matrimonios de blancos con nativos, lo que de ningún modo implica que haya querido poner en duda el talento de su invitada. —El gesto de Van

95

Swieten volvió a relajarse, recuperando su desenvuelta jovialidad.

—Pues si es así no quedará decepcionada. Pero antes me gustaría presentarles a mi mujer y a mi hija. Tienen muchas ganas de conocerlos.

El gobernador los condujo al fondo de la estancia ante la mirada curiosa de los otros invitados. Su mujer, a la que Paul conocía por una foto, estaba hablando con una señora mayor algo entrada en carnes. La muchacha que había a su lado era tan parecida a ella que no cabía duda de que se trataba de su hija.

—Geertruida, querida, ven a saludar al hijo de Horace y a su mujer.

La esposa del gobernador era unos diez años más joven que Van Swieten y lucía una figura envidiable enfundada en un vestido azul oscuro. Se disculpó brevemente ante las otras damas y le dijo a la muchacha que la acompañara.

—Esta es mi mujer, Geertruida, y esta mi hija, Veerle —al decirlo, Van Swieten sacó pecho—. Se casa dentro de dos meses.

La joven, de no más de dieciocho o diecinueve años, sonrió con timidez mientras la esposa del gobernador le tendía la mano a Paul, que se inclinó para besarla y luego presentó a Maggie.

—Maggie y yo nos casamos hace cuatro meses, poco antes de que mi padre falleciera —comentó Paul, percatándose de que su mujer fruncía los labios compungida. Aunque ella nunca se lo había dicho, sabía que su mujer veía la muerte de su padre tras la boda como un mal presagio.

—Siento mucho lo de su padre —dijo Van Swieten, visiblemente afectado—. Aunque, según parece, Dios dispone todo para que lo valioso perdure. Estoy seguro de que sabrá ocupar el lugar dejado por el difunto lord Havenden. —Tras un momento en que se hizo el silencio entre ellos, Van Swieten retomó la palabra—: Pues es una pena que no hayan celebrado su boda aquí. Si yo fuera joven y quisiera volver a casarme, puede estar seguro de que me escaparía con mi Geertruida y vendríamos a casarnos a Padang.

Su esposa le lanzó una mirada desaprobatoria.

—Piet, haz el favor de no decir esas cosas, sabes muy bien que una boda requiere preparativos. Ni siquiera un obrero, teniendo familia, se atrevería a escaparse sin más.

—¡Que un obrero no se atreva no quiere decir que un aristócrata no pueda permitírselo! —repuso el gobernador, a lo que su mujer reaccionó negando enérgicamente con la cabeza.

—No deberías decir esas cosas delante de tu hija. Ella nunca haría algo así, ¿verdad que no, Veerle?

El tono casi amenazante de sus palabras hizo sonreír a Paul. Era evidente que Geertruida Van Swieten era quien llevaba las riendas de la familia. El gobernador empezó a sentirse tan incómodo que buscó una excusa para quitarse de en medio.

—Bueno, he de dejarles. Ya tendremos ocasión de charlar con más calma. ¿Te encargas tú de ellos, Geertruida?

—¡Con mucho gusto!

La mujer del gobernador sonrió a Maggie y Paul y luego se acercó con ellos al círculo de damas con las que antes departía. La pareja cosechó tantas miradas de admiración que Paul no pudo evitar mirar orgulloso a su esposa: sin duda era una espléndida *lady* Havenden. Y quizá pronto empezaría a amar ese país que, más pronto que tarde, iba a ser para ellos una inagotable fuente de ingresos.

Sentir el suave tacto de los polvos sobre la piel y respirar su delicado aroma hacía que Rose se sintiera un poco más cómoda. Se había empolvado la nariz al menos tres veces, cosa en absoluto necesaria. Ni ella misma acababa de creérselo. ¿A qué se debía ese miedo escénico? En los últimos meses, marcados por su rutilante ascenso a estrella en el mundo de la música, había tocado para audiencias mucho mayores que la de esa noche. Pero ahora, sentada en medio de esa habitación habilitada como camerino, rodeada de esos bonitos muebles blancos, se sentía como antes de su primera audición en la escuela de la señora Faraday. No, quizá aún peor: como antes del primer concierto en el conservatorio, cuando, justo antes de salir al escenario, la señora Faraday la amenazó con hacer trizas su violín si no era capaz de tocarlo «con cabeza». Por aquel entonces, su única posesión era ese peculiar violín con una rosa grabada que su padre le había regalado por encontrar simpática la analogía del grabado con su nombre, así que la advertencia la hizo temblar en su taburete como un flan.

Por suerte, todo había salido bien y el violín seguía en su poder. En realidad no había motivo para estar nerviosa. Con Vivaldi seguro que daría en el clavo, pues la pieza no podía ser más brillante. Tal vez resultara un poco extraño que hubiera escogido precisamente «El invierno» de *Las cuatro estaciones* para tocarlo en Sumatra, pero como la señora Faraday solía decir: la música es un lenguaje accesible para todo el mundo. Quizá lo que la ponía nerviosa era el carácter íntimo del concierto; al fin y al cabo se encontraba en una casa particular. Estando tan próxima al público cualquiera oiría el menor fallo. Aunque lo cierto era que hacía tiempo que apenas cometía errores. En su última actuación, su representante la había felicitado por todas y cada una de las notas, y la prensa había estado de acuerdo con él. ¡Pero la fama es tan frágil! La observaban con mil ojos por ser mujer. Todo podía irse al garete, bastaba con que algún amigo del gobernador bien relacionado en el mundo de la música fuera por ahí diciendo que el concierto había sido un desastre.

Un golpecito en la puerta la sacó de sus cavilaciones. Pensó que sería Mai dispuesta a arreglarle el pelo, pero cuando dio su permiso para que entrara apareció por la puerta Sean Carmichael, su agente.

—¡Estás arrebatadora, pequeña! —exclamó dando una palmada—. Como un ángel a la espera de doblegar a la humanidad con su música para convertirla al bien.

—No exageres —le dijo Rose, harta de que siempre estuviera lisonjeándola antes de cada actuación. Al principio funcionaba y ella se sentía mejor, hasta que se dio cuenta de que aunque estuviera hecha una cacatúa la piropeaba igual. Para él, lo importante era que saliera a tocar y trajera dinero a la caja. Cuanta más alta era la suma, más halagos recibía la vez siguiente.

—No exagero en absoluto. —Sean abrió los brazos y la miró como si jamás hubiera roto un plato—. Estás hecha un primor. Vas a hacer las delicias del gobernador y de sus invitados.

—¿Cómo es el gobernador? —preguntó Rose. A su llegada le habían dicho que el señor de la casa había salido un momento. Luego una sirvienta las había conducido a ella y a Mai a la habitación que habían acondicionado como camerino, y poco después les habían traído limonada y unos pastelillos.

—A primera vista puede parecer un poco..., digamos que un poco tosco. Los holandeses no tienen nada que ver con los ingleses.

—Conozco bien a los holandeses de aquí —repuso Rose—. Y no me resultan desagradables.

—No, no y no... De ningún modo quise decir que Van Swieten sea desagradable —recalcó Sean levantando las manos en señal de defensa y luego llevándoselas a la espalda—. Sé que eres de aquí y que tienes mucho que agradecer a tus profesoras holandesas. Solo pretendía advertirte de cómo es el gobernador. Y lo cierto es que es de los que se pirran por pellizcarles el trasero a las jovencitas...

—¡Sean! —exclamó Rose, que a pesar de su indignación solo cosechó risitas.

—¡Venga, no te alteres! Lo único que importa es que toques bien. El gobernador tiene buen ojo para las amistades, y a juzgar por la cantidad y la calidad de los coches de caballos que he visto llegar, esto va a estar lleno de gente influyente. Voy a tantear un poco el terreno para ti, pequeña, y raro sería que no te consiguiera una actuación en Nueva York.

Rose sonrió al espejo. Sean podía ser un zalamero empalagoso, pero sabía muy bien lo que ella quería. Y hasta entonces siempre había cumplido sus promesas.

—Eso te gustaría, ¿verdad? Pero ahora toca prepararse. Enseguida tendrás que deleitar a los invitados con tu música.

Nada más decir esto, Mai entró en el camerino como un vendaval. Se detuvo al ver a Sean, pero luego reaccionó y cerró la puerta.

—El sirviente del gobernador me ha dicho que la actuación dará comienzo dentro de un cuarto de hora. Será mejor que la peine.

—Lo que tienes que hacer es darle el violín a tu señora y dejarla ensayar un poco. ¡Puede que así logre calmar los nervios! —exclamó entre risas Carmichael antes de abandonar la habitación.

—No le hagas caso —dijo Rose al ver que Mai no sabía muy bien qué hacer—. De tocar me encargo yo. Tú arréglame el pelo... ¡Estoy hecha un espantajo!

Mai agarró el cepillo y comenzó a alisarle con cuidado su larga melena negra, y Rose cerró los ojos. Una a una, las notas de la obra fueron sucediéndose ante ella; se imaginó el acompañamiento, que esa noche no la asistiría pero que en las ocasiones en que tocaba sola llevaba consigo muy adentro, y meditó sobre en qué momentos ejecutaría las coloraturas. Así, poco a poco, fue domando los nervios y, cuando finalmente llamaron a la puerta para decirle que había llegado la hora, se levantó serena e ilusionada.

Paul ya no sabía cuántas manos había estrechado. Era asombrosa la cantidad de personas que conocían a su padre. Maggie estaba con la mujer del gobernador, que le había presentado a un par de amigas. Al verla tan encantada, Paul la había dejado ir y se había dedicado a atender a todos esos señores que tanto se interesaban por el viejo lord Havenden.

—Siento de corazón que Horace nos haya dejado —dijo *mijnheer* Bonstraa, propietario de una plantación de azúcar al norte de Padang. Su padre le había hablado alguna vez de él. Poseía un agudo sentido para los negocios y una extraordinaria mano para las mujeres. La dama que llevaba del brazo era nativa, veinte años más joven que él y tremendamente bella. Afirmar que solo estaba con él por su riqueza habría sido una falsedad, ya que, pese a su edad, Bonstraa aún tenía una buena planta. Seguro que en sus años mozos había roto unos cuantos corazones.

—Muchas gracias por sus condolencias, *mijnheer* Bonstraa.

—Era un buen hombre. No como otros ingleses con los que me he topado. Por favor, no se ofenda, pero es que sus paisanos a veces resultan de lo más irritante.

—Reconozca al menos que las nuevas generaciones traen consigo otras ideas y actitudes. Créame si le digo que algo está cambiando en Inglaterra en los últimos años.

Paul acompañó sus palabras con una sonrisa afable, aunque, como medio holandés que era, sabía perfectamente lo que pensaba Bonstraa. Su madre, una mujer llena de vida y predispuesta a hacer amistad con todo el mundo, al principio también había tenido sus reservas hacia Maggie.

—Por cierto, Paul, tiene usted una mujer encantadora —dijo Bonstraa mientras intentaba localizarla entre la multitud—. ¿Es esa de ahí, no?

—Nos casamos hace unos meses, semanas antes de que muriera mi padre. Me hizo muy feliz que viviera para verlo, aunque ya se encontraba muy mal.

—El pobre Horace... Recibe usted un gran legado, pero estoy seguro de que hará honor a su apellido. —Bonstraa le pasó la mano por el brazo de manera paternal—. Bueno, qué, ¿me presenta a su esposa? Como su padre quizá le dijera, soy un profundo admirador de la belleza femenina.

Pero Paul no pudo ir en busca de su esposa para presentársela al amigo de su padre, pues en ese preciso momento una campanilla mandó callar a los invitados.

—Damas y caballeros, tengo el gusto y el honor de presentarles a una invitada muy especial —dijo Van Swieten desde el centro de la sala—. Quizá alguno de ustedes pensaba que iba a traer bailarinas balinesas como la última vez, pero no es mi intención aburrirles con repeticiones. Como da la casualidad de que estos días una insigne hija de nuestro país se encuentra en su patria, permítanme proponerles una pequeña muestra de su

101

inmenso arte. La señorita Rose Gallway es una estrella ascendente en el cielo de la música que cosecha éxito tras éxito con su violín por el mundo entero. Para mí es todo un honor que haya aceptado mi invitación y que esta noche toque para todos nosotros. —Con un movimiento de mano invitó a entrar a la violinista. La concurrencia alargó el cuello en bloque, así que en un primer momento Paul no pudo verla.

—La muchacha es realmente excepcional —le susurró Bonstraa, al tiempo que aplaudía—. ¿Había oído hablar de ella?

Paul negó con la cabeza. No disponía de tiempo para el arte. Desde que la salud de su padre empezó a empeorar había tenido que dedicarse en cuerpo y alma a la administración de las fincas y demás propiedades. De vez en cuando debía dejarse ver en actos sociales, pero eso no era suficiente para saber qué artistas estaban causando furor.

Los invitados hicieron un pasillo y, con la arrogancia de una reina, cruzó la sala una joven con una melena negra al viento, una blusa fruncida y una falda oscura con polisón cuya cola se movía seductora a cada paso que daba. En la mano izquierda llevaba un violín llamativamente rojo, y en la derecha su correspondiente arco. Se situó junto a un piano negro al que no había sentado nadie, miró a la concurrencia con una sonrisa en los labios y se caló el violín bajo el mentón. En ese instante se hizo un silencio sepulcral: podía haberse oído caer un alfiler al suelo. Luego sonó la primera nota, afilada y transparente como un cristal, y Paul, embobado, ya no pudo retirar la mirada de esa mujer que, ajena al mundo que la rodeaba, parecía fundirse con la música que estaba interpretando.

Como siempre que el concierto iba bien, Rose sintió que el arco cobraba vida, como si, en vez de ser ella la que lo guiaba, fuera él el que anticipara los movimientos de su mano. Las notas sonaban claras y precisas, y el tempo era el correcto. Y cuando cerró los ojos, Rose pudo ver gélidos carámbanos de hielo brillar y vastos campos cubiertos por una blanda y densa capa de nieve. Un escalofrío le recorrió el cuerpo, como si realmente estuviera a la intemperie y, azotada por un viento invernal, observara cómo el sol se ocultaba tras un horizonte recortado por las negras agujas de los abetos para dar paso al negro manto de la noche.

Antes de ir a Inglaterra, no tenía ni idea de cómo era el invierno en Europa. No sabía lo que era una helada ni que el viento te soplara en la clara cargado de cristales de nieve. El invierno en Sumatra era tiempo de lluvias. Aún se acordaba de los enormes charcos que tenía que sortear de camino al colegio, cobijada de la lluvia bajo su sombrero de hoja de palma. Pero, a pesar de que llovía a mares, hacía calor; el aire húmedo era como el vaho que sale de una sopera. En Inglaterra pronto comprobó que allí también llovía lo suyo, pero el agua no era caliente ni iba dejando a su paso nubes de vapor en las montañas. La lluvia de Londres era fría, y la niebla, inescrutable y hostil. Al principio, pese a ser verano, se quedaba helada a cada instante, incluso estando en su cuarto o en clase.

Cuando llegó el invierno, un invierno especialmente duro hasta para Inglaterra, presenció un milagro insospechado: el frío de la noche transformaba el agua en hielo. Aunque Rose era más sensible al frío que las demás niñas del conservatorio, podía pasarse horas observando cómo el hielo brillaba al sol o la nieve se derretía en su mano hasta que la piel se le ponía roja y perdía la sensibilidad. Ahora tenía de nuevo delante esos copos de nieve, e incluso sentía frío en las puntas de los dedos y el azote de un viento gélido en la cara. Todas esas sensaciones le traía la composición, y eran tan vívidas que, al ir llegando a su fin, le embargó algo cercano a la pena. Solo entonces empezó a ser consciente de su aliento entrecortado, del latir desbocado de su corazón y de la presión del violín en la barbilla. Era como si lentamente regresara a su cuerpo tras haberlo abandonado durante la interpretación.

Aún algo obnubilada, levantó la vista y observó a su alrededor. Entonces, al ver a la audiencia mirarla embelesada, esbozó una sonrisa de satisfacción. ¿Habría logrado despertar todas esas emociones en ellos? Nunca lo sabría. De hecho, era probable que entre los presentes hubiera gente a la que la música no le hubiera dicho nada, pero con ese instante de recogimiento antes de los aplausos se dio por pagada. Un instante que, por otra parte, se había alargado inesperadamente, pues el público, quizá por no ser tan entendido como el de las salas de conciertos, había tardado un poco más de lo normal en empezar a aplaudir en medio de hurras y bravos.

Rose hizo la reverencia que se espera de una artista agradecida y enseguida recobró la compostura. En ese momento, su mirada se cruzó con la de un joven en el que no había reparado durante el trance de la interpretación. Su cabello era de un extraño tono dorado, y sus ojos del azul del mar cuando en él se refleja un cielo estival. A lo largo de su vida había visto mucha gente rubia clara. De pequeña, incluso había tenido una profesora con el pelo rubio como el trigo que la tenía fascinada. Pero nunca antes había visto un cabello como el de ese hombre; un cabello como el mismo sol.

Las voces que pedían un bis le hicieron salir de su ensimismamiento y apartar la mirada. Rose se plegó a los deseos del público y enseguida los alegres acordes de «La primavera» inundaron el salón.

Una vez hubo terminado su interpretación, un señor orondo se le acercó y le estrechó bruscamente la mano. A tenor de cómo se lo habían descrito y de algunos comentarios que dejó caer Mai mientras le ayudaba a vestirse, dedujo que se trataba de Van Swieten. Carmichael no había exagerado un ápice: era de los que se vuelven locos por pellizcarles el trasero a las jovencitas. En un alarde de contención, Rose recibió el entusiasmo y los cumplidos del gobernador con una coqueta caída de párpados, y, tal y como le había inculcado la señorita Faraday, le dio las gracias con recato, a pesar de que el cuerpo le pedía a gritos salir pegando saltos y celebrar que acababa de tocar como nunca. Eso no tenía que decírselo nadie: lo sabía y punto.

Las atenciones del gobernador atrajeron a otros hombres. Unos sonriendo de oreja a oreja y otros mirándola como a una yegua en la feria del ganado, fueron desfilando los señores mientras sus mujeres aguardaban en un segundo plano con gesto amargo. Rose aceptaba estoicamente esa liturgia, que nunca le había hecho la menor gracia. Sin embargo, en esa ocasión estaba interesada en conocer a un hombre en concreto. En vano buscó Rose al caballero áureo. ¿No le habría gustado el concierto? ¿Acaso pertenecía al rebaño de los insensibles, como Rose solía llamarlos? ¿O era tan tímido que no se atrevía a abordarla como los demás?

En vista de que la fila de admiradores no paraba de crecer, Rose decidió emprender la retirada. Con el pretexto de tener que ir a su camerino por encontrarse algo indispuesta, no le resultaría difícil escabullirse. Pero lo cierto era que no tenía ganas de volver a ese cuarto donde estaría esperándola Mai y, probablemente, también Carmichael. Desde la ventana del improvisado camerino había visto un bonito jardín. ¿Qué mejor lugar para tomar un poco el aire y repasar su actuación? De modo que se zafó de los invitados, ignoró las insidiosas miradas de las señoras y alcanzó el pasillo. Allí se cruzó con una sirvienta que venía cargada con una cesta llena de fruta.

—Disculpe, ¿cómo se sale al jardín? —le preguntó en malayo a la muchacha, que se la quedó mirando con los ojos como platos. Rose era consciente de que su procedencia por parte de madre era casi imperceptible; su tez pálida hacía que los nativos la tomaran por europea, y eso, sumado al hecho de que hablara su lengua sin acento alguno, hizo que la sorpresa de la chica fuera mayúscula—. Le preguntaba que cómo puedo salir de aquí sin tener que cruzarme con todos los invitados —insistió Rose con una sonrisa cómplice que desconcertó aún más a la chiquilla.

La chica le indicó gustosamente el camino: un corredor que rodeando la cocina evitaba el salón. El vapor de las cazuelas hizo que el estómago le rugiera; lejos quedaban los pastelillos que le habían ofrecido cuando llegó. Al cruzarse con otra doncella con una bandeja de empanadillas, alcanzó una y desapareció por una puerta trasera que daba al jardín que había visto desde la ventana, ahora bañado por la luz de la luna. La cálida brisa que la rodeó al salir de la casa hizo que se le escapara un suspiro de bienestar. El aire húmedo estaba cargado de olores dulces y familiares: a franchipán, a orquídea, a jazmín... Entre las altas palmeras, que surgían de la tierra para apuntar al cielo, brillaba, amarilla, la luna creciente, mientras que las luces que salían de las ventanas de la residencia iluminaban, aquí y allá, una rama repleta de vivas flores en medio de la oscuridad reinante.

Tras devorar la empanadilla, Rose echó a caminar dejándose imbuir, paso a paso, del aroma y del colorido velado por la penumbra que el jardín le ofrecía. Cuanto más se alejaba de la casa, más nítidos se hacían los ruidos de la naturaleza circundante. Las aves batían frenéticamente sus alas entre las ramas de los árboles y el follaje de los arbustos, y de la lejanía llegaban los gritos de los monos atravesando las sombras. A todo ello se sumaba el susurro de la cálida brisa nocturna. La melodía de su patria. ¡Cuánto hacía que no la escuchaba!

Mientras caminaba haciendo crujir la gravilla bajo sus zapatos, se preguntó si sería posible plasmar todas esas impresiones en una obra musical. Vivaldi logró recrear el canto de los pájaros en primavera, la sopor del verano, el arremolinarse de las hojas en otoño y el tintineo del hielo en invierno, y todo ello sirviéndose solo de notas. ¿Por qué no iba ella a conseguirlo? Lo único que necesitaba era tiempo y un lugar apartado donde la gente no la molestara. De ese modo, seguro que lograría recoger las notas que sonaban en su cabeza. Finalmente se detuvo en una terraza con vistas al mar y a la ciudad. El agua era una fina y oscura franja, pues la luz de la luna aún no era tan intensa como para transformarla en un brillante manto plateado. Los faros de los barcos brillaban en el horizonte y las luces de las casas, que centelleaban en la distancia, parecían luciérnagas posadas en la maleza. Rose nunca había visto su ciudad desde esa perspectiva. De niña solo salió de Padang una vez que fueron a visitar a su abuela, que vivía en el interior. Aunque vagamente, todavía se acordaba del rostro de la anciana y de un jardín tan colorido que le pareció de cuento. Salvo ese par de fogonazos, el resto había caído en el olvido. Aunque también recordaba que el jardín estaba dispuesto en terrazas ascendentes y que, desde la más alta, se veía el pueblo entero.

—Parece disfrutar con las vistas.

Rose se volvió. Al principio no reconoció al hombre que avanzaba hacia ella por el caminito de tierra. Pero a medida que se fue acercando, la luz de la luna iluminó su rostro y pudo ver que se trataba del inglés que había visto entre el público: el caballero áureo. Sin saber por qué, se le aceleró corazón.

—Sí, son fabulosas. Me recuerdan a... —Se detuvo. No, no quería contárselo. El recuerdo del jardín de su abuela, donde solo había estado una vez de niña pero que luego su fantasía había ido adornando, era algo que le pertenecía solo a ella.

¿Qué hacía él ahí?

—¿A qué le recuerdan? —le preguntó deteniéndose, como si fuera una aparición presta a desaparecer en cuanto se acercara a ella.

—A un lugar de mi infancia, pero no importa. ¿Qué le trae al jardín?

—Venía a buscarla.

—¿A mí?

—Antes no he tenido oportunidad de dirigirme a usted. Por cierto, no se le veía muy cómoda rodeada de sus admiradores.

Rose notó que la sangre le subía a las mejillas; por suerte la luz era demasiado tenue para que se notara.

—Soy música, no actriz. Puede que a ellas les guste estar rodeadas de admiradores. Yo, en cambio, como mejor me siento es inmersa en mi música.

—Basta con verla tocar. Vivaldi es el compositor favorito de mi madre. Y quién no conoce *Las cuatro estaciones*...

—«El invierno» y «La primavera» son mis preferidas. ¿Podría saber con quién estoy hablando?

—Discúlpeme, no quería ser descortés. —Avergonzado, el inglés hizo una leve reverencia—. Me llamo Paul Havenden. Lord

Paul Havenden, para ser más precisos, aunque aún no me he acostumbrado al título.

—Encantada de conocerlo. —Rose le tendió la mano, y él la tomó y la besó delicadamente.

—Bien, hechas las presentaciones, volvamos a la música. Decía que le gustaba Vivaldi.

—En realidad me gusta toda la música que esté bien escrita y que pueda tocar con mi violín —repuso Rose con una sonrisa—. Tchaikovski es, junto a Vivaldi, mi compositor favorito. Y no olvidemos a Mozart. ¿Usted a qué músicos admira?

—Me temo que voy a parecerle un bruto. —Havenden esbozó una sonrisa algo forzada—. Amo la música, pero no tengo mucha idea al respecto. A Vivaldi claro que lo conozco. Y un poco a Mozart, pero eso es todo. Tuve que dedicarme muy pronto a la hacienda familiar, así que no me quedó mucho tiempo para cultivar el espíritu. Sin embargo, tengo la suerte de vivir cosas que no están al alcance de un simple labriego. Oírla a usted tocar, por ejemplo.

—Si el labriego tuviera suficiente dinero como para comprar una entrada podría oírme tocar en un auditorio. El arte ya no es el coto privado de la aristocracia.

—Usted gana —dijo él con una amplia sonrisa—. Prometo solemnemente prestar más atención al arte.

Rose sabía que no hablaba en serio. En cuanto volviera a Inglaterra, sus obligaciones le harían olvidar con rapidez el concierto.

—¿Y qué le trae por aquí, lord Havenden?

—Negocios —contestó con cierta rigidez—. *Mijnheer* Van Swieten se ha brindado a conseguirme una participación en una plantación de azúcar al norte de la ciudad. Un conocido suyo está al frente de una y no ve con malos ojos asociarse con un inglés. Es un viejo amigo de mi padre, que en paz descanse. ¿Y usted?, ¿está de gira?

Rose asintió y dijo:

—A mi agente se le ha metido en la cabeza que antes de arribar al Nuevo Mundo he de perder el tiempo entreteniendo a la

108

realeza asiática. Y, por supuesto, también a los blancos que residen en este vasto continente. Ya he estado en Siam, Birmania, China, Japón, y ahora aquí.

—Probablemente conozca ya más lugares que yo en toda mi vida. —Havenden soltó una risotada agridulce—. Hasta ahora he tenido que conformarme con las historias que mi padre me contaba.

—¿No había salido de Inglaterra?

Rose no daba crédito. ¿Qué había en la rancia Inglaterra además de esos inviernos nevados? Pensaba establecerse en París cuando acabara la gira..., hasta que recibiera alguna oferta de América, claro.

—Por supuesto que sí —repuso Havenden—. No conozco del todo mal Europa. He estado en Alemania, Italia, Francia y España. Pero esta es mi primera escapada a un país no europeo.

—¿Y qué le parece?

—¡No tengo palabras! ¿Qué puedo decirle a una hija de esta tierra? —dijo mirándola fijamente a los ojos hasta hacerle apartar la vista.

—La verdad... —replicó ella más brusca de lo que pretendía.

—La verdad es que este país me parece maravilloso. Mi padre tenía aquí buenos amigos y siempre estaba hablando de sus verdes selvas y de sus exóticas flores. Y también de la belleza de sus mujeres, lo que no le hacía demasiada gracia a mi madre —Paul rio su propia ocurrencia—. Vine aquí cargado de grandes expectativas, y lo cierto es que no me ha decepcionado. Si todo sale bien, pronto poseeré parte de una plantación. Espero entonces poder venir más a menudo.

Ambos guardaron silencio por un instante, hasta que oyeron una voz a sus espaldas.

—¿Paul?

Paul se sacudió como si acabaran de despertarlo de un sueño. Rose lo miró con las cejas enarcadas.

—Es mi... prometida —dijo entrecortadamente antes de inclinarse para besar su mano—. Ha sido un placer conocerla, señorita Gallway.

—El placer ha sido mío —contestó ella mientras él iba hacia la mujer, que seguía llamándolo a gritos.

Sin saber por qué, Rose se sintió triste al verlo marchar. Podía no tener mucha idea de música, pero había algo en él que lo hacía muy interesante.

Contempló el paisaje y notó que la luna se había apartado de las palmeras y se acercaba a la oscura y frondosa montaña.

—Es evidente que le has caído en gracia.

Rose se giró nuevamente; Carmichael y su maldita manía de aparecer como de la nada después de haberla estado espiando...

—¿Qué haces aquí? —preguntó airada—. ¿Se puede saber por qué vienes a hurtadillas como un ladrón?

—¡No vengo a hurtadillas! Lo que pasa es que no quería interrumpiros.

Rose se ruborizó. ¿Cuánto tiempo llevaría fisgoneando? Aunque Havenden no había hecho ni intentado nada reprobable, se sentía como si Carmichael hubiera profanado algo íntimo.

—Solo quería mostrarme su admiración, eso es todo. Y además está comprometido —se justificó, y enseguida, sintiendo un repentino ardor en el estómago, se preguntó por qué había dicho algo así.

—He estado hablando con Van Swieten —dijo al fin Carmichael caminando hacia ella con las manos en los bolsillos—. Está entusiasmado con el concierto, aunque un poco decepcionado por no verte en la fiesta. Se muere por charlar un ratito contigo.

Rose vio un brillo en sus ojos, no daba crédito a las palabras de su agente. Cuando un artista termina su actuación, lo normal es que se retire discretamente.

—Sabes muy bien que lo mío es llegar, tocar y marcharme. No me hace ninguna gracia que me escudriñen como a un trozo de carne en el mercado. Además, contratarme no le da derecho al anfitrión a disponer de mí a su antojo.

—¿Acaso tu inglés no te escudriñaba?

—¡Haz el favor de no comparar!

Rose apenas podía contener la ira que iba creciendo en su interior. ¿Quién se había creído Carmichael para meterse de ese modo en sus asuntos? Había estado charlando un rato con ese hombre, eso era todo. Mañana partiría a otro destino y el recuerdo de aquel encuentro se esfumaría como si nunca hubiera existido.

–Como quieras. En cualquier caso, por más que te empeñes en huir del mundanal ruido, te traigo buenas noticias. Van Swieten me ha pedido que te pregunte si accederías a quedarte un poco más en Padang. Está dispuesto a financiar una serie de conciertos a la hija más insigne de la ciudad.

–No necesito mecenas para tocar en Padang.

–¿Eso crees? –Carmichael arqueó las cejas–. Has de admitir que es un placer dar conciertos sin tener que preocuparse de llenar la sala.

–Hablas como si estuviéramos escasos de público. –Rose soltó un bufido y se preguntó si su agente habría estado bebiendo–. En el concierto de Surabaya no cabía un alfiler.

–Así es, y esperemos que siga la racha. Pero no nos vendría nada mal que un hombre tan influyente como el gobernador se contara entre tus conocidos, o incluso entre tus amistades. Que mande en esta isla no significa que no tenga contactos en Europa.

–En Europa tampoco tuvimos dificultades para conseguir contratos.

–Pero puede que llegue el día en que esto no sea así. De momento estás considerada una estrella emergente, pero ¿qué pasará cuando llegues al cenit de tu carrera? Entonces tendremos que preocuparnos de que tu brillo no se extinga y no desaparezcas del cielo. La arrogancia no conduce a ninguna parte, y menos aún morder la mano que te da de comer, por más que ahora todo nos vaya de perlas. Pensé que sería buena idea aceptar la proposición de Van Swieten. Si no me equivoco, tus padres viven aquí. Podrías aprovechar para visitarlos entre actuación y actuación.

Rose ya había pensado en eso. Al día siguiente, antes de partir, tenía previsto ir a ver a su madre. Habían llegado tan justos de tiempo que no había tenido oportunidad de hacerlo todavía. De pronto, pensó que si se quedaban podría visitarla con más calma. Además, quizá así volvería a ver a Paul Havenden...

—De acuerdo —dijo de pronto—. Nos quedaremos un tiempo y daré esos conciertos.

—No te arrepentirás. —Carmichael sonrió satisfecho—. Te ruego que vengas conmigo y se lo comuniques tú misma a Van Swieten. ¡Se va a poner loco de contento!

Cuando Rose regresó del jardín, los invitados la observaron con lupa. Van Swieten la esperaba rodeado de sus amigotes.

—¡Ah, aquí viene la estrella musical del momento! —exclamó dándole su copa al primer sirviente que pasó a su lado—. Pensé que se había dado a la fuga.

Y eso precisamente había hecho, pero ahora volvía con la mejor de sus sonrisas.

—Siento haberle dado esa impresión —repuso en neerlandés—. Tras mis conciertos, acabo tan conmovida que suelo necesitar un rato para recomponerme y reflexionar un poco sobre mi interpretación. —Le bastó una mirada al gesto de asombro de esos señores para saber que no sabían de qué hablaba—. ¡Tiene usted un jardín precioso, *mijnheer* Van Swieten!

—Logrará usted sacarme los colores —dijo el gobernador con una sonrisa—. La verdad es que no es para tanto, a mí me parece muy mejorable. Seguro que en Inglaterra ha visto jardines mucho más bellos.

—Siento contradecirle, pero su jardín no tiene nada que envidiar a los de Inglaterra, aunque solo sea porque aquí no hay niebla y se puede disfrutar de las flores durante todo el año.

Van Swieten la recorrió con la mirada. Luego le ofreció el brazo y la condujo hasta la terraza.

—Tiene usted un talento asombroso y además es hija de esta isla. Por ello me siento casi obligado a apoyarla. En las próximas semanas voy a recibir muchas visitas del extranjero, entre ellas hombres muy influyentes de Europa, Asia y América. Cuando la oigan tocar el violín, estoy seguro de que no pararán hasta que su nombre alcance fama mundial.

—Para eso trabajamos incansablemente el señor Carmichael y yo misma.

—¿Y qué hay de malo en allanarles el camino? Usted conoce el mundo de la música, así que no necesito decirle que no todo depende del talento y del esfuerzo, sino también de las relaciones y de saber recibir un empujoncito en el momento adecuado. He estado siguiendo su carrera desde que llegó a mis oídos que una joven de Padang estaba poniendo en pie los auditorios de medio mundo. Sé que algunos piensan que no soy demasiado refinado, pero si hay algo que ame incondicionalmente además de a mi familia, eso es la música. Su interpretación me ha fascinado, y después de todo lo que he oído de usted hasta ahora, creo que lo menos que puedo hacer es brindarle un poco de promoción.

¿Qué andaría tramando? Rose no podía quitarse de encima la impresión de que su patrocinio estaba ligado a alguna condición, una a la que quizá no querría comprometerse.

—Como ya le habrá contado el señor Carmichael, me gustaría que diera diez conciertos en Padang antes de reanudar su gira. Su agente me aseguró que era posible.

¡Diez conciertos! Carmichael le habló de dar unos cuantos, pero ni se le había pasado por la cabeza que pudieran ser diez. ¡Ya podía dar por concluida su gira asiática!

—Y de hecho lo es —dijo Rose sin dejar de pensar en América.

Llevaba mucho tiempo soñando con tocar en Nueva York. ¿De verdad el gobernador conocería a alguien capaz de abrirle esa puerta? ¿Y cuál sería el precio que tendría que pagar?

—¿Y qué he de darle a cambio? —preguntó Rose algo incómoda.

Van Swieten la observó durante un momento que se hizo eterno. Luego esbozó una sonrisa.

—Seguro que nada de lo que está pensando. Aunque he de admitir que hay algo que sí que me gustaría que hiciera por mí: hágase tan famosa como pueda y proclame a los cuatro vientos de dónde viene para que todo el mundo sepa que existe nuestra hermosa isla. Y considéreme un amigo, o mejor un padre. Eso es todo.

Rose se avergonzó de sus feos pensamientos. Desde que había empezado a subirse a los escenarios, siempre había estado rodeada de hombres que se acercaban a ella con oscuras e inmorales intenciones. Al parecer ese holandés era una rara excepción.

—Cuente con ello, se lo prometo —dijo Rose tendiéndole la mano.

Al volver al salón, reparó en que Paul Havenden andaba por ahí cerca del brazo de esa mujercita que según le había dicho era su prometida. Y, a juzgar por cómo ella lo miraba, así debía ser. Quítatelo de la cabeza, se dijo a sí misma antes de ir en busca de Carmichael, que a buen seguro estaría deseando oír lo acordado con el gobernador.

10

La extracción de las imágenes no debería ser un problema –dijo la voz de Sunny por el teléfono. Gracias a las instrucciones de Lilly, había logrado abrir la cámara y sacar la tarjeta de memoria–. Pero hay muchas horas grabadas. Habría que borrar las imágenes de vez en cuando.

–¿No se pueden pasar a cámara rápida? Solo necesito la parte en que aparece el hombre del violín.

Lilly apenas le había contado de qué iba la historia, así que se había puesto a fantasear y ahora estaba convencida de que el violín escondía algo turbio y de que el anciano había querido deshacerse de él bajo cualquier pretexto.

–¿Puede saberse para qué necesitas las imágenes si crees que el violín no es robado?

Lilly soltó un suspiro; tenía que haber previsto que Sunny no se daría por vencida.

–Quiero preguntarle a mi madre si conoce a ese hombre. Es un asunto familiar. Pero antes de que me sigas acribillando a preguntas, te advierto que no voy a decirte nada más. Seguro que a ti tampoco te gustaría airear la historia de tu familia.

–Bah, no hay demasiado que contar. La típica familia burguesa. Tendrías que ver la cara que ponen cada vez que les enseño un tatuaje.

–Pues ya tendrían que estar acostumbrados.

–Y tanto, pero te aseguro que cada nuevo tatuaje les provoca un *shock*. En fin, me pongo con las imágenes. Siento decirte que no hay un alma en la tienda.

–Está bien, ya me lo esperaba. –Lilly se encogió de hombros–. ¿Me las mandas por correo electrónico en cuanto las tengas?

—Lo intentaré. Si pesan mucho tendré que mandarte un CD.

—Cuando acabes vuelve a montar la cámara. No me gustaría que me desvalijaran ahora que no va a entrar género nuevo.

Sunny resopló, como dudando de que alguien fuese a tomarse la molestia de robar los trastos que atestaban la tienda.

—Tú tranquila, Lilly, lo tengo todo controlado. Como alguien entre a robarme...

—¡Espero que no le pegues un estacazo en la cabeza!

—Pues claro que no, mujer... Llamo a la poli y listo.

—¡Buena chica! —Lilly, aliviada, soltó una bocanada de aire—. ¿Podrías hacerte cargo de la tienda dos semanas más? Mi amiga cree que las pruebas van a tardar un poco más de lo previsto. Te doblo la paga y además te haré un regalito.

—No hay problema, no empiezo la uni hasta abril, así que cuenta conmigo.

—No creo que te necesite tanto tiempo —repuso Lilly—. Además, algo de vacaciones tendrás que tener, ¿no? Tu tatuador ya te habrá dado por desaparecida.

—Tranqui, hablamos por Facebook, no me va a echar de menos. Y que sepas que estoy llevando el negocio de lujo. Ayer le vendí una cosita a una señora.

—Pero ¿no decías que no había un alma?

—De vez en cuando entra alguien.

—Bien, pues entonces me quedo tranquila. No te olvides de las imágenes, ¿vale?

—Me pongo con ello. ¡Hasta pronto!

—Cuídate, Sunny.

Tras colgar, Lilly se dirigió al despacho de Ellen. Por suerte su amiga le había ofrecido utilizar su ordenador; sin él, a saber cómo se las hubiera arreglado... En su fuero interno anhelaba recibir un correo de Gabriel, pero la cabeza le decía que era imposible. Tenía la agenda completa, y que le hubiera dedicado parte de su tiempo el día anterior había sido pura chiripa. Aun así, no pudo evitar sentirse un poco decepcionada al comprobar que, a pesar de tener la bandeja de entrada llena, no había recibido más que publicidad, *spams* y un correo de su padre en el que le

116

preguntaba qué tal le iba y le hablaba brevemente de una excursión que quería hacer con sus amigos de la hermandad. Por un momento, barajó la posibilidad de aprovechar para preguntarle por el anciano, pero acabó desechándola. Necesito el vídeo, se dijo. Será mejor mostrarle su rostro en vez de calentarle la cabeza con mis historias. Al final se limitó a responderle que estaba pasando unos días en Londres en casa de su amiga y que en cuanto volviera a Berlín los llamaría.

Nada más enviar el mensaje sonó el teléfono. ¿Sería para Ellen o era de nuevo Sunny? Un vistazo a la pantalla le bastó para saber que no se trataba de Sunny: llamaban desde Londres.

–Lilly Kaiser, dígame.

Para su sorpresa, al otro lado de la línea se presentó una voz de mujer bastante cortante. La arpía de la recepción, claro.

–¿Señora Kaiser? Un segundo, le paso con el señor Thornton.

Lilly se tapó la boca para que no se le escapara un grito de júbilo. ¡Era él! De pronto el corazón se le puso a cien.

–¿Señora Kaiser? –preguntó de nuevo la secretaria al no oír nada.

–Sí, sigo aquí. Páseme con él, gracias.

Lilly empezó a escuchar una musiquilla, que por suerte no duró demasiado.

–¿Qué tal, Lilly? –dijo un Thornton de lo más animado–. Espero que tenga un momento para mí.

–Por supuesto que lo tengo. ¿Dónde está?

La pregunta venía motivada por el eco que percibía de fondo, el mismo que había escuchado en la visita al archivo.

–Aquí, entre discos de pizarra y cilindros de cera para fonógrafo –dijo él, haciéndose el interesante–. ¿A qué no sabe lo que he encontrado?

–¿Una grabación de Rose Gallway?

–Sí, se trata del primer concierto que dio. Es del 12 de junio de 1895, en Cremona. Rose tenía entonces catorce años, si las fechas no son erróneas. Al parecer, la señora Faraday llevó a su mejor alumna a la ciudad de los violines.

–¿Ya ha escuchado la grabación?

—Aún no. Los cilindros son muy delicados, y este precisamente no es de los que mejor se conservan. Como no sabemos si quedará dañado una vez lo escuchemos, les he pedido a nuestros técnicos que hagan una copia digital.

—Entiendo... —Lilly se mordió la lengua. Le habría encantado preguntar si podía asistir a la audición. ¿Cómo tocaría la tal Rose?

—El motivo de mi llamada es saber si le apetece escucharla conmigo. Siempre que tenga tiempo, claro.

Antes de contestar, Lilly tomó aire.

—Claro que tengo tiempo. —¿Qué otra cosa mejor podría hacer?, pensó para sus adentros.

—Perfecto —dijo Thornton entre risas—. Será un placer que asista a la audición del cilindro.

—¿A qué hora sería? —Lilly miró el reloj: las diez y veinte.

—Cuando le venga a usted bien.

—¿Ahora mismo, por ejemplo? —El corazón estaba a punto de salírsele por la boca. Pensó en llamar a Ellen para que también asistiera a la audición, pero entonces le vino a la mente la conversación de la pasada noche en la que su amiga le había explicado las profundas diferencias que había entre la escuela de Gabriel Thornton y su empresa.

—Si se planta aquí en menos de diez minutos tendremos que hacerla esperar, pero si nos da media hora no habrá problema. Entonces, ¿se acerca?

Durante el trayecto en taxi, Lilly se recostó en el asiento e intentó dominar la ansiedad. Esa mañana había mucho tráfico, apenas avanzaban entre tanto coche, y el tiempo corría implacable. Miró el reloj entre suspiros. La media hora ya había pasado. Thornton había prometido esperarla, pero odiaba ser impuntual. Tras una condena de cinco minutos de atasco, el taxi volvió a ponerse en marcha tímidamente.

¿No conoce un atajo?, le habría gustado preguntarle al taxista, pero entonces apareció la escuela. ¡Por fin!

—Siento que hayamos tardado tanto —se excusó el taxista al tomar el dinero—. A estas horas, la red es un hervidero.

—No se preocupe —dijo Lilly educadamente a pesar de haber estado a punto perder los nervios... Sin malgastar un instante, enfiló las escaleras.

El cálido sonido de unos instrumentos de cuerda la acompañó por los pasillos que conducían al despacho de Thornton. Su secretaria no la miró con mejores ojos que la primera vez, pero al menos ahora sabía por qué estaba ahí y no puso objeción alguna a que entrara a ver a su jefe.

Thornton parecía estar esperándola. En cuanto la vio entrar, se levantó como un resorte de su silla. A juzgar por lo arrugado que estaba el puño de su camisa, había mirado varias veces el reloj.

—¡Al fin ha llegado, Lilly! ¡Estaba a punto de mandarle una tropa de salvamento!

—Le ruego que me perdone, el tráfico estaba fatal —repuso Lilly—. Espero que no hayan empezado sin mí.

—De ningún modo. Acompáñeme.

Gabriel la llevó por un pasillo interminable hasta llegar a una puerta que apenas dejaba escapar ruido alguno.

—Nuestro laboratorio de sonido —le explicó antes de entrar.

Junto a una de las mesas aguardaba un hombre de unos cuarenta años en mangas de camisa; parecía custodiar un extraño artefacto.

—¿Bob? Ya ha llegado nuestra invitada —dijo Thornton girándose hacia Lilly—. Lilly, este es Bob Henderson, un auténtico genio de la digitalización de cilindros para fonógrafo.

—Exagera descaradamente —dijo Henderson al estrecharle la mano—. Me limito a hacer mi trabajo.

Su humildad la hizo sonreír.

—¡Ya podemos empezar! —anunció Henderson volviéndose hacia el engendro tecnológico. Mientras Lilly se preguntaba cómo demonios funcionaría, descubrió insertado en él un cilindro de cera.

—Por suerte, el cilindro que contiene la grabación de Rose Gallway no es de los más antiguos —comentó el hombre situándose tras la mesa.

Apretó un botón y el cilindro empezó a girar lentamente. Tras un ruido rasposo y casi ensordecedor, que le hizo temer lo peor a Lilly, empezaron a oírse de fondo las primeras notas. Al instante, el ordenador limpió el sonido y la música se hizo audible. Ella sonrió de oreja a oreja al escuchar los primeros acordes de *Las cuatro estaciones*. Supo al instante que se trataba de «La primavera» de Vivaldi, una de las pocas obras clásicas que conocía bien y que incluso podía tararear.

La violinista era sin duda una virtuosa. Ahora entendía lo que Ellen intentaba decirle la noche anterior: la interpretación tenía alma, no había que ser un melómano para darse cuenta. Los dedos de la violinista parecían volar sobre el mástil, y aunque Lilly no era capaz de distinguir las coloraturas añadidas por la intérprete, quedó fascinada por su arte. Resultaba increíble que alguien pudiera arrancarle esas notas tan precisas y vertiginosas a un trozo de madera. La grabación era muy breve; el fragmento apenas alcanzaba a sugerir la llegada de las tormentas de abril. En la sala reinaba un silencio sepulcral; hasta los técnicos que realizaban pruebas a los instrumentos habían cesado en su labor para ponerse a escuchar.

Pasados unos instantes, Thornton meneó la cabeza para salir del trance.

—No me extraña que el mundo se rindiera a sus pies. Yo diría que es la mejor violinista que he escuchado jamás. ¿Usted qué opina, Bob?

—Solo Paganini lo haría mejor —repuso el técnico, visiblemente emocionado por el fugaz fragmento de música.

—¿Y usted, Lilly?

Ella sintió una extraña mezcla de placer e intranquilidad al advertir que Gabriel clavaba los ojos en ella.

—Ha sido..., ha sido maravilloso. —Se sintió ridícula y cursi, pero Gabriel asintió sonriente antes de volverse hacia Henderson.

—¿Podemos hacerle una copia a la señora Kaiser?

—Por supuesto, pero me va a llevar un rato. ¿Dispone usted de tiempo?

—La señora Kaiser aún tiene que recoger cierta documentación sobre Helen Carter —respondió por ella Gabriel.

Lilly lo miró con los ojos como platos. ¡Menuda sorpresa! Gabriel debía de haber puesto el sótano patas arriba.

—Perfecto entonces —dijo Henderson—. Se la envío al despacho, señor Thornton.

—Mil gracias, Bob.

Thornton condujo a Lilly fuera del laboratorio.

—¿De verdad tiene documentación sobre Helen Carter para mí? —le preguntó en cuanto cruzaron la puerta.

Gabriel asintió.

—¿Ha estado rebuscando en el cajón de las causas perdidas?

—¿Me creería si le digo que tenemos uno?

—Sí, aunque no creo que guarden ahí todos los discos y los cilindros inservibles. Para eso mejor destruirlos.

—¡La historia no se destruye! —exclamó él haciéndose el ofendido—. Aquí no se tira nada. Conservamos hasta los cilindros que no somos capaces de reproducir con nuestros recursos actuales. Quizá en algún momento desarrollemos una tecnología para poder escucharlos. El «cajón de las causas perdidas» es más bien un lugar seguro donde guardar a buen recaudo todos esos casos supuestamente irresolubles, como por ejemplo el cilindro de Rose Gallway. ¡Menudo hallazgo!

En el archivo, Gabriel había apilado unas cuantas carpetas sobre una mesa.

—Entiendo que esto es todo lo que tienen sobre Helen Carter.

—Así es. Como le conté, ella y su familia murieron cuando el barco en el que intentaban abandonar Sumatra fue atacado. He estado buscando información sobre sus padres en los viejos libros de registro de la señora Faraday.

—Si no me equivoco, Sumatra fue un protectorado holandés, ¿verdad?

Lilly recordó vagamente unas muñecas que en una ocasión le había ofrecido un holandés. Eran un espléndido trabajo en filigrana, auténticas obras maestras, pero por aquel entonces ella pensó que el centro de Berlín no era el mejor lugar para venderlas.

Ignoraba qué había pasado al final con las muñecas, pero se acordaba de que el holandés le contó que las había heredado de su padre. Este, al parecer, había poseído una plantación en Sumatra, donde las muñecas se empleaban como marionetas en el teatro de sombras.

—Lo que no implica que en la isla vivieran solo holandeses; también había muchos alemanes, franceses e ingleses. Emily Faraday anotaba en sus archivos el lugar y la familia de procedencia de sus alumnas. Era una mujer muy diligente y buscaba sus talentos en cualquier parte del mundo, incluso en regiones tan remotas como Sumatra, pues era de la opinión de que las flores más hermosas crecen en los lugares más recónditos. La madre de Rose Gallway era de Sumatra, y su padre, inglés. Helen Carter era hija de James e Ivy Carter. El señor Carter dirigía una factoría inglesa en Padang y era amigo de Piet Van Swieten, por entonces gobernador de la isla.

—¡Así que es posible que Rose Gallway y Helen Carter llegaran a conocerse! ¡Puede que hasta Rose le enseñara a Helen a tocar el violín!

—Posible es, pero no tenemos constancia de ello.

—¿Y cómo, si no, llegó a manos de Helen el violín de la rosa?

—Puede que se lo robaran a Rose y que lo vendieran tras su desaparición.

—¡Qué hipótesis tan horripilante!

—Sí, aunque no por ello hay que descartarla. ¿Por qué, si no, iba a separarse Rose de su preciado violín?

Lilly memorizó todos esos datos sin saber muy bien qué hacer con ellos.

—¿De veras no se sabe nada de qué pasó realmente con Rose Gallway?

—No. El único que podría decirnos algo al respecto es el violín, pero desgraciadamente solo emite notas y no palabras.

Gabriel rebuscó en una carpeta y sacó una hoja.

—Aquí tiene un resumen de los datos más significativos de Helen y Rose. El resto son apuntes de clase y anotaciones de sus profesoras. Por desgracia, en ninguno de esos viejos papeles se hace referencia a las posibles dotes para componer de ninguna de ellas, pero yo apostaría a que el jardín que da título a la composición se encuentra en Sumatra, y que alguna de esas dos muchachas guarda relación con él.

Lilly lo miró inquisitivamente.

—¿Ha tocado ya la obra?

La sonrisa que esbozaron sus labios le dio la respuesta antes de hacerlo sus palabras.

—Por supuesto. Y si lo desea estaré encantado de interpretarla para usted.

—Soy toda oídos.

Thornton se echó a reír.

—Aquí no tengo mi violín. Y antes debería ensayar un poco.

—Ajá, ¿y cuándo cree que estará listo?

—Cuando me traiga el violín de la rosa. Para serle sincero, esperaba que lo trajera hoy consigo.

—Lo siento mucho, pero es que lo está analizando Ellen.

—Mejor. Así tendré más tiempo para ensayar —dijo Thornton guiñándole el ojo.

Cuando llegaron al despacho, Henderson los estaba esperando con una copia en CD de la grabación. Además, Gabriel le había hecho también una copia de los expedientes de Rose Gallway y Helen Carter.

—¿Cómo va a compensarme por este inmenso favor? —dijo Thornton esbozando una descarada sonrisa mientras agitaba la caja del CD frente a su cara.

—¿En qué está pensando? —le preguntó Lilly.

—En una compensación de carácter personal.

Se quedó de piedra. Tenía a Thornton por un caballero, pero sus palabras sonaban a proposición indecente. ¿O le estaría jugando una mala pasada su mente calenturienta?

—Y... ¿De qué se trata? —dijo entre titubeos.

—Una cena. Naturalmente, invita usted.

Sin poder evitarlo, se le escapó un suspiro de alivio.

—Hecho. Es lo justo, ¿no? Le invito a cenar. Pero tendrá que sugerirme un buen restaurante, no conozco ninguno en Londres y quiero estar a la altura. ¿Le parece bien?

—Marcaré mis preferencias en una guía *gourmet* y se la haré llegar. ¿Sigue en casa de la señora Morris?

—Sí —dijo, y notó un calor insoportable en las mejillas. Por un momento se hizo un silencio, que Lilly rompió con una risa nerviosa—. Gracias de nuevo.

—Ha sido un placer. Espero que averigüe algo sobre nuestra Rose y su violín. Creo sinceramente que merece ser recordada.

En ese instante sonó el claxon del taxi que la esperaba fuera.

11

—¡Ya están aquí los resultados de las pruebas del barniz! —exclamó entusiasmada Ellen cuando cruzó la puerta del salón y vio a Lilly en el sofá rodeada de papeles.

A su regreso, mientras la grabación de Rose sonaba de continuo en el reproductor, Lilly había extendido sobre la mesa de café la documentación que le había dado Thornton, complementada con más información que ella misma había encontrado en Internet y que había impreso. Material sobre Sumatra había a mansalva, así que Rose tuvo que hacer serios esfuerzos para no pasarse todo el día viendo imágenes de frondosos palmerales, cielos rosados y suculentos y exóticos platos.

—¡Qué bien! —dijo Lilly, y le puso el capuchón al bolígrafo con el que iba señalando todo lo importante—. ¿Qué han averiguado en el laboratorio?

—Parece que tu día ha sido productivo —dijo Ellen al ver todo aquel batiburrillo de papeles.

—¡Ya lo creo! Thornton me llamó y me invitó a ir a su escuela... ¡A escuchar una grabación de Rose Gallway!

Ellen abrió los ojos como platos.

—¡No me puedo creer que exista algo así!

—¡Pues aquí la tienes! —exclamó Lilly echando mano del mando del reproductor.

Al momento, las primeras notas de «La primavera», ligeramente deformadas, empezaron a inundar el salón.

—Está sacada de un cilindro de cera. Ni te imaginas lo que han tenido que hacer para que pudiera escucharse decentemente. ¿Qué me dices del barniz?

Ellen estaba como obnubilada. La forma de tocar de Rose la tenía hechizada.

—¡Es increíble! ¿De dónde...?

—Thornton encontró el cilindro en un cajón. La grabación fue registrada en Cremona.

—Al lado de esto, los resultados de las pruebas son una birria —dijo Ellen dejando caer el sobre que llevaba en la mano en el único espacio libre que quedaba en la mesa. Después se sentó junto a Lilly.

—¿Por qué dices eso?

—Porque todas esas tablas llenas de valores lo único que revelan es que el violín es de principios del siglo XVIII y que probablemente fuera fabricado en Cremona. Así que siento decirte que nuestro violín no es un stradivarius.

—¡Pero si eso es estupendo! —exclamó Lilly, y carraspeó un poco—. Me refiero a que ahora sabemos la fecha. Será una lástima que no sea un stradivarius, pero a mí quién lo fabricara me importa bastante poco.

—No me refería a eso. Pues claro que los resultados son interesantes, pero no dejan de ser meros datos. ¡Tú, en cambio, has conseguido una grabación de Rose en Cremona! ¡Eso sí que es una pista! ¿Es consciente Thornton de los tesoros que custodia?

—Te aseguro que sí. Y no veas lo orgulloso que se siente.

Ellen meneó la cabeza pensativa y luego esbozó una amplia sonrisa.

—Cuéntame lo de la grabación. Y de dónde salen todos estos papelotes.

—En parte de tu impresora y en parte de Thornton. Me ha dado todo lo que tenía sobre Rose y Helen Carter. Precisamente ahora estaba echándole un vistazo.

Un timbre proveniente del interior de su bolso sacó a Ellen de la conversación. Sacó el móvil al momento y abrió el mensaje que acababa de recibir.

—¡Mierda! —exclamó mientras lo leía.

—¿Qué sucede?

—Ha habido un accidente en la obra donde está trabajando Dean. Se ha producido un incendio y se ha derrumbado un muro.

De la impresión, Lilly exhaló una bocanada de aire.

—Pero él se encuentra bien, ¿verdad?

—Sí, pero va a tener que quedarse allí hasta medianoche. —Ellen guardó el móvil y recuperó la sonrisa—. ¡Tengo una idea! ¡Ponte el vestido nuevo y salgamos a cenar fuera! Hay que celebrar nuestros descubrimientos... ¡O nos abandonará la suerte!

—¿Y las niñas?

—Nos las llevamos —dijo dándole a Lilly una palmada en el muslo—. Voy a decírselo. Tú ponte guapa y déjame el resto a mí.

Lilly meneó la cabeza. Qué maravilloso es no estar sola, pensó mientras se dirigía a todo correr a su habitación.

El restaurante que eligió Ellen era muy elegante y no quedaba demasiado lejos. Al entrar, las dos amigas despertaron algunas miradas de asombro.

—Nos han tomado por un matrimonio de lesbianas con hijos —susurró Ellen.

—¿Qué es ser lesbiana? —preguntó Norma con los ojos como platos.

—Cuando dos mujeres deciden casarse, tonta —le explicó Jessi.

—Pero tía Lilly y mamá no están casadas —repuso Norma.

—Qué bien haría cerrando la bocaza... —se lamentó Ellen—. Mis hijas han heredado el oído de su madre.

Después de que un camarero de lo más atildado las llevara hasta su mesa, apareció el que se iba a encargar de servirlas durante la velada. Les puso las servilletas en el regazo, les dio la carta de vinos y les informó de que antes de cada plato les ofrecerían un pequeño aperitivo para preparar el paladar. Lilly se sintió un poco insegura, nunca había estado en un restaurante tan elegante; en cambio, las hijas de Ellen se movían como pez en el agua.

—Avísame si meto la pata —le dijo a Jessi, sentada a su lado.

—¡Eso está hecho! —exclamó la cría, orgullosa de poder echarle un cable a un adulto.

Mientras degustaban el pequeño aperitivo servido en una cuchara que daba paso al primero de los ocho platos que componían el menú, charlaron sobre el día de Ellen en el instituto y de los tesoros que guardaba Thornton en el sótano.

—Bueno, ahora que sabemos que Rose tocó allí, ¿qué te parecería un viajecito a Italia? —soltó de pronto Ellen—. Más que nada por seguir las huellas de nuestra pequeña genio...

—No le haría ascos —repuso Lilly presa del asombro; desde que el violín llegó a sus manos venía barajando esa idea—. Aún dispongo de dos semanas libres.

—¿Qué tal se apaña Sunny en la tienda?

—Estupendamente. No es que haga unas cajas de campeonato, pero al menos cuida de que nadie robe nada. Y de paso puede avanzar un poco en sus trabajos para la universidad.

—¿Cuántos tatuajes tiene?

—Ni idea. Tendrías que casarte con ella para vérselos todos. Y no creo que tengas la menor oportunidad, pues ahora va a la caza de un tatuador.

Ellen se echó a reír, quizá un tanto alto a juzgar por las miradas de la pareja de la mesa de al lado, que ella prefirió ignorar.

—¿Cómo va con las imágenes?

—Va a intentar extraerlas y hacer una copia. Cuando vuelva se las enseñaré a mi madre y, si no resulta, llamaré a los padres de Peter. Si finalmente el violín pertenece a su familia, lo suyo es que lo tengan ellos.

—¡No irás a desprenderte de esa preciosidad! —exclamó Ellen enojada.

—Si no me pertenece...

—¿Y de dónde sacas que no te pertenece? ¡Eras la mujer de Peter! Si tus suegros conservan un ápice de decencia, que creo que sí, jamás aceptarán ese violín. Así que no sé a qué viene todo esto...

Por un momento se hizo el silencio, y justo entonces llegó el postre. Esa pequeña obra de arte a base de *mousse* de chocolate, caramelo, nata y distintas frutas era tan bonita que Lilly apenas se atrevía a hincarle la cucharilla de plata. Cuando al fin lo hizo, fue recompensada con una fantástica explosión de sabor que superó con creces todo lo probado hasta el momento.

—Madre mía, si este postre fuera un hombre, le pediría su número de teléfono —susurró Lilly con la esperanza de que el camarero no la oyera. Le vino Gabriel a la mente, y se preguntó a qué restaurante lo llevaría.

Esa noche, el aroma del exquisito postre y el recuerdo de Gabriel Thornton rondaron la mente de Lilly hasta muy tarde. Asomada a la ventana, mientras contemplaba la luna cubierta de nubes, intentó recordar la música, pues no eran horas de poner el CD. Y como no lo lograba decidió concentrarse en el rostro de Gabriel, que ese día había tenido tan cerca. Sabía que probablemente su amabilidad no significaba nada. Trabajaban juntos en un proyecto, pero en cuanto todo terminara cada uno seguiría su camino. Sin embargo, no podía evitar evocar sus ojos, los hoyuelos de sus mejillas, su amplia boca, con los labios ligeramente abultados, y la forma en que el pelo le caía hacia delante al inclinarse sobre el grabador. Por alguna razón tenía grabados a fuego todos esos detalles, y al recuperarlos sentía removerse algo en su interior. Las palpitaciones que experimentó en el laboratorio de sonido habían ocultado una sensación de calidez que ahora le recorría todo el cuerpo. De pronto sintió una necesidad casi olvidada: la necesidad de que la piel de un hombre tocara la suya. En concreto, la piel de Gabriel.

Cuando esos agradables pensamientos empezaban a sumirla en el sueño, oyó unos pasos furtivos que se acercaban a su puerta, tan sigilosos que en un primer momento pensó que se trataba de una de las niñas. ¿Querrían entrar a hurtadillas en su cuarto para sisarle el vestido y probárselo?

De pronto, alguien llamó a la puerta.

–Lilly... –oyó susurrar ahogadamente a Ellen.

–¿Sí?

–¿Puedo entrar?

–Claro, adelante. ¿Le ha ocurrido algo a Dean?

–No, no te asustes –contestó Ellen, sentándose al borde de la cama como cuando eran niñas–. Lo que pasa es que no se me va de la cabeza lo de Cremona. Tengo allí un conocido que quizá pueda ayudarnos a seguir el rastro de Rose.

–Ya tenemos a Thornton –dijo Lilly, y de nuevo sintió aquel agradable mariposeo en la boca del estómago.

–Claro que sí, y no dudo de su pericia. Pero cuatro ojos ven más que dos, y quizá mi amigo encuentre algo sobre Rose en Italia. Puede que volviera a saberse de ella tras su misteriosa desaparición.

Lilly negó con la cabeza, aun a sabiendas de que ese simple gesto no frenaría las ansias de su amiga.

–Hemos de seguir todas las pistas, y el hecho de que siendo casi una niña estuviera en Cremona es una de ellas. ¿Acaso no quieres ver la ciudad que ella vio? ¡Seguro que eso nos ayudaría en nuestra investigación!

¿Y cómo demonios quieres que la vea?, se preguntó Lilly, sin atreverse a expresar sus dudas en voz alta.

–¿Qué te parece si nos vamos allí este fin de semana? –soltó Ellen sin más.

Lilly resopló.

–¿Y Dean? ¿Y las niñas?

–Norma y Jessi se apañan perfectamente sin su mami, y Dean me ha prometido estar libre para el fin de semana, de modo que todo está resuelto.

–¿Puede saberse cuándo te ha dicho eso?

–Me acaba de llamar. Me ha dicho que la cosa no es tan grave como parecía. Vendrá a casa por la mañana. Así nosotras podremos empezar con los preparativos.

Lilly se sintió un poco abrumada. En realidad esperaba volver a ver a Gabriel al día siguiente. Pero ¿iba a renunciar a Cremona solo por eso?

—¿A qué hora salimos? —dijo al fin, arrancándole una amplia sonrisa a su amiga.

—Voy a ver cuándo sale el vuelo más barato. Quizá obtengamos un buen precio mañana mismo en la ventanilla de *last minute*.

—De acuerdo. Compra los billetes. En cuanto tenga un momento, te hago la transferencia.

—Vale, lo hacemos así —concluyó Ellen—. Vamos a pasar juntas un fin de semana maravilloso, y si encima averiguamos algo sobre Rose... tanto mejor.

Ellen se puso en pie y abandonó el cuarto.

A Lilly, la sola idea de viajar a Italia volvió a producirle un cosquilleo en el estómago. Si pudiera ir con Gabriel...

¡Gabriel! De pronto sintió la necesidad de contarle lo del viaje. A lo mejor ya ha hecho un hueco para nuestra cena, se dijo, aunque sabía muy bien que no solo se trataba de eso. Quería contarle sus planes porque se había vuelto alguien importante para ella, aunque fuera de una manera un tanto confusa.

Mientras Ellen hacía la maleta en su habitación, Lilly se levantó, se puso la bata y fue al despacho. Una vez allí encendió la luz y el ordenador y cargó la página de su correo.

Querido Gabriel:

Le escribo por si ya ha hecho planes para nuestra cena.

Mi amiga me ha convencido para volar de improviso a Cremona y seguir el rastro de Rose y su violín. Seguro que se reirá, pero de la visita de esta mañana guardo muchas más cosas que una simple grabación. Espero que sepa comprenderme y que no se enfade conmigo.

En cuanto vuelva, le cuento cómo me ha ido y le invito a cenar, prometido.

Suya,

Lilly

Antes de mandar el correo, volvió a leerlo detenidamente. Quizá era un poco impersonal. ¿No sería mejor escribirle otra cosa?, ¿algo que dejara entrever un poco de su alma? Justo cuando iba a reescribirlo se echó atrás. No, así estaba bien. Suficiente para hacerle ver que lo de la cena iba en serio. Suficiente para no caer en el ridículo. Sin más dilación le dio a «enviar». Al instante se sintió extrañamente aliviada, pero también inquieta. Aunque era poco probable que lo leyera esa misma noche, fantaseó con la imagen de Gabriel sentado frente al ordenador, revisando el correo. Espero que no le siente mal, pensó un poco preocupada. Sin embargo, antes de cerrar la sesión, un discreto sonido de alerta le comunicó que acababa de recibir un mensaje. Era de Gabriel, y lo había enviado desde la cuenta de su oficina. ¿Estaría trabajando todavía? Sin poder evitar que su dedo temblara, le dio a «abrir».

Querida Lilly:
He de confesarle, avergonzado, que no tenía un plan concreto para nuestra cena. Lo que sí tenía para usted era una sorpresa, pero ya que va a estar fuera un par de días, mejor será guardarla para cuando vuelva de Cremona. Estuve allí una vez, y la encontré tan cautivadora que casi me quedo para siempre. Para que no le pase lo mismo y desee volver a verme tanto como yo a usted, déjeme adelantarle que he descubierto algo que arroja nueva luz sobre Rose Gallway.
Espero que tenga una feliz estancia en Cremona. Ardo en deseos de conocer sus avances.
Con todo mi afecto,
Gabriel Thornton

Sin poder parar de sonreír, Lilly se apoyó en el respaldo de la silla. ¿Qué habría averiguado? ¿No sería un truco para asegurarse una llamada a su regreso de Cremona? No, eso era impropio de Gabriel. Si decía que tenía algo, lo tenía. En cualquier caso, lo importante para ella, más incluso que su descubrimiento, era que él se hubiera dado tanta prisa en responder y que dejara tan claro su deseo de volver a verla... No lograba quitarse de la cabeza ese «volver a verme tanto como yo a usted».

Antes de que pudiera releer una vez más el correo, la puerta se abrió. Era Ellen. Al verla ahí sentada enarcó las cejas.

—Ah, no sabía que aún estuvieras levantada.

—Estaba revisando el correo por si Gabriel tenía novedades —dijo cerrando la página a toda prisa.

—Bueno, veamos cuándo sale el próximo vuelo. Dean acaba de llegar, si quieres hablar con él solo tienes que seguir el olor a quemado que va dejando a su paso —dijo Ellen esbozando un gesto lleno de amor—. No sabes lo feliz que estoy de verlo sano y salvo.

—Y yo —repuso Lilly, y tras darle un beso en la sien a su amiga decidió irse a su habitación antes de que el recuerdo de Peter le amargara esa noche tan hermosa.

12

Aquella tarde, Rose tuvo al fin un momento para visitar a sus padres. Desde que la mandaran a Inglaterra no había vuelto a verlos. Pero la nostalgia de la casa junto al puerto y del gentío que siempre había en la calle de delante se había mantenido intacta durante todo aquel tiempo, así como el anhelo de ver a su padre y a su madre, cuya disparidad había notado desde bien pequeña. Su padre era inglés; un hombre grande y robusto, con las manos enormes, los ojos azules y el cabello rubio como el oro. Su madre era una nativa grácil de pelo negro y hermosos ojos rasgados en forma de almendra que Rose había heredado. A pesar de ser una niña, se había dado cuenta en no pocas ocasiones de lo envidiado que era su padre por tener una esposa tan bella, lo cual la hacía sentirse orgullosa.

Mientras recorría apresuradamente las calles de Padang y pasaba por delante de los puestos del mercado donde vendían fruta, coco y arroz, pensó de nuevo en el inglés con el que había charlado durante la recepción del gobernador. Desde esos breves minutos que pasaron a solas en el jardín no había podido quitarse de la cabeza su rostro, con esos ojos azules como el mar y ese cabello del color del sol. La extraña turbación que había sentido la noche anterior no había dejado de crecer. Nunca antes se había sentido tan atraída por un hombre, y eso que no le habían faltado pretendientes.

—No miedo, *lady,* mono no hacer nada —le dijo un anciano en un rudimentario inglés.

¿De verdad parezco blanca?, se preguntó Rose antes de contestarle en perfecto malayo.

134

—No tengo miedo, pero agárrelo bien o se subirá a una palmera y no habrá quien lo haga bajar.

El hombre se la quedó mirando con los ojos como platos, incapaz de decir nada. Rose le sonrió y siguió su camino.

A medida que avanzaba, la brisa salada que acariciaba todas las calles de la ciudad se hizo más intensa y más fresca. La casa de sus padres se encontraba cerca de unos almacenes que había en la ribera y que su padre regentaba como si se tratara de un gran centro comercial. No era una casa como las de los demás lugareños; no estaba construida sobre listones de madera sino al estilo holandés, con gruesas paredes de piedra encalada que siempre exhibían unas cuantas grietas y alguna que otra mancha oscura de humedad. La de veces que había tenido que oír en la escuela, por boca de las otras chicas, que su casa era un disparate y que cualquier día una de esas inundaciones tan frecuentes en la isla se la llevaría por delante. Pero lo cierto era que nunca había sucedido tal cosa.

Rose experimentó una profunda alegría al comprobar que seguía allí y que no había sufrido ningún cambio importante. Debían de haber pintado los marcos de las ventanas, ya que ese color azul no le sonaba, y las tejas del tejado tenían un poco más de musgo, pero todo lo demás permanecía igual a como lo recordaba. Con el corazón desbocado, se acercó a la puerta. ¿Estaría su padre en casa? Sabía que Adit, su madre, solía salir por las tardes para hablar un rato con las vecinas. El resto del día se lo pasaba trabajando. Siempre tenía algo que hacer, aunque en la casa solo vivieran ella y su marido.

Rose entró y oyó voces, que en un primer momento no entendió. Hablaban en la lengua de su madre, y tan deprisa que le resultaba imposible traducir mentalmente lo que decían. ¡Cuánto tiempo hacía que no oía hablar esa lengua! Su madre solía utilizarla cuando estaban solas. Pero desde que se había ido de allí, y de eso hacía muchos años, Rose prácticamente solo había hablado neerlandés y, sobre todo, inglés, el idioma que tan concienzudamente le había inculcado la señorita Kavanagh, la profesora de esa lengua en el conservatorio; gracias a ella ahora lo hablaba a la perfección. Sin embargo, poco a poco empezó a entender lo que esa voz, que desde luego no era la de su madre, estaba diciendo.

—Desde el principio me opuse a que te fueras. El Adat no permite que la mujer abandone su casa para irse con su marido.

Adat. ¿Qué demonios significaba esa palabra? Tras pensarlo un momento lo recordó. Su madre se lo había contado en alguna ocasión: antes de que el islam se asentara en la región, la vida de las tribus estaba regida por el Adat, una especie de código de costumbres. Desde el nacimiento hasta la muerte, desde la construcción de la casa hasta el cultivo del arroz, todo estaba regulado por el Adat.

—Pero si ya te lo he dicho cientos de veces —dijo su madre entre suspiros—. Decidí venirme a vivir aquí con él. Me has dejado tranquila todos estos años, y ahora que casi soy una anciana me vienes con esas...

¿De qué iba todo aquello? Intrigada, Rose alargó un poco el cuello para ver el rostro de la visitante: era marrón como una nuez, y las arrugas de sus mejillas tan pronunciadas como los meandros de un río. Debía de tener más de ochenta años.

—Es tu deber ocupar tu lugar a nuestro lado —repuso la vieja, cada vez más airada—. Está escrito en el Adat. ¿Qué sería de nosotros sin nuestros antepasados? Además, no debes olvidar que te reportaría grandes honores.

—¡Honores que no me sirven de nada! Lo que yo quiero es estar con mi marido, verlo todos los días y no solo cuando venga a visitarme. Renuncio a los honores y a la hacienda, que mi hermana se quede con todo.

Rose frunció el ceño asombrada. ¿Qué honores eran esos que querían dispensar a su madre? ¿Y por qué los rechazaba de plano? Por supuesto, sabía que venía del norte, y que antes vivía con la gente de su pueblo, pero nunca le había contado nada más. De pronto, un listón de la tarima crujió bajo sus pies.

—¿Hay alguien ahí? —preguntó su madre. Rose ya no podía seguir escondiéndose.

—¿Madre? —dijo apartando la cortina que separaba el recibidor de la cocina.

Aquella mujer, pequeña y con el cabello surcado de canas, se la quedó mirando como si se tratara de una aparición.

—¡Rose! —exclamó precipitándose hacia su hija y olvidando a la vieja con la que discutía.

Aunque ahora Rose le sacaba una cabeza, eso no le impidió a Adit acariciar la cara de su hija y acercársela cariñosamente.

—¡Has vuelto! ¡Mi Rose ha vuelto a casa!

En realidad, Rose tendría que haber sido recibida con un beso en la frente, pero su madre no estaba para formalismos. En lugar de eso se aferró a ella con una fuerza inusitada y rompió a llorar. Rose tampoco supo guardar las formas; se le hizo un nudo en la garganta y no pudo evitar prorrumpir en sollozos. Permanecieron un buen rato abrazadas, sin poder hablar, intentando consolarse la una a la otra. Y sin hacer el menor caso a la anciana. Solo cuando la vieja carraspeó, madre e hija tomaron conciencia de que seguía ahí. Rose se inclinó como dicta la costumbre. En ese momento se sintió como si tuviera doce añitos y estuviera a punto de partir a Inglaterra. La anciana recibió su reverencia con gesto impasible.

—Así que esta es tu hija —dijo la vieja, con un tonillo que Rose no supo cómo interpretar—. ¿Sabe de quién desciende?

—Claro que lo sabe —respondió su madre lanzándole una mirada amenazante a la mujer—. Pero ha optado por una vida diferente. Una vida lejos de esta isla. Una vida moderna.

Rose miró perpleja a ambas mujeres. ¿Qué se suponía que tenía que saber? No recordaba que su madre le hubiera contado nada sobre sus ancestros. No sabía nada de honores, obligaciones ni viejas fantasmales enfundadas en extrañas vestimentas.

—La vida de una persona no siempre se rige por sus propias decisiones —respondió la vieja, desdeñosa—. Valga esto tanto para ti como para ella. Yo en tu lugar me preocuparía de que aprendiera los deberes que algún día tendrá que afrontar. De no hacerlo puede que tu hija caiga en desgracia, y con ella el resto de la familia.

Dicho lo cual se volvió presta a marcharse. Rose la observó. ¿Quién era esa extraña mujer? ¿Por qué la amenazaba con terribles desgracias?

Cuando la anciana desapareció tras la cortina, se giró hacia su madre, que estaba como petrificada. Su boca se movía lentamente sin proferir sonido alguno.

−¿Quién es esa mujer, madre? −le preguntó Rose en cuanto la vio recuperarse de su asombro.

−Una vieja conocida −contestó su madre, todavía con aire un poco ausente−. ¡Cuánto me alegro de volver a verte, niña mía! ¿Por qué no me avisaste de que venías?

−Todo ha sido tan rápido... Recibí una invitación del gobernador para tocar en una recepción en su casa. Y ahora estoy aquí.

−Qué bien... Me alegro de que, a pesar de todo, no te olvides de tus padres. Te has convertido en toda una celebridad...

−Lo único que hago es tocar el violín, madre, ya lo sabes. ¿Te llegaron mis paquetes? ¿Y mis cartas?

−Todas ellas, y bien guardadas que las tengo. Me habría gustado responderte alguna vez, pero, como no paras, no sabía cómo hacerlo.

Rose había echado dolorosamente de menos esas cartas de su madre. Antes, cuando aún estaba en el conservatorio, su madre le escribía más a menudo. Pero más tarde, cuando empezó a cambiar de ciudad prácticamente a diario, se hizo casi imposible mantener la correspondencia.

−Mi *tournée* acaba en medio año −dijo Rose−. Luego le diré a mi agente que me dé una tregua para venir a veros con más calma.

−No deberías perder el tiempo de ese modo. Lo que tienes que hacer es buscarte un jovencito que te haga la corte −dijo su madre sonriendo mientras se acercaba al fogón para calentar el agua del té.

−Como si fuera tan sencillo −repuso Rose−. Con tanta actuación me resulta difícil conocer hombres que me gusten. La mayoría son viejos y lujuriosos, y no son precisamente los más indicados para fundar una familia. Además... −Rose se mordió la lengua al recordar lo mucho que su madre anhelaba tener nietos.

—Además, tu corazón pertenece a la música —terminó la frase por ella su madre—. Siempre ha sido así, desde que eras chiquitita.

Antes de que Rose pudiera añadir algo, su madre se le acercó y le estrechó la mano entre sus frágiles y suaves dedos.

—No te preocupes, hija, sé muy bien lo que es tener un sueño. Mi sueño fue zafarme de las obligaciones que me imponía mi familia. Yo...

Adit agachó la cabeza y guardó silencio, pero al poco volvió a la carga:

—Quizá ella tenga razón. Debería contártelo.

—¿Contarme qué?

Su madre suspiró profundo, y sin contestar regresó junto al fogón y apartó el cazo, que ya estaba hirviendo. Luego puso dos tazas sobre la mesa.

Rose la observó. ¿Siempre se había movido con tanta lentitud? ¿Era normal ese tambaleo? No, ni mucho menos. Algo que bullía en su interior la tenía profundamente confundida.

—Madre... —la azuzó con cariño.

—Sí, mi niña, no me he olvidado. Solo intento ordenar mis ideas y expresarlas de manera adecuada. En realidad nunca quise lastrarte con esta pesada carga.

—¿Qué carga? —Rose estaba cada vez más perdida. ¿Qué tendrían que ver sus orígenes con todo aquello?

Su madre sirvió el té, se sentó y cruzó las manos sobre la mesa como si fuera a rezar.

—Quizá te acuerdes de cuando fuimos a visitar a tu abuela —comenzó a decir. Rose notó cómo le temblaba la voz.

—Me acuerdo del jardín —repuso sinceramente—. Y también un poco de la abuela, pero los recuerdos son muy vagos.

—Solo tenías tres añitos. Puedo entender que el jardín permaneciera más tiempo en tu memoria, siempre tuvo un encanto especial. Y también es normal que no retuvieras nada de lo que hablaron los mayores.

Por más que se estrujaba las meninges, Rose no lograba recordar ninguna conversación entre su abuela y sus padres.

—Puede que incluso la memoria te confunda en un detalle: fuimos allí solas, sin tu padre.

Rose meneó la cabeza.

—Lo siento, no me acuerdo.

—Pues así fue. Fuimos allí arriba tú y yo solas porque tu abuela quería hablar conmigo. Yo sabía perfectamente lo que pretendía. Desde que me mudé a Padang con Roger no habíamos vuelto a vernos... Y me mandó llamar para recordarme mis deberes. Por aquel entonces, yo aún era lo bastante obediente como para ir a visitarla. La tarde acabó con una terrible disputa. Mientras tú disfrutabas de las maravillas de ese jardín, tu abuela y yo intercambiamos palabras muy feas e hirientes.

Sin dejar de escuchar a su madre, Rose recordó un detalle que tenía completamente transfigurado. En su imaginación emergió una casa con un tejado a dos aguas mucho más puntiagudo que el resto. ¡Le había parecido un palacio! Con el paso de los años, su fantasía la había adornado con un tejado dorado, paredes con piedras preciosas incrustadas, torres y enormes ventanales, lo cual no guardaba relación alguna con la imagen real de la casa. Ahora, sin embargo, podía verla tal y como era, con seis picos que parecían medias lunas, pero que no eran de oro sino de teja marrón; unas paredes que, en vez de estar cubiertas de gemas, mostraban tallas sobre un fondo rojo, y ventanas pintadas del mismo color combinado con verde. Fue un recuerdo muy fugaz, apenas un fogonazo, y, mientras Adit seguía hablando, la casa desapareció de su mente.

—Seguramente tampoco te acuerdes de que te agarré del brazo y te llevé a rastras hasta el coche en el que tu padre nos esperaba fuera de la aldea, pues no le estaba permitido cruzar sus lindes.

Lo cierto era que Rose no se acordaba, así que asintió casi por inercia.

—Pero ¿qué tiene que ver todo eso conmigo, madre?

—Que un día también vendrán a por ti e intentarán persuadirte de que vuelvas a la casa familiar y tomes posesión de los arrozales del pueblo, lo cual a simple vista no parece tan malo. Pero, si en ese momento tienes marido, te obligarán a abandonarlo para ir a vivir con tu tribu. En el mejor de los casos le permitirían visitarte, pero tendría que vivir con los suyos. Por eso contradije el Adat y renuncié a mi herencia. —Hizo una pausa y miró a su hija a los ojos—. Debes saber que tu padre lo es todo para mí. Hay gente que se casa porque sus padres así lo han convenido. Yo me casé porque desde el momento en que lo vi no pude ya pensar en otro hombre. Y nada ha cambiado desde entonces. No podría soportar estar separada de él más que lo estrictamente necesario. Sí, ya sé que me separo de él cuando va a trabajar, pero eso es diferente, pues tengo la certeza de que va a volver. Si acatara ahora el dictado de los ancianos tendría que dejarlo todo y mudarme a la casa de la familia. Pero si abandoné la aldea fue por Roger, y yo lo sigo queriendo igual que el primer día. —Su gélida mano estrechó la de Rose—. Aún eres demasiado joven para saber lo que es el amor verdadero, pero puedes creerme cuando te digo que si un día llegas a enamorarte de verdad cada momento que pases separada de él te causará un profundo dolor, un dolor que a mí me resulta insoportable. ¿Comprendes?

Por supuesto que comprendía. Y su madre erraba al suponer que no sabía lo que era el amor. Puede que aún no hubiera amado a un hombre como su madre amaba a su padre, pero su amor por la música no se quedaba atrás. Y Rose no tenía la menor intención de renunciar a ella por el Adat.

Pasó el resto de la tarde junto a ella, ayudando con las tareas domésticas, que si bien después de tanto tiempo se le habían vuelto ajenas, también le permitían regresar a la infancia, lo cual era una sensación de lo más agradable. Cuando al ponerse el sol volvió su padre, de puro asombro se quedó clavado en el umbral y dejó caer la bolsa que traía.

—¿Rose?

Aunque Roger Gallway seguía siendo un hombre apuesto, el tiempo había teñido de blanco su hermoso cabello rubio oscuro. Rose siempre había admirado a su padre por cuidar de las mercancías de los comerciantes holandeses como si fueran suyas. Aunque no había tardado en descubrir que solo era un empleado, nunca dejó de tenerlo en un pedestal, gracias al trabajo duro y a una voluntad de hierro había podido darle una buena educación y mandarla a Inglaterra para cultivar su talento. Cuando vio sus ojos azules y los hoyuelos de sus mejillas, Rose sintió una ternura parecida a la experimentada al ver a su madre. Se acercó a él y lo abrazó con la esperanza de que, al tocarlo, desaparecería esa rigidez que lo mantenía inmovilizado. Y así fue: él la estrechó contra su pecho, y, al poco, Rose notó que las lágrimas habían empezado a correrle por las mejillas.

Durante el resto de la tarde, mientras su madre preparaba el tradicional *makanan,* un plato plagado de ingredientes cuya fama había trascendido las fronteras de Padang, Rose tuvo que contar cómo le había ido últimamente. Por supuesto, su padre había leído todas sus cartas varias veces, pero aun así quiso preguntarle por ciertos detalles que ella no había referido en aquellas por no considerarlos de interés. Concentrada en su relato, Rose logró dejar de pensar por un rato en los compromisos que Carmichael había contraído en su nombre, y sobre todo en cómo serían los próximos diez días bajo el patrocinio del gobernador.

—¿Por dónde continúa tu gira? —le preguntó mientras el delicioso olor de la comida se apoderaba de la habitación.

—Estaré dos semanas más en Sumatra. El gobernador quiere que dé unos cuantos conciertos aquí.

—¡Qué gran honor! —señaló su padre con admiración—. Si quieres, mientras, puedes quedarte a vivir en casa. Harías muy feliz a tu madre.

Rose se sonrojó.

—Me temo que no va a poder ser. Mi agente y mi doncella viajan conmigo. Además, las actuaciones son de noche, así que volvería de madrugada. —Al ver el gesto triste de su padre, añadió—: Pero prometo venir a veros todos los días, siempre que me lo permitan los ensayos, claro.

Sus palabras no parecieron animar a Roger Gallway. Aunque no dijera nada, Rose sabía perfectamente que ese gesto pensativo no era debido sino a la decepción.

—Vamos, querido, deja en paz a la muchacha —dijo su madre acercándose a la mesa—. Salta a la vista que ya no es una niña. Nuestra pequeña se ha hecho mayor, y si estuviera casada no le vendrías con estas.

—Que yo sepa aún no está casada.

—Pero algún día lo estará, así que disfruta de ella hasta entonces.

En esos instantes, y sin saber muy bien por qué, Rose pensó en Paul Havenden. Pero rápidamente desechó ese pensamiento y se concentró en el delicioso plato de arroz aderezado con salsa picante y gambas que tenía delante.

Esa noche apenas pudo pegar ojo. Y no porque sintiera miedo en su antiguo dormitorio, sino porque ese sentimiento de familiaridad que había experimentado nada más cruzar la puerta volvía a hacer acto de presencia y, derrotando al cansancio, le evocaba de nuevo imágenes del pasado. Hasta donde alcanzaba a recordar, siempre se había dedicado en cuerpo y alma a la música. Muchas de sus compañeras de la escuela de la señora Faraday habían aprendido a tocar el violín a regañadientes, solo porque sus padres las habían obligado. Ella, por el contrario, se sentía perdida si pasaba un solo día sin tocar. Aún se acordaba con espanto de cuando, apenas a los tres meses de llegar a Londres, contrajo la escarlatina y tuvo que guardar reposo en un cuarto oscuro y silencioso para no dañarse la vista ni el oído. Esas semanas marcadas por el silencio fueron las peores de su vida, pero también fue entonces cuando, condenada a no poder escuchar música, descubrió que podía imaginar melodías.

En materia de hombres no era muy ducha. Tenía muchos admiradores, pero no se veía junto a ninguno. El inglés había sido el primero en despertar en ella cierto entusiasmo, pero aun así no estaba segura de estar preparada para ser su esposa. De todos modos, esos pensamientos eran absurdos. Havenden está prometido, se dijo. Nunca se casará conmigo. Puede que ni siquiera vuelva a verlo nunca más.

A la mañana siguiente, tras despedirse de sus padres, Rose se dirigió a su hotel. Sabía a ciencia cierta que Carmichael estaría de los nervios; si ella desaparecía también lo harían sus honorarios, y eso él no iba a permitirlo bajo ningún concepto.

La noche anterior, cuando al fin logró dormirse, la atormentaron confusos sueños. La responsable había sido su madre por contarle aquella historia, aunque no la culpaba por ello. En esa maraña de sueños había un denominador común: siempre acababa apareciendo alguien de su pueblo exigiéndole que dejara su actual vida para volver a su verdadero hogar, ejercer de madre de la tribu y gobernar la aldea. Rose tenía muy claro que jamás aceptaría semejante requerimiento. ¡Quería ver mundo, no pudrirse en un pueblucho perdido en la jungla! ¡Deseaba hacer carrera y poner el planeta entero a sus pies! ¡Al cuerno con las demandas de sus ancestros!

—¡*Miss* Gallway, qué sorpresa! —exclamó una voz a su espalda. Rose se volvió y vio a Paul Havenden venir hacia ella.

—Lord Havenden —alcanzó a decir Rose a duras penas, presa de una repentina taquicardia.

—¿A qué debo el honor de verla pasear tan temprano por las calles de la ciudad? No irá a ver una pelea de gallos...

—Desde luego que no —respondió Rose, arqueando las cejas en un gesto de sorpresa—. No me diga que a usted le gusta presenciar ese espantoso espectáculo.

—Me han dicho que es muy divertido —aseguró lord Havenden.

—¿También le contaron que la pelea no acaba hasta que uno de los gallos muere?

—Esa es la costumbre, ¿no?

—¡Es una barbaridad! —Rose hizo un mohín de disgusto—. Por más que sea una tradición de mi patria, jamás se la recomendaría a un turista.

—¿Y qué me dice de los pollos con los que se hace la sopa? —Los ojos de Paul brillaron con picardía. Parecía evidente que buscaba pelea—. Puede que eso también sea una barbaridad, pero ayer mismo degusté una sopa de pollo deliciosa.

—¡No tiene nada que ver!

—Pero el resultado es el mismo, de una forma u otra el animal acaba muriendo. Seguro que del gallo vencido sale un caldo exquisito...

Rose frunció el ceño. La alegría de ver a Havenden empezaba a disiparse. Y el inglés debió de notarlo, pues enseguida transigió.

—Está bien. ¿Qué me propone entonces?

—¡Y qué sé yo! —le espetó Rose con desdén para luego arrepentirse.

—Sin embargo, sí que se ve facultada para desaconsejarme ir a una pelea de gallos.

—Yo no le he desaconsejado nada, me he limitado a señalar que esas peleas son un espectáculo horripilante —dijo algo más calmada.

Paul se echó a reír, y aunque Rose intentó resistirse acabó devolviéndole una sonrisa.

—Haría mejor yendo a un teatro de sombras, un *wayang kulit* —dijo al fin—. Cuando era niña, en Padang siempre había uno de esos titiriteros. Las obras son muy largas, nunca logré ver una hasta el final, pues mis padres acababan llevándome a rastras a la cama.

Paul pareció reflexionar un momento y luego le ofreció el brazo.

—¿Se anima a buscar conmigo un teatro de sombras?

—Me temo que no puedo aceptar su oferta. —Rose lo miró confundida—. Esas obras se hacen de noche. ¿Nunca ha ido en Inglaterra a un teatro de sombras?

Rose recordó vivamente su visita a uno de esos cinematógrafos en los que también presentaban de vez en cuando

145

obras de teatro de sombras. Además fue allí donde vio por primera vez imágenes en movimiento, y la experiencia la fascinó.

—Siento decirle que soy lego en la materia. Pero si lo desea puedo hablarle de la cría de caballos.

—Quizá en otra ocasión —repuso ella, y empezó a notar que a Paul le servía cualquier excusa para pegar la hebra.

—¿Y esa ocasión no podría ser esta noche? ¿Por qué no me acompaña a un teatro de sombras?

—Creo que su prometida sería una compañía más apropiada, lord Havenden.

Cuando se volvió, el corazón estaba a punto de salírsele del pecho.

—¡Rose, espere! —la llamó Paul, pero ella no quería detenerse y encararlo de nuevo, pues no sabía cómo iba a reaccionar.

Paul regresó al hotel cegado todavía por la radiante belleza de Rose Gallway. ¿Qué le estaba pasando? Era un hombre de negocios, tenía esposa y, si todo iba conforme a lo esperado, pronto sería copropietario de una próspera plantación. Y sin embargo sentía un vacío en su interior que ni él mismo alcanzaba a explicarse. ¿Por qué le atraía tanto esa mujer? ¿Qué le había impulsado a decirle que Maggie solo era su prometida? Su pasión por la música no daba para tanto... Además, que prácticamente hubiera salido huyendo de él ponía de manifiesto que la simpatía que sentía hacia ella no era del todo correspondida. Sin embargo, no podía dejar de desear con todas sus fuerzas volver a verla, volver a oírla tocar...

—¿Qué tal te ha ido en la ciudad? —La voz de Maggie interrumpió sus pensamientos—. ¿Habéis llegado a un acuerdo tú y tu abogado?

Paul percibió impaciencia en la voz de su esposa, que sin moverse de la *chaise longue* alargó la mano para agarrar una fruta del cesto que había a su lado. Parecía estar deseando largarse de allí cuanto antes, lo que cada vez irritaba más a Paul.

—*Mijnheer* Dankers parece un hombre encantador, pero aún no es posible llegar a un acuerdo. Primero he de ver la plantación.

Paul vio el horror reflejado en los ojos de Maggie, así que se apresuró a decir:

—No te apures, tú puedes quedarte aquí, disfrutando de la confortable seguridad del hotel. Aunque, sinceramente, creo que en Londres las señoras se morirían de envidia cuando les contaras tus aventuras en la jungla.

—Perdóname por no aspirar a ser una segunda Marianne North y no querer perder mi tiempo en prensar hojas entre papeles de periódico.

A Paul le sorprendió que Maggie conociera a la célebre naturalista, que, entre otras muchas zonas del mundo, había recorrido el sudeste asiático. Su padre, que coincidió con ella en una ocasión, le había explicado que era una mujer excepcional.

—Tú verás, yo no pienso obligarte a ir —dijo Paul, preguntándose si Rose Gallway también sería tan melindrosa.

—Te lo agradezco —repuso Maggie volviendo a respirar tranquila.

Paul se quedó callado a su lado un buen rato sin saber qué hacer. Sus compromisos habían terminado por ese día, y ahora lo que le pedía el cuerpo era montar a caballo o dar un paseo. Pero Maggie no tenía pinta de querer despegarse de la *chaise longue*.

—Me han dicho que esta noche hay una función de teatro de sombras de lo más interesante —sugirió con la esperanza de que su esposa tuviera ganas de un poco de cultura—. ¿Te apetece ir a verla?

Entonces Maggie se incorporó. Tenía las mejillas rojas, como si tuviera fiebre. Pero no era el caso, más bien se debía a que aún no estaba acostumbrada al calor; ni siquiera con el ventilador del techo lograba refrescarse.

—¿Teatro de sombras?

—Sí, lo hacen con unas marionetas muy curiosas. Es una tradición local.

La pequeña chispa de interés que había prendido en Maggie se apagó al instante.

—Eso significa que tendremos que andar por las calles y mezclarnos con toda esa... gente.

—Me temo que sí. —Paul se acercó a la *chaise longue,* se agachó un poco y le tomó la mano—. ¿Qué te pasa, tesoro? En casa del gobernador me dio la impresión de que te lo pasabas en grande.

—Y así fue, pero ahora estoy muy cansada y no sé si tengo ganas de salir.

—¿Ganas? ¡Pero si tienes veintiún años! ¡A esa edad una chica siempre tiene ganas de hacer cosas!

—No con este bochorno.

Paul suspiró abatido. Empezaba a comprender... Más que tenerle miedo a ese país, Maggie parecía despreciarlo, odiarlo con todas sus fuerzas, y por tanto era inútil intentar que aprendiera a amarlo, pues ya había emitido su veredicto.

—Como desees. Tendré que ir solo —dijo en tono casi desafiante antes de abandonar el dormitorio. Era poco probable que Maggie diera su brazo a torcer, pero si dejaba que se lo pensara un rato quizá la cosa cambiara.

Por la tarde, poco antes de que Rose se preparara para encarar la noche, entró Mai en su habitación visiblemente alterada. En la mano sostenía un pequeño sobre.

—Un caballero me ha dado esta carta para usted —dijo casi sin aliento.

¿Otra nota del gobernador? Rose agarró el sobre, se acercó al escritorio y lo abrió con un abrecartas de plata.

Estimada señorita Gallway,
Finalmente he logrado dar con uno de esos teatros de sombras de los que me habló. ¿Me haría el honor de acompañarme? ¿Esta misma noche? ¿Ahora?
Suyo,
Paul Havenden

148

Cada palabra leída le envió una ráfaga de calor que recorrió sus venas. Las mejillas y la frente le ardían. ¡Qué terquedad! ¿Acaso no le había dejado lo bastante claro que no estaba interesada en pasar una velada con él?

—¿Qué aspecto tiene el caballero que te ha dado la carta? —preguntó pensativa.

—Oh, es un hombre muy apuesto. Creo haberlo visto en casa del gobernador, cuando estaba en la cocina. No sé cómo se llama, pero está esperando ahí abajo.

—¿Que está aquí? —Rose la miró horrorizada. ¡Havenden había venido en persona! ¿Qué iba a hacer ahora?

—Sí. Me dijo que esperaba su respuesta, *miss*.

Ante la mirada de asombro de su doncella, que ignoraba lo sucedido anteriormente, Rose empezó a dar vueltas por la habitación como una leona enjaulada. Nada en el mundo le apetecía más que ir al teatro de sombras con Havenden. Pero ¿era apropiado? Releyó la carta. Nada parecía indicar que su prometida fuera a ir con ellos. ¡Cómo iba a salir con un hombre que estaba prometido con otra!

Pensó en darle la carta a Mai y ordenarle que se la devolviera, pero algo la hizo detenerse. ¿Y si ella también venía? En ese caso, la cita para ir al teatro de sombras sería inofensiva. Después de la función cada uno se iría por su lado y todo seguiría igual que estaba. Mientras Mai bajaba corriendo a decirle a Havenden que su señora aceptaba la invitación, Rose abrió el baúl que la había acompañado durante toda la gira. Mai se encargaba de mantener impecable su ropa, y además todos sus vestidos le encantaban, pero a pesar de ello no sabía qué ponerse para la ocasión. ¿No eran esos vestidos que lucía en las actuaciones un poco ñoños? Finalmente se decidió por uno rosa con volantes y pliegues en la parte de arriba, las mangas ceñidas y la falda larga. Era casi un vestido de noche, pero no tan pomposo como para sentirse incómoda en un paseo nocturno por la ciudad. ¡Iba a recorrer Padang por la noche con lord Havenden! Seguía pareciéndole un disparate, pero antes de darse tiempo a pensárselo dos veces dejó caer la bata por los hombros y se enfundó el vestido.

A los cinco minutos, Mai subió a peinarla. Le brillaba el rostro, como si a Havenden le hubieran bastado esos breves instantes para ruborizarla.

—¡Qué hombre tan guapo! —exclamó entusiasmada—. ¡Menudos ojazos azules tiene!

—Déjate de cháchara y arréglame el pelo —dijo Rose, sentándose frente al espejo.

Obediente, Mai agarró el cepillo y se puso a lo suyo sin dejar de parlotear. Pero Rose ya no la escuchaba; su mente se había trasladado al cubículo del titiritero, que probablemente ahora estaría encendiendo las lámparas tras el lienzo y pasando revista a sus historiadas marionetas de piel de búfalo. De niña le fascinaban esas pequeñas obras de arte. Cada marioneta representaba un personaje determinado. Los rajás, las princesas, las niñas buenas y los venerables sabios siempre eran esbeltos y tenían largas narices, mientras que las marionetas de los villanos eran más desgarbadas y de nariz bulbosa, y si eran demonios podían incluso tener unos espantosos y afilados dientes que sobresalían de sus fauces temibles y desencajadas. ¿Seguirían representando los mismos cuentos de su infancia?

Cuando estuvo lista, Rose se sintió un poco como la Cenicienta del cuento que hacía años había oído en el conservatorio. A pesar de que lo tenía prohibido, solía colarse a hurtadillas en la cocina para ver trabajar a las mujeres y de paso obtener una porción de pastel de carne o un panecillo. Cada visita furtiva a las cocineras llevaba aparejada una historia, especialmente cuando a Laura le tocaba el turno de tarde. Entonces Rose se sentaba junto al fuego y escuchaba esos cuentos que tan poco se parecían a los que de niña había aprendido en su hogar. Las profesoras holandesas también le contaban cuentos y leyendas de su país, pero ninguno le gustaba tanto como el de Cenicienta, esa hermosa joven esclavizada por sus hermanastras que con ayuda de un hada acababa convirtiéndose en princesa. La parte en que Cenicienta entraba en el salón de baile enfundada en su precioso vestido era su preferida; incluso fantaseaba con llevar algún día un vestido tan espectacular como ese.

Ahora abandonaba la habitación con el corazón desbocado y la esperanza de que Paul Havenden, que no era un príncipe pero al fin y al cabo era un lord, viera en ella a esa princesa y quisiera llevarla a su castillo a lomos de su corcel blanco. No seas tonta y no te hagas ilusiones, se recordó a sí misma. Si no, se te hará pedazos el corazón cuando tengas que regresar a Inglaterra o partir al otro lado del mundo.

Cuando llegó a la escalera, vio a Havenden en la recepción. En lugar de esperar cómodamente sentado en un sillón de cuero, daba vueltas sin parar por la estancia, como queriendo calmar los nervios. Eso conmovió a Rose. Antes siempre se había mostrado muy seguro de sí mismo, y en cambio ahora parecía un novio esperando a su amada. El traje oscuro y la corbata *ascot* de color rojo sangre resaltaban aún más los reflejos dorados de su cabello. Preso de la inquietud, dejó de jugar con su bastón de mano y sacó su reloj de bolsillo para ver la hora. Rose decidió no hacerlo esperar más. Se puso la mano sobre el estómago y, a pesar del aleteo que sentía en su interior, intentó respirar, pero al ver que no funcionaba puso un pie en el escalón y recordó los sabios consejos de la señora Faraday para vencer el miedo escénico: «Una vez empecéis a tocar se pasará solo, ya lo veréis».

Al oír sus pasos, Paul se giró hacia ella. Nada más verla esbozó una sonrisa.

—¡Rose, pero si está usted aquí! —exclamó—. ¡Temí que se lo hubiera repensado!

—Me mantengo fiel a mi palabra, pero una dama necesita un poco de tiempo para adecentarse.

Paul la observó boquiabierto antes de decir:

—No logro imaginar una circunstancia en la que no esté usted arrebatadora.

—No me haga recordarle que su prometida no aprobaría en absoluto ese tipo de galanterías.

El rostro de Paul se oscureció y sus labios se apretaron, como si quisiera morderse la lengua.

—Discúlpeme, no pretendía… —se apresuró a decir Rose al ver que sus palabras parecían herirlo.

—No, si tiene usted razón, seguro que a mi prometida no le haría ninguna gracia lo que acabo de decir. Pero usted me gusta y no puedo hacer nada para evitarlo —dijo Havenden ofreciéndole su brazo—. ¿Vamos, pues? Me temo que llegaremos con la función empezada.

La ciudad, a la luz de los faroles y las antorchas, parecía sacada de *Las mil y una noches*. Era como si los edificios coloniales hubieran cobrado vida para retirarse y dejar paso a las viviendas tradicionales de los lugareños. Exóticas fragancias inundaban las callejuelas; el aroma a rica comida se mezclaba con el olor a agua estancada y a basura del puerto. Incluso a esas horas había vendedores ambulantes, que vociferaban sus ofertas en franca competencia con los cánticos de los artistas callejeros y con el sonido de los instrumentos: los tambores, los *angklung,* las flautas *suling,* los gamelanes, los laúdes... Y las muchachas, iluminadas por antorchas y engalanadas con ropajes multicolores, ofrecían a los paseantes sus danzas tradicionales.

A pesar de haber vivido de niña esa magia en muchas ocasiones, Rose se sintió como si acabara de entrar en un lugar de leyenda largo tiempo olvidado. Lo normal era que solo saliera del hotel para ir a las actuaciones; el resto del día se lo comían los preparativos. En el mejor de los casos, después de un concierto exitoso, Carmichael la llevaba a dar un paseo, pero nunca le daba tiempo a conocer bien los lugares donde actuaba. Y habría sucedido lo mismo en esta ocasión de no ser por la generosa oferta del gobernador. Tal vez ni siquiera habría tenido la oportunidad de ver a sus padres. Por primera vez se sintió verdaderamente agradecida a Van Swieten.

—No me había dicho lo hermosa que es su ciudad —dijo Havenden, que, tan subyugado por la magia de Padang como ella, no había abierto la boca desde que salieron del hotel.

—Me temo que ni yo misma me acordaba. Hace meses que no hago otra cosa que viajar, y antes pasé muchos años en Inglaterra.

–¿Tiene parientes allí? Obviamente su apellido es inglés.

–Mi padre es inglés. Trabaja en el puerto, para los holandeses. Está al cargo de los almacenes de mercancías. Fui a Inglaterra a estudiar en el conservatorio de la señora Faraday. Dudo que el nombre le suene.

–¡Ya lo creo que me suena! La señora Faraday es una de las mayores competidoras del *Trinity College*. Este solo admite a chicos, mientras que su conservatorio es femenino. Mi padre ha donado de forma anónima muchos fondos a la institución de la señora Faraday.

–Pues entonces es probable que su familia haya contribuido a mi educación. Déjeme darle las gracias –dijo Rose, y esbozó una sonrisa pícara.

–Ahora que soy consciente del extraordinario talento musical de las alumnas de la señora Faraday tendré que seguir con esa tradición. A no ser que sea usted quien necesite un patrocinador o un mecenas.

–Me resulta un poco extraño que me haga esa oferta después de haber confesado no sentir un gran amor por la música.

–Y así era hasta antes de conocerla. Su manera de tocar tiene algo capaz de convertir al peor filisteo en un ferviente admirador del arte. Yo soy el mejor ejemplo.

–Pues espero que esta forma de teatro también logre despertar su entusiasmo –dijo Rose señalando hacia delante–. Ahí está el escenario.

En realidad no podía llamársele propiamente escenario: sobre una plataforma de madera, colocada de modo que los espectadores pudieran ver desde lejos, había un lienzo estirado entre dos postes e iluminado por detrás con varias lámparas que hacían que las sombras se proyectaran sobre la tela.

Cuando llegaron, la obra ya había empezado. Sobre la tela aparecía la sombra de varios palos de bambú y la adornada silueta de una joven que se acercaba al bosque con un cuchillo en la mano. Los movimientos de la marioneta iban acompañados del sonido de un gamelán. Rose no pudo evitar sonreír al reconocer que se trataba de un cuento que su madre solía contarle.

Miró a su lado y vio a Paul fruncir el ceño, completamente perdido. Como era evidente que no estaba entendiendo nada, decidió echarle una mano.

—Es el cuento de «la olvidada» —le explicó Rose lo bastante bajo como para no molestar al resto de los espectadores, en su mayoría lugareños—. Trata de una chica que es la menor de siete hermanas y siempre se olvidan de ella. Como no hay pretendiente que se le acerque, sus despiadadas hermanas la tienen de sirvienta. Sin recompensa alguna, claro está. Pero un día un pescador se apiada de la pobre muchacha y le regala un pececillo con escamas de oro. Ella lo acepta encantada, pero nada más verlo sus malvadas hermanas quieren quedárselo. Y como ella se niega, deciden matarlo.

—Qué historia tan terrible —susurró Paul, embelesado—. Seguro que a un niño inglés le daría miedo.

—No acaba así —prosiguió Rose tras mirar al lienzo y ver la sombra de «la olvidada» sujetar la pecera; la marioneta era una auténtica maravilla—. Cuando va a buscar su pez recibe las burlas de sus hermanas y le arrojan a los pies la cabeza del animal.

Paul soltó un bufido, pero cuando iba a decir algo Rose le hizo un gesto de contención.

—La muchacha recoge la cabeza del pez, la entierra en el bosque y llora amargamente su pérdida. Pero de pronto ve como de esa tierra surge un árbol con las hojas y los frutos dorados. El árbol brilla tanto que un rajá que pasaba por allí —lo que para ustedes es un rey— se fija en ella. Entonces la toma por esposa y ella planta el arbolito en el jardín del palacio. Años después, una terrible sequía asola la región. Los búfalos de sus pérfidas hermanas se mueren de hambre y sed, y llega un momento en que son ellas las que no tienen nada que comer. Entonces van al palacio del rajá y le piden ayuda a su hermana.

—Dudo que las ayudara de buen grado, después de lo crueles que fueron con ella —intervino Paul, visiblemente conmovido por el cuento.

—Podría verse así. De hecho, en un primer momento ella les cierra la puerta recordándoles lo mucho que la hicieron sufrir.

Pero entonces el arbolito dorado se pone a cantar y le ruega que olvide los pesares que sus hermanas le han hecho pasar y que se apiade de ellas. Así que al final «la olvidada» comparte su riqueza con sus hermanas, que acaban llorando lágrimas de sincero arrepentimiento y le piden perdón por sus fechorías.

Rose, que hasta entonces no se había percatado de lo cerca que tenía a Paul, retrocedió un paso y fijó la vista en el escenario, donde la historia transcurría con acompañamiento de música y canciones. Paul parecía haberse quedado sin palabras. Hipnotizado, miraba las siluetas e intentaba descubrir en qué parte del cuento se encontraban. Solo cuando la obra se acercaba a su fin y el árbol empezó a cantar acompañado por el gamelán, pareció recobrar el sentido.

—¡Qué historia tan bonita! A mi padre le habría encantado.

—¿Y a usted?

—A mí también. Y casi me arrepiento de... —Paul se detuvo y titubeó, como si no estuviera seguro de continuar.

—¿De qué se arrepiente?

—De nada, olvídelo.

Aunque era evidente que algo le rondaba la cabeza, Rose decidió no insistir. Mientras el titiritero guardaba cuidadosamente las marionetas en su baúl, reparó en un puesto ambulante del que provenía un olor delicioso.

—Espéreme aquí, voy a por algo de comer —dijo dejando a Paul con la palabra en la boca. ¿Cuánto hacía que no probaba un *klepon?* De niña, esas bolitas de arroz rellenas de azúcar de palma y recubiertas con ralladura de coco eran su comida preferida. Siempre que iban al teatro de sombras su madre se las compraba.

En el puestecito, donde el vendedor no paraba de preparar bolitas, había algunas personas haciendo cola, la mayoría con niños de la mano. Todo el que iba al *wayang* acababa comprando algo de comer, y los vendedores, que lo sabían bien, se congregaban alrededor del escenario. Rose volvió con un cucurucho de hoja de palma en cada mano justo cuando el gamelán anunciaba el comienzo de una nueva función.

—¡Pero si son verdes! —exclamó Paul, sorprendido, cuando Rose le dio su cucurucho.

—¿A qué se refiere?, ¿a las hojas de palma? ¡Pues claro que son verdes! —Rose sonrió pícaramente: sabía muy bien lo que había sorprendido al lord.

—No, a las bolitas. Nunca había visto un dulce tan verde, ni siquiera en las pastelerías más exclusivas de Londres.

—Es por el jugo de hoja de cocotero —le explicó Rose mientras echaba mano a una bolita—. Tiñen la masa con eso. Está hecha con harina de arroz y batata. Pruebe una, están muy buenas.

Mientras Rose mordía la bolita y el relleno de azúcar de palma inundaba su boca, Paul la observaba un poco escéptico. Finalmente se atrevió a probar una. En un primer momento arrugó la frente, pero enseguida su rostro se relajó y comenzó a brillar.

—¡Mmm..., qué rico!

—¿De verdad le gusta?

—¡Ya lo creo! Debería conseguir la receta y venderlas en Londres.

—¿Cree que los paladares londinenses estarán preparados para esto? —bromeó Rose antes de meterse en la boca otra bolita.

—Los paladares londinenses siempre están ávidos de algo nuevo. Usted, que conoce bien la cocina inglesa, sabrá que no destaca por su fantasía, así que necesita influencias foráneas.

—Pues entonces quizá debiera invertir su dinero en un puesto de *klepon* en vez de en una plantación de azúcar —repuso Rose, divertida.

—Me lo voy a pensar —dijo Paul tomando otra bolita. Entretanto, dio comienzo el cuento de la princesa que salió de un huevo.

Rose regresó al hotel poco antes de que amaneciera. Se sentía tan ligera como la neblina que a esas horas cubría la costa. La velada con Havenden le había enseñado que existían más cosas además de la música, cosas que la hacían sentirse bien y que despertaban en ella anhelos que no guardaban relación con aquella, sino con el amor y el deseo. ¡Cuánto le gustaría pasar más noches como esa junto a Paul!

Con una sonrisa beatífica en los labios, abrió la puerta para acto seguido fruncirlos del susto. A duras penas pudo contener un grito cuando vio a Carmichael sentado en el sofá.

—¿Qué haces aquí? —le preguntó antes de cerrar la puerta de golpe.

—Quería hablar contigo de los conciertos que Van Swieten te ha conseguido. Mai me dejó entrar.

Esta chica es tonta, pensó enfadada mientras se quitaba el prendedor del pelo.

—¿Dónde estabas? —preguntó con exagerada tranquilidad Carmichael, señal de que por dentro estaba rabiando.

—Por ahí —respondió Rose sin la menor intención de darle explicaciones, y mucho menos de hablarle de Paul. Además, la noche había sido demasiado hermosa como para terminarla con una tediosa conversación con su agente.

—Ya van dos. Ayer tampoco estabas. —Carmichael la miró con los ojos entornados, como sospechando de ella.

—Fui a ver a mis padres y pasé la noche en su casa.

—Podías haber tenido la gentileza de avisar, aunque fuera mandándome una notita.

—Estoy cansada... Dejémoslo para mañana, ahora no tengo ganas de discutir contigo.

—Está bien, como quieras. —Se levantó y caminó con indiferencia hacia la puerta. Antes de abrirla se volvió hacia ella—. ¿Has estado con Havenden, verdad? Mai me lo ha contado todo.

Rose estaba demasiado sorprendida como para poder contestarle. Su mente buscaba una excusa, pero no era lo bastante rápida. Era posible que hasta la hubiera seguido para verlo todo con sus propios ojos.

—¡Tienes que quitarte de la cabeza a ese tipo! —la regañó avanzando hacia ella hecho un basilisco y obligándola a retroceder unos pasos—. ¿No te das cuenta de lo mucho que hay en juego? ¡Eres una de las mejores violinistas del mundo! ¡Como pierdas la cabeza y te dejes enredar lo echarás todo a perder!

—¿Quién dice que vaya a dejarme enredar? ¿De dónde has sacado semejante idea? —vociferó arrojando el sombrero sobre la cama. Cuando viera a Mai iba a decirle un par de cositas...

—¡Lo he visto esperándote en la recepción! ¡Y luego te he visto a ti salir colgada de su brazo! ¿Qué significa eso?

—¡Significa que de vez en cuando me gustaría tener una vida normal y no estar preguntando constantemente qué debo hacer como si fuera una niña pequeña!

—¿Tú, una vida normal? —Carmichael soltó un bufido burlón—. ¡Eres una artista! ¡Da gracias a Dios de no tener una vida normal! ¡Con una vida normal ya estarías casada y preñada! ¡Puede que incluso tuvieses ya un mocoso! ¡Deja de desear una vida normal porque no vas a tenerla nunca! ¡Y como Havenden no aparte sus garras de ti, yo mismo tendré que partírselas! —Abrió la puerta y se marchó.

Mientras desaparecía por el pasillo, Rose se lo quedó mirando con incredulidad. ¿Qué estaba sucediendo? Él nunca se había preocupado por sus admiradores. ¿Por qué ahora sí? Entre suspiros, se dejó caer en el sofá, que aún conservaba el pegajoso calor de Carmichael. Notó que los ojos se le llenaban de lágrimas, pero antes de que pudieran brotar y nublarle la vista se levantó desafiante. Se lo voy a demostrar, se dijo. Voy a demostrarle que no tengo por qué renunciar a los placeres de una vida normal. ¡Ya lo verás, Sean Carmichael!

13

Un cielo invernal de color gris se extendía sobre la ciudad cuando el tren llegó a la estación de Heathrow. Lilly y Ellen se levantaron de sus asientos y alcanzaron las maletas del portaequipajes. Lilly se colocó con cautela el estuche del violín bajo el brazo. Aún no estaba segura de que hubiera sido buena idea traer el instrumento consigo. Un par de días atrás quizá no le habría dado tanta importancia, pero ahora sabía que el violín tenía un gran valor; quizá no económico, pero sí sentimental, en especial para Gabriel. De extraviarlo, era muy probable que le perdieran la pista durante décadas, y con él a todo el misterio que rodeaba a Rose Gallway; pero Ellen había insistido en que era mejor enseñarle el original a su conocido y no unas simples fotos. Ya en el interior del aeropuerto, Ellen logró contactar con Enrico di Trevi, que le dijo que las esperaría en su casa, cerca del Palazzo Trecchi, y les ofreció de nuevo su ayuda en la investigación sobre Rose Gallway.

Durante el vuelo a Milán, trazaron un plan para sacarle el mayor partido posible al fin de semana en lo que a la investigación se refería. «Quizá encontremos viejos artículos de prensa sobre la violinista», especuló Ellen, entusiasmada. «Enrico puede traducírnoslos. Después de todo lo que le he contado sobre el violín, hará lo que le pidamos con tal de poder verlo con sus propios ojos.» En Milán tomaron el tren, que iba bastante lleno. Fragmentos de conversaciones en italiano empezaron a zumbar alrededor de Lilly, lo que la llevó a recordar un viaje con Peter. Por aquel entonces aún estaban estudiando, y se lanzaron a hacer un *tour* mochilero por la Toscana sin saber una palabra de italiano. Ahora seguía sin hablar el idioma, y evocar a Peter le provocó una agridulce sacudida en el pecho, pero enseguida intentó pensar en otras cosas. Tal ver por la noche tendría ocasión de sumirse en sus recuerdos, pero ahora había que dar con la casa del amigo de Ellen.

La estación de Cremona era un lugar muy especial. Lilly se dio cuenta nada más poner un pie en su amplio vestíbulo. La construcción tenía más de cien años, y estaba completamente inundada de luz gracias a sus altos ventanales en forma de arco. Le resultó fácil imaginar a los pasajeros de antaño cruzando a todo correr los relucientes suelos de piedra: mujeres embutidas en sus vestidos de polisón con recargados y coquetos sombreros y señores con trajes de levita ceñidos al cuerpo; niñas con vestiditos de algodón almidonado jugando con niños en pantalón corto, y, en medio de ese revuelo, mozalbetes con gorra anunciando a gritos la última edición de alguna gacetilla. La imagen se desvaneció en cuanto salieron de la estación y se encontraron con una plazoleta un tanto sombría, que seguramente tendría mucho mejor aspecto en primavera o verano. Los conductores de los coches hacían sonar el claxon como locos y los ciclomotores pasaban por delante haciendo rugir sus estridentes motores. Muy cerca había una parada de taxis. Lilly se volvió para echarle un último vistazo a la estación: sus paredes amarillas parecían ser la única nota de color en medio del crudo y gris invierno. El edificio, con sus arcos de medio punto, le recordó a un palacete.

—¡Vamos, Lilly, ahí atrás hay un taxi libre! —exclamó la voz de Ellen a su espalda. Al volverse vio que su amiga caminaba hacia el coche a grandes zancadas.

La casa donde vivía Enrico di Trevi debía de haber sido en tiempos la residencia de un noble o, como mínimo, de un hombre acaudalado, pues competía en tamaño y esplendor al *palazzo* que tenía al lado. En la fachada que daba a la calle había numerosos balcones, molduras y esculturas. Dos atlantes sujetaban el tejado, que sobresalía ligeramente. A simple vista hasta los ventanales parecían ser los originales, pero al fijarse un poco más llamaba la atención lo nuevo que estaba el emplomado de las cristaleras.

Calculó que el edificio podía ser del siglo XVII. Había una grieta en el muro del lado izquierdo, tal vez por la acción de un terremoto, pero por lo demás la casa se conservaba en buen estado. Ante ella, uno tenía la sensación de estar respirando historia. Lilly había supuesto que el amigo de Ellen sería un señor mayor como Ben Cavendish, así que al ver que un cuarentón de lo más atractivo salía a recibirlas no pudo evitar sorprenderse. Llevaba vaqueros y una camisa negra, lo que sumado a su suave bronceado le daba un aspecto impresionante. El pelo, un poco largo, era de un color parecido al del azabache, y los ojos le brillaban como dos monedas de plata.

—¡*Buon giorno*, Ellen! —exclamó estrechando entre sus brazos a su amiga, y lo hizo con tal entusiasmo que Lilly casi creyó estar asistiendo al reencuentro de dos amantes tras una larga ausencia—. ¡Eres rápida como el viento!

A Lilly le llamó la atención lo bien que hablaba alemán.

—El mérito es del ferrocarril italiano —repuso Ellen, y se volvió inmediatamente hacia Lilly—. Esta es la amiga de la que te hablé, Lilly Kaiser. Lilly, este es mi amigo Enrico.

—Un placer conocerlo.

Di Trevi le devolvió el saludo besándole la mano. Ese gesto era lo último que Lilly se esperaba.

—El placer es todo mío. ¿Por qué no me dijiste que tenías una amiga tan guapa?

—Probablemente porque no he tenido ocasión de hablarte de ella con calma —dijo Ellen guiñándole el ojo a Lilly—. Aunque quizá antes debería advertirla de que eres un embaucador.

—¿Insinúas que miento?

—¡Yo no he dicho eso!

Antes de que Lilly pudiera reaccionar, Di Trevi ya le había pasado el brazo por el hombro.

–¿Y usted qué opina? ¿Acaso un hombre no puede decirle a una mujer lo hermosa que es?

–Eh...

–Sigues siendo el mismo de siempre, Enrico –dijo Ellen apartándolo de Lilly, que a esas alturas tenía el corazón en la garganta y estaba enojada consigo misma por haberse puesto roja como un tomate. ¡A veces se comportaba como una niña tonta!

–Has de saber que este hombre es un comediante nato.

Enrico se echó a un lado para dejarlas pasar y aprovechó para hacerle un guiño socarrón a Lilly.

A diferencia de la fachada, el piso era de lo más moderno, aunque había algún que otro mueble antiguo con pinta de llevar siglos en el mismo sitio viendo pasar a los distintos propietarios. A Lilly le impresionó y le pareció muy inquietante una enorme pintura moderna que mostraba a un toro corriendo directamente hacia el estoque del torero, representado por una silueta estilizada rodeada de manchas rojo chillón. El cuadro estaba colgado justo encima del sofá blanco nuclear que ahora Enrico les ofrecía para que se sentasen.

–¿Tomarán café las señoras? –preguntó dirigiéndose hacia el mostrador que separaba el enorme salón de la cocina. A Lilly aquel espacio le recordó a uno de esos amplios y modernos *lofts* neoyorquinos.

–Sí, muchas gracias –contestó Ellen por las dos.

Poco después tenían delante de ellas en una mesa baja tres espressos, que Enrico había hecho en un santiamén con su súper moderna cafetera.

–Veo que ha traído el violín –le dijo Di Trevi a Lilly sentándose a su lado en el sofá de cuero–. ¿Puedo echarle un vistazo?

Rendida ante la sonrisa de ganador que le dedicó, Lilly no pudo hacer otra cosa que entregarle el estuche. Di Trevi levantó los cierres y la tapa. Sus ojos se abrieron hasta casi salírsele de las órbitas.

–No cabe duda de que este violín está hecho en Cremona.

—Las pruebas realizadas al barniz concluyen que fue fabricado entre mediados y finales del siglo XVIII. ¡Pero dale la vuelta al bebé! —le instó Ellen.

En cuanto lo hizo, Di Trevi tuvo que tomar aire, como si acabara de ver un fantasma.

—¡El violín de la rosa! —exclamó al instante.

—Me pregunto por qué todo el mundo parece conocer este violín salvo yo —dijo Ellen tras soltar un profundo suspiro.

—¿De verdad no lo conoces? —preguntó Enrico, haciéndose el indignado—. ¡Pero si es el violín de Rose Gallway!

Al oír ese nombre, a Lilly le subió un calor abrasador por las venas.

—¿Qué sabe de Rose? —se atrevió a decir al fin.

—No gran cosa, salvo que fue una de las mejores violinistas de su tiempo. En Italia la veneraban. —Lanzó una mirada al violín y una sonrisa de ternura asomó en su rostro—. Al igual que a su segunda dueña.

—Helen Carter.

—Sí, Helen. Helen y Rose. Y ahora es suyo, Lilly. Tal vez debamos esperar de usted el mismo talento musical que sus predecesoras.

—¡Me temo que no! —Lilly levantó las manos—. Qué va, yo no sé tocar. Puede que el violín haya llegado a mí, pero por desgracia carezco de talento para la música.

Las penetrantes miradas de Di Trevi empezaban a ponerla nerviosa. Deseó que Gabriel las hubiera acompañado; si él estuviera allí, no se sentiría tan intimidada por el italiano.

—¿De veras? Pues tiene una voz tan bonita que pensé que era cantante.

—Lo mío son las antigüedades —contestó, intentando conducir la conversación a un terreno donde se sintiera segura—. Podría intentar adivinar el valor de ese armarito de ahí.

—¿Ah, sí? —dijo Di Trevi con una amplia sonrisa.

—Ibas a contarnos algo de Rose y Helen —intervino Ellen para alivio de Lilly, cada vez más descolocada—. ¿Sabes dónde acabó sus días nuestra guapa señorita Gallway?

—Bueno, eso no lo sabe nadie con exactitud... —Di Trevi se mostró algo turbado—. Hay rumores de que pudo haberse mudado a Italia, pero no está demostrado.

—¿Y qué se sabe en Italia de ella?

—Que fue una niña prodigio y luego una hermosa joven que ponía en pie todos los auditorios donde tocaba. —Enrico esbozó una sonrisa enigmática y luego miró el reloj—. Tengo una idea. ¿Por qué no vamos al museo del violín? Entre sus fondos hay viejos recortes de prensa. Seguro que nos dejan echar un vistazo a sus archivos a pesar de ser fin de semana.

—¿Cree que allí podría haber información sobre Rose?

Las mejillas de Lilly volvieron a arder, aunque esta vez era la pasión y no la vergüenza lo que las encendieron.

—Es posible que aún conserven algunos artículos de prensa que hablen de ella. Los periódicos solían hacerse eco de los conciertos. Si el artista no estaba especialmente afortunado, lo despellejaban. En cualquier caso vamos a tener que remangarnos y buscar a fondo entre todos esos legajos.

—No creo que sea preciso buscar tanto —dijo rauda Ellen sacando del bolso el CD, que había decidido llevar también consigo—. Esto es una grabación de Rose en Cremona.

—Del 12 de junio de 1895 —dijo Enrico leyendo la etiqueta de la caja—. ¡Qué maravilla! ¿De dónde la habéis sacado?

—De la Faraday School of Music. Están investigando la vida de Rose Gallway.

—Hay que oírla esta misma noche. Pero ahora deberíamos ponernos en camino.

—¡Buena idea! —dijo Ellen señalando hacia el pasillo donde estaban las maletas—. Aunque tendríamos que pasar por nuestro hotel para dejar el equipaje.

—¿Hotel? —repuso Enrico, indignado—. Está de más decir que vais a dormir en mi casa.

—Pero es que nosotras...

—No me vengas con que no queréis molestar —la interrumpió haciendo un gesto expansivo con el brazo—. Haz el favor de mirar lo vacío y desolado que está este *palazzo*. ¿De veras crees que voy a desaprovechar la oportunidad de que esta noche lo habite gente de carne y hueso y no solo fantasmas?

Ellen, indecisa, miró a Lilly.

—¿Tú qué opinas? —preguntó al fin.

—Eso, ¿qué opina usted, Lilly? —la inquirió Enrico con una sonrisa seductora—. ¿Va a dejarme aquí solo con los fantasmas del *palazzo*?

—¿De verdad los hay? —dijo devolviéndole la sonrisa.

—¡Y tanto! Si deciden quedarse yo mismo se los presentaré. ¿Qué me dice?

Lilly no pudo hacer otra cosa que volver a sonreír. Aunque en realidad habría preferido que las dejara irse al hotel. ¿Acaso se sentía mal por Gabriel? Curiosamente fue él y no Peter quien le vino a la mente.

—Está bien. Queda claro que no nos vas a dejar en paz hasta que aceptemos: ¡nos quedamos! —dijo Ellen antes de que Lilly pudiera contestar—. Déjame llamar al hotel para anular la reserva y nos vamos.

—Pero no uses el móvil, mejor llama por el teléfono de mi despacho, sale mucho más barato.

—¡Como tú digas, papaíto! —bromeó Ellen, que al parecer sabía perfectamente dónde se encontraba el despacho de Di Trevi, pues desapareció por el pasillo y enseguida se la oyó subir unas escaleras.

—¿De qué época es su *palazzo*? —preguntó Lilly recorriendo la estancia con la mirada. A pesar de la decoración moderna, el lugar tenía el aire de un museo.

—Calculo que tendrá unos cuatrocientos años —dijo Enrico haciendo un gesto teatral—. ¿No le parece una joya?

—Ya lo creo.

—¿Le gustan los edificios antiguos?

—Mucho, aunque solo sea por deformación profesional. No sabría decirle cuánto vale su casa, pero le aseguro que por algunas de las piezas que alberga le pagarían una fortuna.

Él sonrió.

—Menos mal que no voy tras el dinero como el demonio tras las almas. Lo dicen así ustedes, ¿no?

—Más o menos.

Al poco, Ellen asomó por la puerta.

—He de hacerte una advertencia —dijo acercándose de nuevo al sofá—. Será mejor que por un tiempo no te dejes ver por el hotel Visconti, pues te he hecho responsable de la cancelación de nuestra reserva.

—No te creo —repuso Enrico, seguro de sí mismo—. Y si lo has hecho no pasa nada, tengo buenos amigos en el Visconti —concluyó con un parpadeo—. Cuando quieras nos vamos.

El museo del violín se encontraba en el Palazzo Comunale, un edifico de dos plantas del siglo XIII con columnas terminadas en arco y amplios ventanales ubicado en la Piazza del Comune. Justo enfrente estaba la catedral y, a su lado, el Torazzo, la famosa torre desde donde se ve toda la ciudad.

Bajo la luz de la tarde, la plaza parecía encantada. Lilly pudo imaginar vívidamente cómo era en la Edad Media: los fieles acudiendo al templo o charlando y haciendo negocios a las puertas del ayuntamiento. Por dentro, el museo tenía un aire más barroco, con sus mármoles grises y blancos, sus lámparas de araña y sus sillas estilo imperio de color crema. Sin salir de su asombro, Lilly y Ellen contemplaron las piezas expuestas mientras Enrico intentaba obtener acceso a los documentos que les había mencionado. Lilly aguzó el oído para escuchar la conversación que Enrico mantenía con el vigilante del museo, y, a pesar de no saber italiano, creyó entender que a aquel hombre no le hacía ninguna gracia abrirles el archivo.

Tras un rato de tira y afloja, Enrico se volvió hacia ellas.

—Hemos tenido suerte. Nos dejan echar un vistazo a los periódicos. Pero hay que darse prisa porque van a cerrar en breve.

Enrico les presentó al vigilante y, acto seguido, abandonaron la sala de exposición para entrar en el archivo, donde ya no había violines sino documentos, periódicos y revistas encuadernados en gruesos tomos de piel. En un rincón había una fotocopiadora que emitía un suave zumbido.

—Le he pedido que nos busque los periódicos de la semana del 12 de junio de 1895 —les explicó Enrico mientras encendía el flexo, que iluminó los dos voluminosos tomos que copaban la mesa—. Es de esperar que hicieran algún tipo de promoción del concierto, sobre todo porque lo grabaron, lo cual era rarísimo en esa época.

Cuando Lilly abrió el primer tomo se encontró con una portada amarillenta plagada de imágenes. Curiosamente había más dibujos que fotografías. Cuando intentó descifrar los titulares se quedó tan chafada como Ellen.

—Me temo que vamos a tener que pasarte el testigo. Para nosotras es como si estas líneas estuvieran escritas en chino.

—Para eso estoy yo aquí, ¿no?

Di Trevi fue pasando las enormes hojas hasta detenerse en una.

—Parece que hemos encontrado algo —dijo girando el tomo hacia ellas—. Observad esta foto.

Lilly clavó la mirada en una niña de aspecto desgarbado de unos trece o catorce años. En la mano llevaba el violín. Vuelto, para que pudiera verse la rosa grabada en el fondo. Más tarde, en el conservatorio, Rose posaría de manera similar, pero para entonces ya se habría convertido en una hermosa joven. Aunque ya era guapa de adolescente, tuvo que admitir Lilly. Y además aquí su procedencia asiática se hacía mucho más patente que en la otra foto. Junto a la joven Rose había una mujer mayor embutida en un austero vestido negro. Su pelo, ligeramente canoso, se ondulaba en las sienes siguiendo la moda de aquel tiempo, y en el cuello del vestido destacaba un broche de ónice. La mano derecha de esa mujer, que Lilly supuso que era la señora Faraday, descansaba sobre el hombro de la muchacha, y en la otra sujetaba un pequeño cuaderno de notas. Mientras que Rose transmitía inseguridad al tiempo que una franca simpatía, el frío rostro de la señora Faraday inspiraba temor al espectador, por más que hubieran pasado más de cien años.

—A juzgar por el texto debieron de asistir al concierto todas las celebridades locales —explicó Di Trevi—. Más de uno atraído por los modernos métodos de grabación que iban a emplearse, tiendo a pensar. No obstante, no cabe duda de que la aparición de Rose Gallway fue todo un acontecimiento.

Sin saber muy bien por qué, Lilly se sintió hechizada por la foto. Era como ver a Rose por una ventana. ¿Habría sufrido mucho bajo el yugo de su estricta profesora, o la dureza de la señora Faraday solo era fachada? ¿Tendría el cuadernillo lleno de anotaciones con los fallos de Rose o era otro el empleo que le daba?

—¿Podría llevarme una copia? —preguntó sin poder dejar de mirar la foto.

—Creo que sí. Le traduciré el artículo, seguro que así le será más útil.

—¿Va a tener tiempo para hacerlo?

—¡Por supuesto! —exclamó Enrico con una de sus desvergonzadas sonrisas—. Nada hay más importante que servirla a usted.

Estuvieron aún un rato hojeando los periódicos, y Enrico encontró más material. Había una foto del concierto e incluso un dibujo que tomaba como fuente dicha foto. Mostraba a Rose totalmente concentrada en mover el arco, como si hubiera olvidado todo lo que tenía alrededor.

—Las críticas fueron muy favorables; todos parecían estar entusiasmados con la tímida niña prodigio —las informó Enrico—. Pero me temo que aquí no vamos a encontrar mucho sobre su vida posterior.

—¿Se sabe si Rose volvió a tocar en Italia?

—Es posible. No soy un experto en Rose Gallway, pero quizá consiga averiguar algo. Aunque no puedo precisar cuánto tiempo me llevará. Como solo va a estar aquí hasta mañana y tiene buena relación con la Faraday School of Music, lo mejor sería que los llamara para que me dieran alguna pista por la que empezar.

En el rostro de Lilly se dibujó una sonrisa, que inmediatamente se reprodujo en el de Ellen.

–Lo haré –le prometió.

–Puede utilizar mi teléfono, así la llamada del móvil no le saldrá por un pico.

–¿No estaré abusando un poco? –preguntó Lilly algo molesta, pues intuía que Enrico esperaba alguna contraprestación por sus servicios.

Pero el italiano dio la cuestión por zanjada con un ademán.

–¡No diga disparates! ¡Si queremos seguirle la pista a una mujer enigmática no podemos andar pendientes del euro!

Antes de que pudieran reanudar sus pesquisas, apareció el vigilante para recordarles que el museo estaba a punto de cerrar. La señora que cuidaba los archivos estaba como loca por irse a su casa, así que Di Trevi acordó con ella que volverían al día siguiente, que por cierto era domingo, para seguir consultando periódicos. Después abandonaron el Palazzo Comunale.

Nada más salir, el ensordecedor repiqueteo de las campanas asustó a las palomas que tenían tomada la plaza. Una vez acabó el estruendo, Enrico hizo una propuesta:

–¿Les apetece comer algo? Luego, si quieren, podemos seguir dándole vueltas a la historia de Rose y Helen.

Las dos mujeres aceptaron encantadas.

Tras una estupenda cena en la *trattoria* favorita de Enrico y un paseo nocturno por el casco antiguo, Lilly se sintió agradablemente cansada. Como el *palazzo* disponía de varias habitaciones para invitados, Lilly disfrutó de una para ella sola. La estancia contaba con un armario del siglo XVII, un lujoso arcón para el ajuar y una cama con dosel y cortinas de terciopelo que desprendían un suave olor a lavanda.

¿Quién habría dormido en el pasado en esa cama de ensueño?

Antes de meterse bajo las pesadas mantas se asomó una vez más a la ventana, desde donde podía verse el casco antiguo, ahora iluminado por la tenue luz de las farolas. Se sentó en el amplio alféizar y observó a los pocos viandantes que a esas horas pasaban por delante de la casa. Entonces le vino a la mente

Peter. Seguro que le habría encantado estar allí. Pero enseguida esa imagen dio paso a la del rostro de Gabriel Thornton. ¡Madre mía!, pensó Lilly. ¡Casi me olvido de él! Rápidamente miró la hora en el despertador que había en la mesilla de noche. Las diez y media. ¿Estaría Gabriel aún despierto? ¿No sería mejor llamarlo por la mañana? Tras librar una breve lucha consigo misma, echó mano de su móvil. Entonces recordó que Di Trevi le había ofrecido su teléfono fijo.

Pero ¿de veras quería hacer eso?, ¿quería bajar al salón y sentarse a hablar con Gabriel? Decidió que no. Aunque con toda probabilidad no iban a hablar de nada personal, no quería que nadie la oyera accidentalmente. Así que respiró hondo y marcó su número. Tras un leve chasquido sonó su voz.

—Thornton.

—Gabriel... Espero no molestar.

—¡Lilly!

¿Lo había asustado? Sintió un escalofrío. Quizá habría sido mejor esperar al día siguiente.

—Sé que no son horas... —empezó a decir—. Puedo llamarle mañana.

—No, dígame qué sucede, Lilly. Ahora ya me tiene en ascuas. ¿Ha pasado algo?

Al oír su tono de preocupación se sintió aún más culpable.

—No, todo va bien. Es solo que... hemos encontrado más fotos de Rose. En un periódico antiguo. En una se ve también a la señora Faraday, creo.

—¡Eso es estupendo! ¿De cuándo es la foto? —preguntó claramente cautivado por la noticia.

—Del día en que se hizo la grabación.

—¡Fantástico! No sabía que existiera. Durante la guerra se perdió buena parte de nuestra documentación. Es todo un descubrimiento.

—¿De verdad?

A Lilly estaba a punto de salírsele el corazón del pecho. ¿Por qué estaba tan entusiasmado? Pero si solo le había dicho que había encontrado una foto...

—Ya lo creo. Mándeme una copia, por favor.

—Delo por hecho. El *signore* Di Trevi se ha brindado a traducirnos el artículo.

—¿Di Trevi?

—Un amigo de Ellen. Nos ha acogido en su *palazzo,* y también ha conseguido que mañana podamos seguir consultando periódicos. Nos quedan por revisar unas cuantas críticas de conciertos, así que puede que encontremos algo más sobre Rose...

—Lilly echó el freno. No puedes seguir escupiendo palabras como una metralleta, se dijo. Va a creer que sufres una sobredosis de cafeína.

—Estupendas noticias —repuso Gabriel—. Pero me da la impresión de que ese no es el único motivo de su llamada.

—No, también quería... —Se detuvo al notar que había vuelto a embalarse—. Quería preguntarle si Rose había dado más conciertos en Italia. Y, de ser así, en qué fechas. De ese modo iríamos más rápido. Hay tantos periódicos que la búsqueda podría durar semanas.

Se quedó callada, presentía que Gabriel estaba sonriendo al otro lado de la línea.

—No hay problema —dijo él, conteniendo la risa—. Salvo que ahora mismo estoy en casa.

—Oh, perdón, no pretendía...

—No hay nada que perdonar, para usted siempre estoy disponible. Bueno, casi siempre. Cuando estoy en clase o en una reunión no suelo atender el teléfono.

—Lo comprendo...

Lilly se lamentó de ser tan insegura. Gabriel se mostraba tan cordial que no era preciso andarse con remilgos.

—¿Tiene acceso a un ordenador en el *palazzo* o son los fantasmas del caserón los encargados de llevar y traer los recados?

—Creo que sí. Me refiero a lo del ordenador. Fantàsmas aún no he visto...

Lilly se sonrió al imaginar a un espectral mayordomo traerle un correo electrónico impreso en una bandejita de plata.

—Bien. Pues entonces le enviaré las fechas que me pide mañana por la mañana. Obviamente no estarán todas, seguro que en algún momento la señora Faraday perdería de vista a su protegida, pero dispondrá de todo lo que encuentre.

—Gracias, es muy amable de su parte.

—Lo hago con gusto, Lilly.

La manera en que pronunció su nombre la colmó de una calidez que solo había sentido con Peter. Pero esa era otra historia.

—De acuerdo, entonces. Buenas noches... Gabriel.

—Buenas noches, Lilly. Y haga el favor de volver pronto de Cremona. Me ha encantado hablar con usted.

Y colgó. Por más que la conversación ya hubiera terminado, Lilly mantuvo un rato el móvil pegado al oído. El corazón le latía endiabladamente y no daba muestras de querer parar. Cuando conoció a Peter se había sentido igual, con esos mismos nervios. Hacía tanto de todo aquello... Movida por un atisbo de tristeza, dejó el móvil junto a la cama. Pero justo antes de dormirse se descubrió a sí misma sonriendo de oreja a oreja.

Más tarde, en sueños, se encontraba en un camerino como los que salían en las películas antiguas. Un espejo enorme dominaba la estancia, y en las puertas de un viejo baúl colgaban una bata y dos vestidos de mujer. De pronto la sorprendió una risa infantil proveniente de un rincón del cuarto. Volvió la cabeza y se topó con una niña de siete u ocho años que guardaba un lejano parecido con Helen Carter; al menos tenía los mismos rizos negros.

—¿Buscas algo? —preguntó la niña como si tal cosa.

En un primer momento, Lilly no supo qué decir.

—Yo... Yo... —titubeó como si las palabras se resistieran a salir—. Busco a Rose.

—Yo me llamo Helen —respondió la niña entre risitas.

—¡Pero si aún eres una niña!

—¿Acaso tú nunca lo has sido? —dijo la pequeña dando un brinco hasta la mesa donde estaba el estuche del violín.

—Pues claro que sí. Pero...

Lilly volvió a quedarse sin saber qué decir.

La niña acarició el estuche. ¡El violín! ¿Por qué no preguntarle por el violín?

—¿De dónde has sacado ese violín? —se oyó decir a sí misma sin reconocer del todo su voz.

—Me lo regalaron —contestó la pequeña Helen.

—¿Quién?

—Una mujer.

—¿Qué mujer?

La niña se limitó a soltar una risita. ¿Se lo habría regalado la señora Faraday? Parecía lo lógico. Le habría encantado preguntarle qué había sido de ella; al fin y al cabo parecía ser una aparición fantasmal de Helen. Pero justo entonces la pequeña abrió el estuche. El violín estaba completamente nuevo. Cuando Helen lo acarició con la yema de los dedos el instrumento emitió una nota desafinada.

—La solución al enigma está en *El jardín a la luz de la luna* —susurró la niña una vez se hubo extinguido el estridente sonido.

Lilly la miró a los ojos y reparó en que no eran marrones sino de un extraño color dorado, como si un rayo de luz se reflejara en sus iris.

—¿Cómo dices? —preguntó, pero la niña no mostraba ningún interés en contestar a sus preguntas.

—¡Mira, puedo hacer magia! —exclamó, y de pronto, ante la mirada atónita de Lilly, se esfumó en el aire mientras su risa seguía resonando en la habitación.

Cuando se despertó, Lilly comprobó que la luna ya no se veía desde la ventana. De la calle le llegó el sonido ronco de una motocicleta. Intentó dormirse de nuevo, pero le resultaba difícil bajo esas mantas tan pesadas. No lograba quitarse de la cabeza la imagen del sueño. Una y otra vez veía a la pequeña Helen repitiéndole que la solución al enigma se encontraba en *El jardín a la luz de la luna*. Naturalmente, el sueño se explicaba por la profunda impresión que le había causado la foto que habían encontrado en el museo. Pero ¿y si la solución al enigma estuviera de veras en la partitura? Habría querido levantarse y echarle un vistazo, pero al final pudo más el cansancio. Así que volvió a quedarse dormida, y esta vez no soñó.

14

A la mañana siguiente, se levantó decidida a llevar a cabo su propósito. Presa de una extraña inquietud, superior a la modorra propia de esas horas, se acercó a la mesa donde estaba el estuche y sacó la partitura del forro interior. Entonces recordó lo que había dicho Dean. ¿Ocultaría la partitura un mensaje secreto? De ser así no veía cómo podría descifrarlo, pues la pieza era instrumental y no había un texto que pudiese ser interpretado. Entre suspiros, decidió darse por vencida; dejó la partitura sobre la mesa y se fue a la ducha. En cuanto el agua caliente entró en contacto con su piel volvieron a surgirle nuevos interrogantes. Quizá a Ellen o a Enrico sí les dijeran algo esas notas...

Sin tiempo que perder cerró los grifos, se secó el pelo y se envolvió en una de esas toallas italianas que tanta envidia le daban; comparada con esa esponjosidad, lo que salía de su lavadora era pura lija. Por los pasillos de la casa flotaba un aroma a café que arrastraba irremisiblemente hasta la cocina. Allí se encontró a Ellen sentada a una larga mesa de madera y con una taza roja en las manos. Lilly se sintió un poco abrumada por las dimensiones del mobiliario. ¿De veras recibía Enrico a tantos invitados como para llenar esa mesa?

—¡Mira quién está aquí! —exclamó su amiga al verla—. Pensé que no bajabas.

—Ayer llamé a Gabriel —declaró Lilly ante la mirada de asombro de Ellen.

—¡Qué valor! Mira que sacarle al pobre de la cama...

—Aún no estaba durmiendo. O eso me pareció por su voz.

Al recordar la llamada de teléfono, una sonrisa asomó en el rostro de Lilly, y por un momento pareció olvidarse de sus preguntas sobre la partitura.

—En cualquier caso, seguro que se despertó al oírte —repuso Ellen antes de darle un trago al café—. Madre mía, está casi tan rico como Terence.

—¿Dónde está tu amigo? —preguntó Lilly echando un vistazo alrededor. En esta cocina podría grabarse un programa culinario y no habría problemas de espacio.

—Ha salido para traernos algo de desayuno. Pero no debemos hacernos muchas ilusiones, pues los italianos apenas comen por la mañana. —Se levantó y se acercó a la carísima máquina de café—. ¿Te apetece un capuchino antes de contarme cómo te fue con Gabriel?

—Me vendrá bien, gracias —dijo Lilly, y enseguida empezó a oír el zumbido y el sorber de la cafetera—. Aunque no sé si la historia de la llamada va a dar para mucho. Como ya habrás adivinado, Gabriel no me negó su ayuda.

—No es que lo haya adivinado... Apostaría todo mi ropero por ello.

Poco después, Ellen le sirvió el café y volvió a sentarse. Lilly sopló sobre la espuma de leche y le dio un tímido sorbo.

—Tú qué dices: ¿está a la altura de Terence o no?

—Ya lo creo. —Lilly dio un trago más largo y posó la taza sobre la mesa—. A lo que íbamos: Gabriel quedó en mandarme las fechas de los conciertos por correo electrónico... Y luego tuve un sueño.

—¿Uno húmedo?, ¿con Gabriel? —Los ojos de Ellen brillaron con picardía.

—Qué cosas tienes... Soñé con Helen, una Helen niña. Me dijo que la solución al enigma estaba en *El jardín a la luz de la luna*. ¿Recuerdas lo que comentó Dean?, ¿eso de que quizá fuera un mensaje cifrado?

—¿De verdad crees que hay algo oculto en esa melodía?

—¿Y por qué no? Yo no sé leer música, pero tú hasta eres capaz de interpretarla.

—Ya, pero que yo sepa el Servicio de Inteligencia aún no ha intentando contactar conmigo para ponerme en nómina. No sabría descifrar un código aunque tuviera la clave delante de las narices. —Ellen se tomó un momento para reflexionar antes de continuar—. Además, tan solo es un sueño, Lilly. Dios sabe lo que habrás cocinado en tu mente.

—Tienes razón. Pero no deja de ser una posibilidad. Quizá el compositor era un genio capaz de ocultar un mensaje tras esas notas.

Lilly se sacó la partitura del bolsillo y le echó un vistazo. Las notas le recordaron las huellas de un pajarillo... Imposible ver ahí un mensaje cifrado. Ellen las observó sin duda con otros ojos, pero después de examinar la partitura un buen rato no hizo sino menear la cabeza.

—Una obra musical. Lo que veo es una obra musical, ni más ni menos. Lo único que he sacado en claro es que estoy casada con un hombre que idolatra a James Bond.

Antes de que Lilly pudiera decir nada, la puerta se abrió.

—Ya veo que se han levantado las dos... Y que son más hermosas que la mañana misma —dijo Enrico de buen humor al entrar en la cocina, y acto seguido dejó sobre la mesa un tarro grande de mermelada y una cesta con dos bolsas de papel que desprendían un delicioso olor a pan recién hecho.

Lilly puso los ojos en blanco y miró a Ellen, que tampoco supo qué decir.

—¿Se encuentran bien, señoras? —quiso saber Enrico, que obviamente esperaba otra reacción a sus palabras.

—Muy bien, gracias. Tan solo estábamos pensando —repuso Ellen antes de darle otro trago al café—. Lilly ha tenido un sueño de lo más perturbador que nos ha hecho preguntarnos si es posible que una partitura encierre un código cifrado.

Señaló la hoja que Lilly tenía delante.

—¿Un código para qué?

—Para dejar constancia de algo —intervino Lilly girando la partitura para que Enrico pudiera verla—. Algo que Rose o tal vez Helen hubieran querido dejar para la posteridad. Quizá un secreto. Puede que el destino de Rose o incluso el lugar donde acabó sus días.

Enrico reflexionó un momento, luego se encogió de hombros y dijo:

—Yo no lo descartaría. Antes la gente era muy imaginativa en lo que al cifrado se refiere. En cualquier caso, no soy el más indicado para responder a esa pregunta. Sin embargo, tengo un amigo que es historiador y que además es un estudioso del espionaje en la Edad Media. Ya sé que Rose, por edad, no pudo tener nada que ver con los Borgia, pero quizá él pueda arrojar algo de luz sobre la cuestión.

Ellen le dedicó una amplia sonrisa a Lilly.

—Te debemos ya tantas que no vamos a tener vida para compensarte.

—Ni tenéis por qué —repuso Enrico esta vez en serio y sin el más mínimo atisbo de sus habituales insinuaciones—. Me daría por pagado con que en esa partitura se escondiera realmente un mensaje en clave. ¡Sería sensacional! Y ahora haced el favor de desayunar como Dios manda, que los archivos del museo nos están esperando. Yo voy a tratar de localizar a mi amigo. Quizá venga a echarnos una mano.

Lilly no logró quitarse el sueño de la cabeza en toda la mañana. ¿De verdad sería posible ocultar un mensaje secreto tras unas notas musicales? Dadas las circunstancias, ahora se arrepentía en lo más hondo de no haber prestado más atención en clase de música. Aunque, de haberlo hecho, ¿sería capaz de descifrar un código? Probablemente no. Además, tampoco era seguro que en realidad existiera dicho mensaje. Ha sido un sueño, Lilly, nada más que un sueño, se repetía una y otra vez. Pero la voz juguetona de la pequeña Helen no dejaba de resonar en su cabeza. Algo le decía que no debía cejar en su empeño.

Por otro lado, Enrico no logró hablar con su amigo, así que le había dejado un mensaje en el contestador.

—Su señor Thornton nos ha sido de gran ayuda —dijo ya en el museo, mientras escrutaba un documento—. Lo que me sorprende es que no haya venido aquí en persona a revisar estos artículos.

—Dirige un instituto, por eso no siempre tiene tiempo que dedicar a la historia de los antiguos alumnos —contestó enseguida Lilly a la defensiva, aunque en realidad no había habido ánimo de reproche en las palabras de Enrico.

—Le pido disculpas, no pretendía desacreditar a su amigo. Simplemente me parece curioso.

—No, perdóneme usted a mí —concedió Lilly, avergonzada ante la mirada divertida de Ellen—. Reconozco que, con el asunto de la partitura, estoy un poco nerviosa.

—Ya verá como Pietro da señales de vida —repuso él con convicción—. Su mujer lo debe de tener secuestrado: le da mucha importancia a pasar juntos el poco tiempo libre del que disponen. Estarán paseando por el parque y disfrutando del buen tiempo. Aunque Pietro seguro que estará echando de menos el móvil, pues ella no deja que lo lleve encendido cuando salen de paseo.

«Pasear por el parque.» Lilly esbozó una sonrisa amarga al repetir para sí esas palabras. Ella también solía pasear por el parque con Peter los domingos... Sobre todo cuando empezaban a florecer los primeros magnolios y lucía el sol. ¿Volvería a dar esos paseos? Con Gabriel podía imaginárselo, pero ¿llegaría a suceder en realidad?

—¡Miren esto! —exclamó Enrico sacándola de sus pensamientos—. Rose a los dieciocho años. Probablemente fue el último viaje en que la severa dama la acompañó.

La foto, que ocupaba el centro de la página, mostraba a una Rose parecida a la que Lilly había visto en los expedientes de Thornton. La señora Faraday estaba más envejecida, y al fondo aparecía un hombre. ¿El amante de Rose?, pensó a bote pronto Lilly, pero luego desechó la idea. La estricta profesora de música no lo habría permitido. Pero, entonces, ¿qué pintaba en esa foto?

Daba la impresión de que se hubiera colado en el último segundo.

—¿Dice algo el artículo acerca de quién es ese hombre? —preguntó Lilly sin dejar de observar la fotografía.

Los ojos de Enrico recorrieron rápidamente las líneas, pero pasados unos instantes negó con la cabeza.

—El tipo me recuerda a uno de esos hinchas de fútbol —dijo al fin, arrancándole una carcajada a Ellen.

—¿Hinchas de fútbol?

—Sí, ¿no sabes a qué me refiero? Esos fans que intentan meter la cara o aunque sea un dedo en la imagen cuando están entrevistando a su ídolo.

—¿De veras cree que en esa época se daban ese tipo de comportamientos? —preguntó Lilly, que no podía sino darle la razón al italiano: parecía evidente que se había colado en la foto.

—La gente no ha cambiado tanto en los últimos siglos —contestó él con una sonrisa—. Incluso entonces había desvergonzados e inoportunos. Tal vez ese hombre fuera un ferviente admirador de Rose.

Un timbre agudo rompió el silencio que reinaba en la sala. Enrico se llevó la mano al bolsillo. El joven vigilante del museo se lo quedó mirando y frunció el ceño mostrando su desaprobación, pero prefirió no intervenir. La conversación fue corta y rápida, y en cuanto colgó, los ojos de Enrico se iluminaron misteriosamente.

—Era Pietro, el historiador paseante. Ha escuchado el mensaje que le dejé y me ha pedido una copia de la partitura para echarle un vistazo.

A Lilly se le escapó un gritito de júbilo.

—Entonces, ¿es posible?

—Según Pietro, sí. Sin embargo, también debería contemplar la posibilidad de que en esa partitura no haya nada. Ni siquiera mi amigo es capaz de descifrar un código donde no lo hay.

—Pero al menos lo va a intentar.

—Puede estar segura de que examinará la partitura con suma atención. Y si hay un atisbo de misterio contenido en ella lo descubrirá, se lo garantizo.

—Pues entonces vayamos a verlo cuanto antes —propuso Ellen—. ¿Vive cerca?

—No, en Roma. Tendremos que enviársela por correo. Preparadme la carta esta tarde y yo me encargo de echarla al buzón mañana por la mañana.

—¿Sigues usando el correo tradicional? —se extrañó Ellen—. ¿Tu amigo no tiene cuenta de correo electrónico?

—Pues claro que sí... El que no tiene escáner soy yo. Ya sabes que solo me sirvo de la técnica para lo estrictamente necesario. —Se volvió hacia Lilly—: ¿Ha traído la partitura? Será mejor que haga una copia aquí. En casa tampoco hay fotocopiadora.

Lilly asintió y le dio la partitura.

En agradecimiento a todo lo que Enrico había hecho por ellas, Lilly y Ellen se ofrecieron a cocinar esa noche para él.

—Cocina alemana... ¿Estáis seguras? —bromeó este poniendo una mueca de horror—. No sé si vais a encontrar en mi nevera chucrut y salchichas blancas.

—¡Ya estamos con los clichés de toda la vida! —le espetó Ellen poniendo los ojos en blanco—. Eres italiano, no americano. Deberías conocernos un poco mejor.

—Tranquilo, no pensábamos servirle codillo —añadió Lilly entre risas.

Casi le daba pena tener que abandonar Cremona a la mañana siguiente. Enrico había pasado de ser un ligón empalagoso a convertirse en un hombre encantador siempre dispuesto a echar una mano. Y la ciudad le encantaba. Lástima que no hubiera podido visitar los talleres de fabricación de violines. La próxima vez iría sin falta.

Pese a los temores de Enrico, Lilly y Ellen prepararon una pasta aceptable de la que dieron cuenta en la mesa de la cocina en un ambiente de lo más relajado. Luego él se ofreció a hacerles una visita guiada por el *palazzo,* en la que pudieron ver incluso las habitaciones que tenía cerradas por no darles uso. Tras escuchar unas cuantas historias de terror de condes asesinados, infieles envenenadoras y el fantasma de una partera asesinada por uno de los condes tras perder a su vástago, volvieron a la sala de estar.

—¿Qué tiene previsto hacer ahora? —preguntó Enrico mientras disfrutaban de un vino tinto de la nutrida bodega del *palazzo*—. Los recortes de periódico no le han ayudado demasiado a aclarar por qué motivo le dieron el violín.

—Al menos he encontrado más información sobre Rose —repuso Lilly—. Y además aún queda por saber qué nos deparará la partitura. Tengo la corazonada de que más de lo que suponemos.

Antes de volver a la casa, Lilly había metido la copia en un sobre. Ya solo restaba esperar.

—¿Y si no es así?

—Entonces tendremos que seguir otras pistas. Puede que entretanto descubra quién es el misterioso hombre que me entregó el violín. Seguro que él sabría decirme por qué es mío.

—Eso si no se le vuelve a escapar —señaló con tino Enrico—. Parece evidente que tenía motivos para no decírselo. ¿Qué le hace pensar que sería diferente en un hipotético reencuentro?

—Al menos tengo que intentarlo. No me gustaría quedarme con algo que no me pertenece.

—Tal vez le pertenezca por derecho. Nunca se sabe, a lo largo de la vida las personas recorren a veces caminos insospechados. Y los objetos también. Después de Helen Carter, el violín debió de pasar a otras manos. Hasta donde sabemos, ella tuvo que dejar de tocar debido a un accidente, puede que entonces lo vendiera a un antepasado suyo.

Justo cuando Lilly iba a decirle que eso era imposible, Enrico se apresuró a añadir:

—Acabará descubriéndolo. Y yo me alegraré mucho si cuando llega ese momento me informa de cómo ha resuelto el enigma.

—Delo por hecho —le prometió Lilly, y se quedó absorta mirando el vino de su copa.

Cuando llegó la hora de acostarse, los aromas y las palabras seguían zumbándole en la cabeza. Poco a poco los pensamientos fueron transformándose en un ruido de fondo, hasta que decidió rendirse al plácido peso de las mantas y se durmió.

15

El concierto en el Grand Hotel, al que asistió la flor y nata de Padang, fue maravilloso. Rose se sumergió en la melodía y se dejó llevar por ella con la certeza de estar tocando mejor que nunca. No podía ser de otra manera: Paul se encontraba entre el público. Al verlo se sintió ligera como una pluma, y esa sensación todavía se hizo más intensa cuando comprobó que su prometida no lo acompañaba. Había puesto el arco sobre el violín y, henchida de satisfacción, había tocado hasta dejarse envolver por un flujo de imágenes que la llevó muy lejos de aquel auditorio. Sí, había tocado para Paul. Para él y para nadie más. Y lo que era incluso más reconfortante: Sean Carmichael se equivocaba. Los sentimientos que empezaba a albergar hacia Paul, por más que no supiera si eran correspondidos, le hacían tocar aún mejor.

Cuando se bajó del escenario entre los vítores del público, le dedicó a su agente una mirada de desprecio. Desde el incidente a la vuelta del *wayang* apenas habían hablado. Si tenían algo que decirse lo hacían por escrito o por medio de Mai, hacia quien Rose sentía una profunda aversión desde que se había ido de la lengua la noche que salió con Havenden. Desearía haberla castigado con su silencio, pero necesitaba de sus servicios, así que hubo de conformarse con una bofetada que dejó a la chica llorando durante más de media hora.

Rose entró en su camerino como en una nube. Esta vez no rehuiría el contacto con el público, así quizá tendría la oportunidad de cruzar un par de palabras con Paul. Pero antes quería despojarse del vestido con el que acababa de actuar.

—¡Mai, tráeme el vestido azul con puntillas! ¡Y date prisa!

184

La joven china obedeció sin rechistar. Desde que había recibido el castigo, se limitaba a decir solo lo estrictamente necesario para no enfadar a su ama. Lo cual tenía un poco conmovida a la violinista, pues recordaba que, en el pasado, ella hacía lo mismo cada vez que la señora Faraday, descontenta con alguna interpretación, le regañaba y soltaba pestes por su boca pintada de carmín.

En vista de que el concierto había ido tan bien y de que el destino parecía sonreírla con la presencia de Paul, decidió ser un poco más amable con ella. Al fin y al cabo, tampoco quería convertirse en un terrible basilisco como la vieja profesora...

Mai entró con el vestido y Rose la recibió con una cálida sonrisa, a la que la muchacha reaccionó con timidez.

—¿Te apetece librar esta tarde? —le preguntó mientras la chica empezaba a desabrocharle los corchetes del vestido.

—Pero, *miss,* usted me necesita aquí —respondió con cautela, temiendo que se tratara de una triquiñuela para volver a darle una bofetada.

—Pues claro que te necesito, pero pienso que no te vendría mal despejarte un poco. Ahora voy a ir a saludar a los invitados, así que hasta la noche no hace falta que vengas. Seguro que habrá algún lugar en Padang que desees visitar.

Mai se quedó boquiabierta, sin poder pronunciar palabra.

—¿Lo dice en serio, *miss?*

—¡Pues claro que lo digo en serio! Aunque, si no quieres, puedes irte al hotel a remendarme las enaguas. Tú decides.

—No, está bien. Me encantaría librar un rato... Si usted me lo permite.

—Ve al *wayang,* las historias que representan son preciosas. Y quizá encuentres algún nativo con el que charlar.

—Muchas gracias, *miss* —dijo Mai con una leve reverencia—. Volveré pronto para que no se enfade.

—Bien. Y ahora ayúdame con el vestido y arréglame el pelo. Luego puedes ir donde quieras.

Media hora después, Rose salió del camerino. Un par de invitados habían intentado entrar mientras se estaba cambiando, pero Mai los había disuadido resueltamente prometiéndoles que *miss* Gallway saldría enseguida a saludarlos. Mientras recorría el pasillo que daba al salón de invitados ataviada con su mejor vestido, el corazón empezó a latirle a toda prisa. ¿Le dejarían hablar un rato a solas con Paul?

Al ver que estaba allí, los invitados rompieron a aplaudir. Van Swieten se le acercó, besó su mano y la condujo al centro de la sala. Luego soltó un breve discurso que ella apenas escuchó, pues estaba demasiado ocupada buscando a Paul entre el gentío. ¿Se habría ido ya? El pánico se apoderó de ella. Si no podía hablar con él quedaría a merced de los otros hombres. Y se sabía de memoria las preguntas que le harían, pues siempre eran las mismas. En cambio, las mujeres no solían dirigirle la palabra; preferían mirarla de arriba abajo como si fuera una cualquiera que vendía su cuerpo por dinero. Como era de esperar, los hombres se abalanzaron sobre ella para colmarla de cumplidos. No veía a Paul y buscó a Carmichael, pero tampoco logró encontrarlo entre tanta gente.

De pronto, en medio de ese bosque de levitas y trajes negros que la rodeaba, divisó el cabello dorado de Havenden. Como es natural no podía dejar a esos señores con la palabra en la boca y correr hacia él; eso habría suscitado más de un rumor. Sin embargo, como si hubiera escuchado su mudo grito de ayuda, él la miró y se acercó a ese enjambre de hombres que la cercaba. Le llevó un rato llegar hasta ella, pero la sola certeza de tenerlo cerca le dio a Rose la fuerza suficiente para soportar las preguntas y los comentarios, e incluso para contrarrestarlos con soltura. Finalmente, Paul logró rescatarla con la excusa de querer presentarle a su prometida. Ninguno de esos señores reparó en que no la había traído consigo.

—¡No sabe cuánto se lo agradezco! —le susurró Rose mientras se perdían por el pasillo que daba a la biblioteca, el lugar menos frecuentado del edificio.

—¿Cansada de conversar con sus admiradores? —dijo él, divertido, mientras Rose sacaba su pañuelo para darse un poco de aire.

—Si a eso le llama usted conversar... No hacen más que preguntarme si ya estoy comprometida, qué se siente al subir a un escenario y si siendo mujer no necesito un protector.

—A juzgar por lo visto, no le vendría mal esa figura —dijo Paul entre risas.

—¡Por supuesto que no lo necesito! He nacido en esta ciudad y tuve que irme a estudiar a Londres siendo aún muy niña. No necesito a nadie que me proteja. Si acaso, a alguien que me espante a los moscones que desean hacerme su amante o que pretenden endilgarme a sus hijos con el mismo fin.

Rose notó que tras el discursito se había puesto colorada. Ni mucho menos pretendía ser tan franca con Paul, que sin embargo no pareció darse por aludido.

—Bueno, ha quedado claro que es usted una mujer muy moderna. Muchas de las damas presentes se despellejarían por conseguir como protector a uno de esos ricos terratenientes.

—Pero esas damas se conformarían con hacerse viejas en su plantación. A mí eso no me basta, me temo. Necesito la música, y también los escenarios.

—¿Y los aplausos?

—¿Qué artista no los necesita?

—Sin embargo, usted huye de los halagos tras el concierto.

—Como ya le dije, eso no tiene nada que ver con mi arte.

Tras oír sus palabras, Paul se la quedó mirando un instante.

—¿Me permitiría ver más de cerca su violín? —le preguntó finalmente, lo que desconcertó un poco a Rose, pues ningún admirador había mostrado nunca el menor interés por su instrumento. ¿No estaría buscando la manera de entrar en su camerino? Por un momento se arrepintió de haberle mostrado tanta confianza, pero luego se dijo a sí misma que Paul no era como los demás. ¡Ay de él si lo fuera!

—Por supuesto, pero está en mi camerino.

—Me haría usted muy feliz —repuso Paul dando un pasito hacia atrás.

Una sonrisa se dibujó en el rostro de Rose. ¡No se había equivocado con él!

—Está bien, ahora mismo vuelvo.

—Aquí la espero.

Entró en el camerino y vio que Mai ya no estaba. Antes de irse había recogido todo. Rose sonrió; parecía que las cosas con su doncella se habían arreglado. Con manos temblorosas, alcanzó el estuche y sintió de pronto celos del interés mostrado por Paul hacia su violín. Al fin y al cabo, ella y su instrumento se pertenecían... Después abandonó apresuradamente el camerino.

Tras mirar a un lado y a otro, se deslizó a hurtadillas por el pasillo como si fuera una ladrona. Paul la esperaba apoyado en la pared como si tal cosa. Por fortuna nadie había descubierto su escondite, ni tampoco parecían haberse percatado de su ausencia. Rose colocó el estuche sobre una mesita en la que había un florero. Escuchando el bullicio proveniente del salón, levantó la tapa y sacó el violín con cuidado.

—Tiene usted un violín maravilloso —dijo Paul, contemplándolo fascinado—. ¿Cómo lo consiguió? Debe de ser muy antiguo.

Rose miró pensativa su violín y luego acarició con ternura su cuerpo con las yemas de los dedos.

—Me lo regaló mi padre. Se lo compró a un mercader chino.

—¿A un mercader chino?

—Sí. Asombroso, ¿verdad? En Londres vi una vez un stradivarius que guardaba cierta similitud con este violín. Lo que está claro es que no fue fabricado en China. Y luego está la rosa... No es nada frecuente en este tipo de instrumentos.

Justo cuando iba a darle la vuelta, Paul adelantó la mano y rozó ligeramente sus dedos. Ella se detuvo instintivamente y él la miró de una forma que la inquietó un poco pero que al mismo tiempo despertó en su pecho un sentimiento hasta entonces desconocido.

—Será mejor que... me vaya —dijo guardando el violín en su estuche.

De pronto se sintió tonta y terriblemente indecente a la vez. Paul estaba prometido. No podían...

—Aguarde...

La cálida mano de Paul se cernió alrededor de su muñeca. Rose lo miró desconcertada. Lo que sentía cuando él la tocaba, ese ardor en el pecho, solo lo había sentido cuando se entregaba en cuerpo y alma a la música.

—Suélteme, por favor —dijo con suavidad a pesar de desear con todas sus fuerzas seguir sintiendo el tacto de su mano.

—Quisiera volver a verla, Rose —dijo casi suplicándoselo—. Acompáñeme a visitar la plantación. Al menos así dispondremos de unas cuantas horas para nosotros.

—Pero su prometida...

Por un momento él pareció sorprenderse. Pero enseguida repuso:

—Maggie siente un pánico atroz hacia la naturaleza. No vendría conmigo ni loca. Usted en cambio no tiene miedo de nada, y no puedo imaginar nada más hermoso que pasar una tarde a su lado. Se lo ruego.

La presión de su mano se hizo más intensa, así como el desconcierto de Rose.

—No puedo —se oyó decir con un hilo de voz, pero luego escuchó a su alma pedir a gritos estar a solas con él. Solo es una tarde, se dijo. ¿Qué puede pasar? Lo acompaño, visito la plantación y luego regresamos. En un par de días partiré hacia la India y dejaremos de vernos.

También había que tener en cuenta las estrictas máximas morales de la señora Faraday, quien siempre le había instado a no dejarse enredar por ninguno de sus admiradores. Además, nadie vería con buenos ojos que se embarcase en una aventura. Su mala fama acabaría manchando la del gobernador, que tan generosamente se había portado con ella. Pero si es solo una salida, una inocente excursión a la jungla, le decía el corazón. Seguro que también irán otras personas. Y puede que tú, con tus conocimientos del medio, les sirvas de ayuda.

—Rose, por favor —le imploró Havenden—. Le prometo que no se arrepentirá. ¿Quién mejor que usted para guiarme por esta tierra salvaje que la vio nacer?

—Seguro que hay guías más dotados dispuestos a ofrecerle sus servicios.

—No lo dudo, pero mi malayo no es especialmente bueno.

—Los guías suelen hablar perfectamente neerlandés e inglés.

—Rose, por favor... —Paul apretó sus dedos entre sus cálidas manos—, concédame este deseo. Usted me raptó y me llevó al mundo del teatro de sombras, deje que ahora sea yo el que la rapte y la lleve a la jungla. Solo es una excursión, nada más. Y puede que incluso se divierta en la plantación; me han dicho que tiene un jardín enorme.

Estaba tan cerca de ella, mirándola tan penetrantemente que no supo decir que no.

—Está bien, lo acompañaré. Pero ha de saber que esta semana tengo unos cuantos conciertos.

—Usted dígame cuándo podría y yo amoldaré mi agenda a la suya. A cambio ha de prometerme que, en cuanto haya el mínimo indicio de que se acerca un tigre, me avisará para que pueda ponerme a salvo.

—Dudo mucho que vaya a aparecérsenos un tigre. Son muy tímidos. A pesar de que de niña anduve bastante por la jungla, normalmente desoyendo las prohibiciones de mi padre, jamás me he topado con uno. Como ve, no sirvo ni para dar la voz de alarma.

—En ese caso seré yo quien se encargue de la seguridad.

Sus rostros se encontraban tan cerca que habría bastado un leve movimiento para besarse. Pero entonces Rose tuvo la impresión de que alguien los observaba y se volvió. Miró a un lado y vio a un hombre al que no conocía pero que parecía un poco indignado.

—Ahora sí que tengo que irme —dijo, y entonces agarró el estuche y desapareció en dirección al camerino.

Cuando esa noche Paul volvió a su hotel se sintió profundamente confundido. Aún tenía el aroma de Rose pegado a su cuerpo y podía sentir el tacto de su mano en las suyas. Y entonces, a pesar de que una parte de él se resistía a admitirlo, tuvo de pronto la impresión de que su matrimonio con Maggie había sido un tremendo error. ¿Cómo había podido suceder todo aquello en tan poco tiempo? ¿Acaso los trópicos habían nublado su razón? ¿Sería culpa del calor? No, sabía muy bien que incluso en Londres se habría quedado prendado de Rose; en especial allí, pues entre tanta calle gris y tanta convención ridícula ella luciría como una orquídea entre la hierba. ¿Podía permitirse reclamar esa flor para sí? Probablemente solo con dar a conocer su intención de obtener el divorcio se formaría un gran escándalo. Ni siquiera su madre, una mujer tolerante y moderna, sería capaz de comprenderlo. De Maggie y sus suegros mejor no hablar. En Londres sería un proscrito con el que nadie con una reputación que mantener querría tratar...

Acalorado, se quitó la corbata y se sentó en el sofá, que, por primera vez en todo el día, estaba desocupado, pues Maggie ya se había ido a dormir. Había querido ir con él al concierto, pero la persuadió de que se trataba de una reunión de inversores en la que se aburriría como una ostra. Ella le creyó y se quedó en el hotel, mientras que él se fue tan campante. Ahora se avergonzaba un poco de haberla engañado, y también de la repulsión que sentía hacia ella cuando la imaginaba pasando los días tumbada en el sofá. Seguro que en cuanto pisara la cubierta del barco de vuelta a casa recuperaría milagrosamente el ánimo...

Se dejó caer en el sofá como un peso muerto. ¿Qué iba a hacer ahora? ¿Seguir reprimiendo esa pasión que lo consumía por dentro y volver a Londres con Maggie? ¿O lo que le dictaba el corazón, que no era otra cosa que conquistar a Rose, divorciarse y ser feliz con su nueva mujer? Parecía tan simple... Pero ¿y si ella no quería? Notaba que se sentía atraída hacia él, pero no sabía si lo suficiente como para aceptar una petición de ese tipo. ¿No sería mejor esperar a estar divorciado? ¿Quería de verdad divorciarse? ¡Hasta entonces nunca se había visto en semejante encrucijada! Tenía jaqueca así que se levantó y fue al cuarto de baño. Allí llenó una palangana de agua y metió la cabeza dentro. El agua no estaba muy fría, pero bastó para que las venas se contrajeran y el dolor remitiera un poco.

—¿No te encuentras bien? —preguntó Maggie, que apareció detrás de él y le dio un susto de mil demonios. Llevaba la bata abierta, se le veía el camisón y el pelo le caía suelto por los hombros.

Antes, al verla así habría sentido un deseo irrefrenable, pero ahora no experimentaba nada. Y lo que era aún peor, no podía dejar de preguntarse cómo estaría Rose en esas mismas condiciones.

—No es nada, ya casi se me ha pasado —dijo él mientras alcanzaba una toalla para secarse el pelo. Cerró los ojos, se frotó la cabeza y apareció ante él la imagen de la violinista.

—La culpa es del maldito calor que hace en este espantoso país —murmuró Maggie poniéndole la mano en el hombro—. Deberíamos irnos de aquí cuanto antes. ¿Cuándo vas a ir a ver la plantación?

Las palabras de Maggie volvieron a despertarle una profunda aversión hacia ella. «¡La culpa de todo la tenía ese país!» ¿Por qué era incapaz de ver lo maravillosa que era esa tierra? ¿Por qué quería volver a toda costa a la gris Inglaterra? Si fuera por él, se quedaría a vivir allí. Al calor. En la tierra donde había nacido Rose. ¡Seguro que sería infinitamente más feliz que en un país frío y con una mujer que no dejaba de quejarse! ¡De buena gana se lo habría soltado! Pero, tal y como su padre le había enseñado, refrenó sus sentimientos y los ocultó ante Maggie. No apartó su mano, como hubiera querido, ni le hizo ver lo odiosa que le resultaba. Se limitó a fingir ser el marido cariñoso y fiel que se suponía que era.

—Lo siento, querida, pero vas a tener que armarte de paciencia unos cuantos días más. Mi abogado está en contacto con el dueño de la plantación para acordar una fecha para la visita.

En cuanto la sepa, contrataré un guía e iré allí con *mijnheer* Dankers.

Que la cita dependía única y exclusivamente de la disponibilidad de Rose y que tanto su abogado como el dueño de la plantación estaban a la espera de que él se pronunciara eran datos que no necesitaba conocer.

–Pues espero con fervor que eso suceda pronto. Estoy deseando poder pasar un rato contigo sin que el sol nos abrase.

Maggie tiró de él hacia el dormitorio. Paul se dejó llevar, pero en cuanto ella se quedó dormida a su lado clavó la mirada en el techo e intentó volver a ser dueño de sus pensamientos, que incesantemente lo arrastraban hacia Rose.

A pesar de que el enfado con Mai ya era agua pasada, Rose no acababa de confiar en la discreción de la muchacha con respecto a Carmichael, así que decidió llevarle en persona a Paul la nota con las fechas de sus conciertos. Obviamente sabía que, estando por ahí su prometida, no podía presentarse sin más en su habitación; pero también sabía que el portero de su hotel sería fácilmente sobornable. Así que se puso un sencillo vestido marrón, se recogió la melena y comprobó satisfecha frente al espejo que parecía una vulgar ama de casa, una de las muchas que había en Sumatra mitad inglesa mitad nativa. Después de introducir la nota en un discreto sobre en el que solo ponía el nombre de Paul, abandonó la habitación. Mai había ido a ver a una costurera de la ciudad, pues la noche antes, al desvestirse, su vestido había sufrido un pequeño percance. Como Rose le había ordenado esperar a que el remiendo estuviera hecho, disponía del tiempo suficiente para cumplir con su propósito.

No le costó mucho trabajo averiguar dónde se hospedaba. En la ciudad había un hotel de referencia para los ingleses; incluso en Londres, con la señora Faraday, había oído hablar de él en varias ocasiones. El hotel Newcastle estaba cerca del puerto, y era uno de los pocos que tenía nombre inglés. El hotel de Rose, el Batang, estaba en el centro y lo regentaban nativos. En realidad, Carmichael habría preferido el Newcastle, pero todas las habitaciones estaban ocupadas, lo que alegró mucho a Rose, que así pudo residir en el centro de su adorada ciudad natal.

Tras cerciorarse de que Carmichael no andaba merodeando por los alrededores del hotel —estaría en su habitación o Dios sabía dónde—, cruzó la puerta de cristal y se sumergió en la riada de paseantes. La mayoría eran nativos. Las mujeres llevaban a sus niños atados al cuerpo o bien iban cargadas con cestos llenos de arroz, batatas o fruta. Los holandeses, enfundados en sus trajes oscuros y en sus levitas, charlaban animadamente mientras sus mujeres hacían lo propio con las vecinas. Rose todavía conocía lo bastante bien las calles de su ciudad como para saber el camino más corto para llegar a cualquier parte. Como no tenía que preocuparse demasiado por su vestuario, se adentró por una de esas callejuelas que olían a todas horas a especias y a basura, saltó un reguero de agua sucia que alguien había arrojado a la calle y espantó con el borde de su falda a un perrillo que estaba a punto de aliviarse en una esquina.

¡Ahí estaba! ¡Justo enfrente! El hotel era uno de los edificios más nobles de Padang. Su blanca fachada no desentonaría en Londres. En los balcones de algunas habitaciones podía verse a señores vestidos con trajes claros y a señoras sentadas al sol con la pamela puesta esperando a que llegara la hora del almuerzo. Como los nativos sabían que a los ingleses les gustaba comprar *souvenirs,* extendían al borde de las aceras mantas con joyas, cajitas, postales y figuritas de madera. Mientras que algunos europeos se paraban a mirar, los nativos pasaban por delante sin hacer caso.

Rose se sacó la carta del bolsillo y entró con paso resuelto por la puerta del hotel, una obra maestra de madera tallada y cristal. El interior era como el de un hotel de Londres o París; si no fuera por los botones sudaneses, nada le haría recordar que seguía en Sumatra. Los cristales y las luces de la magnífica araña se reflejaban en el suelo de mármol pulido, cubierto en el centro con alfombras rojas. El aroma a café y té flotaba en el ambiente, aunque le faltaba el toque a especias que impregnaba los pasillos de su hotel.

Haciéndose pasar por una simple mensajera, la doncella de una señora anónima, Rose le dio la carta al portero de librea roja.

—Hágame el favor de entregarle esta carta a lord Havenden. A él y a nadie más —dijo subrayando las últimas palabras y deslizando discretamente un billete por el mostrador de la recepción.

El portero la miró con expresión interrogante, pero asintió enseguida e hizo desaparecer el billete bajo su mano. Luego guardó con cuidado la carta en un cajón. Rose le dio las gracias y se fue. En la calle, los ingleses se peleaban por comprar las baratijas que los nativos les ofrecían. Uno de ellos se apartó para dejar pasar a Rose y le dedicó una sonrisa. Ella se la devolvió y pasó rápidamente. En ese momento vio a Paul, que también se había detenido en uno de los improvisados puestos. La mujer que llevaba del brazo debía de ser su prometida. Iba enfundada en un vestido color crema, que bien podía ser de París, y su cara estaba roja del calor. En la mano que tenía libre llevaba un sofisticado quitasol de color blanco. De poco le va a servir, pensó malévola Rose, cuando vuelva a Inglaterra su piel estará marrón como la cáscara de una avellana, arruinada por el sol.

Verla apoyarse acaramelada en su brazo y susurrarle algo al oído fue como recibir una puñalada. Paul no daba la sensación de ser infeliz a su lado. Solo tenía ojos para ella; ni siquiera se había dado cuenta de que Rose estaba allí. ¿Me reconocería si me viera? ¿Se acercaría a mí, me presentaría y mantendría una charla cordial conmigo? ¿O me ignoraría como si fuera una cualquiera? ¿Será mi fama lo único que le atrae?

Las palabras de Carmichael resonaron en su mente, y aunque se maldijo por prestarles atención volvió a escucharlas. «Una vida normal...» En el fondo eso era lo que más ambicionaba: vivir junto a un hombre que la amara. ¿Era Paul ese hombre? No estaba segura. En ese instante sus dudas fueron a más...

Tanto, que se sintió tentada de ir corriendo al hotel y recuperar la carta. Si no daba señales de vida terminaría olvidándola... No, seguro que acabaría encontrando la manera de volver a verla. Y ella no tendría el valor de rechazarlo.

Mientras se ahogaba en aquel mar de dudas, la pareja echó a andar. El quitasol de la inglesita le tapó el campo de visión a Paul, por lo que este no pudo ver a Rose. Ya era tarde para volver al hotel... Entonces sí que la vería, y no quería hacer el ridículo delante de él y de su prometida. Así que, aprovechando que seguía fuera del alcance de su vista, siguió caminando y torció por la primera bocacalle que le salió al paso.

Ahora la pelota estaba en su tejado. Si había cambiado de opinión, ella lo aceptaría e intentaría olvidarlo. Cuando llegó a la calle de su hotel vio a Mai hablando con una mujer china bastante mayor que ella. Aunque era absurdo que una señora temiera a su sirvienta, a Rose se le encogió el estómago cuando, intentando por todos los medios que no la viera, pasó corriendo cerca de Mai.

Aquello le hizo recordar un episodio vivido en Londres, cuando ella y un par de compañeras más salieron una noche a escondidas del conservatorio a pesar de que les habían advertido de que era peligroso debido a la chusma que merodeaba. Las terribles historias que se contaban sobre Jack el Destripador, quien muchos años atrás había hecho de las suyas y jamás había sido atrapado, no hicieron sino alentar en ella una placentera sensación de peligro al ver esas calles débilmente iluminadas por las farolas de gas. Y cuando regresaron, esa sensación se hizo todavía más intensa al atravesar el pasillo donde estaba el dormitorio de la señora Faraday. Esa noche memorable lograron llegar a sus camas sin despertarla... Y ahora, cuando Rose regresó al hotel y volvió la vista atrás para cerciorarse de que Mai no la había visto, experimentó la misma sensación triunfal. Con una risa liberadora, se apresuró a subir por las escaleras haciendo caso omiso de la mirada atónita del portero.

–¡Oh, mira qué elefantes tan monos! –exclamó Maggie señalando entusiasmada las figuritas de madera que un muchacho de tez oscura tallaba a la manera tradicional.

Paul la miró sorprendido. Ese día su mujer parecía otra. Aunque el calor hacía incómodo el caminar, en ese paseo por la ciudad no había abierto la boca para quejarse ni una sola vez. Ni siquiera se había mostrado reacia cuando Paul le había propuesto ir a ver a los pescadores recoger sus redes, y eso que podían llenársele los zapatos de arena y era de prever que una costra de sal acabara recubriéndole los labios. ¿Se habría acostumbrado al fin a aquel lugar? ¿O instintivamente había captado su descontento, esa confusión interna que por las noches iba a más?

–Sí, son muy bonitos –repuso intentando disimular su turbación–. ¿Quieres uno?

Maggie asintió y Paul compró una figurita de madera pulida con varios cortes en el lomo.

–Tiene cierto aire hindú –señaló al dársela.

–Esperemos que nos traiga suerte –dijo ella acariciando la parte lisa de la figurita con los dedos enguantados.

–No hay elefante que no la traiga.

Paul la besó en la sien y juntos encararon la puerta del hotel.

–*Sir,* tengo un recado para usted –dijo el portero en cuanto vio a Paul, y enseguida le hizo entrega del sobrecito. En un primer momento el inglés pareció desconcertado, pero en cuanto reconoció la letra tuvo que hacer un gran esfuerzo para no sonreír como un colegial.

–¿Qué es, una carta? –preguntó Maggie al ver que se guardaba rápidamente el sobre en el bolsillo.

–Nada especial. Noticias de la plantación.

Entonces el rostro de Maggie se ensombreció, como si de pronto acabara de recordar el motivo por el que estaban allí. Paul trató de ignorar su reacción y siguieron andando hacia las escaleras. Hasta que no llegaron a la habitación, Maggie no abrió la boca.

–¿De verdad vas a comprar esa dichosa plantación? –dijo una vez se hubo quitado el sombrero.

Paul arqueó las cejas en señal de asombro.

—¿Qué, si no eso, nos ha traído hasta aquí? Y no voy a comprarla, solo voy a adquirir una participación.

—Ya, pero esa participación te obligará a venir a menudo, ¿no es así?

—Pues claro, tendré que cuidar de mi inversión. Además, el dueño cuenta con mi implicación. ¿Para qué están los socios?

Maggie frunció los labios. La paz que parecía transmitir hacía unos instantes desapareció de golpe. Todo indicaba que no había sido más que la calma que precede a la tormenta. ¿Lo sabría? No, imposible... La tarde que fue al teatro de sombras con Rose se retiró pronto a la cama, y a su vuelta aún dormía. Además, no la creía capaz de deslizarse por las calles de una ciudad desconocida con la sola intención de espiarlo.

—¿Qué te pasa, Maggie? —dijo en tono sereno, por más que el corazón estuviera a punto de salírsele por la garganta y no dejara de preguntarse si había sido buena idea casarse con ella. Su madre siempre apoyó a su esposo en todo. Si por adquirir parte de una plantación, un negocio seguro que iba a reportarles fantásticos beneficios, se ponía así, ¿cómo reaccionaría en otras circunstancias menos favorables?

—¡Que no quiero estar aquí ni un minuto más, eso es todo! —exclamó Maggie, presa de la ira—. ¡Odio este país! ¡Odio este calor! ¡Odio a esa gente! ¿Te has fijado en los niños? ¡No hay quien se los quite de encima, son como moscas! ¡Y ese hedor repulsivo que lo impregna todo! ¡Quiero irme de aquí y punto!

Semejante arrebato pilló a Paul tan desprevenido que se quedó sin habla. Le costó reconocer a su Maggie en aquella mujer que echaba sapos y culebras por la boca. ¿Cuándo se había apoderado de ella esa ira descomunal? De no dar crédito a lo escuchado pronto pasó a hervir de rabia como un cazo de leche que nadie se ha acordado de apartar del fuego.

—¡Este país que tanto odias trajo mucha riqueza a mi familia! ¡No veo por qué he de rechazar la oportunidad de hacer un buen negocio! El único error que he cometido con respecto a Sumatra es haber pensado que me apoyarías... ¡Debí haberte dejado en casa! ¡En tu querido gris y nublado Londres! ¡Tú estarías mucho mejor, y yo no tendría que soportar todo el tiempo tus infantiles lloriqueos!

Maggie lo miró como si acabara de darle una bofetada; luego hizo un puchero y se echó a llorar. Probablemente estuviera intentado ablandar su corazón, pero él no hizo ademán de consolarla. Lejos de apiadarse de ella, se reafirmó en sus reproches. En muchos aspectos, Maggie aún era una mocosa, y como tal se estaba comportando. Solo faltaba que se pusiera a patalear por no haber conseguido lo que deseaba. No, una esposa así no le interesaba. ¡Necesitaba una mujer fuerte, una que arrimara el hombro frente a los retos que iba a afrontar! Dejó pasar un momento, pero al ver que la cosa iba para largo decidió hacer algo para no tener que pasarse toda la tarde escuchando sus sollozos.

—Perdóname, no quise ser grosero —se disculpó acercándose a ella para estrecharla entre sus brazos. Y como era de esperar, Maggie se apoyó en él y dejó que le acariciara el pelo sin importarle que sus lágrimas le empaparan la camisa. Sin embargo, los pensamientos de Paul estaban volcados en la carta que tenía en el bolsillo esperando su oportunidad de ser abierta y leída.

Maggie fue al cuarto de baño para limpiarse las lágrimas y él se puso a ello. Precipitadamente rasgó el sobre y, al ver que el papel solo contenía una lista de números, se encogió de hombros, decepcionado. ¿Qué era esa lista? ¿Un mensaje en clave? Esa posibilidad no habría estado mal del todo, pensó, pero enseguida salió de su error y supo ver de qué se trataba: eran las fechas de los conciertos de Rose. Comprobó que tenía algún día libre entremedio y que, por suerte, disponía de tres días para ir a la plantación con él antes de partir a otro destino. Sin dejar de oír el gorgoteo del agua en el baño, se sentó en el secreter y tomó papel y pluma. De acuerdo, Maggie odiaba ese país, pero Rose no. Y no podía imaginar mejor compañía que ella. Rose le amenizaría el viaje, contaría hermosas historias y tal vez incluso pusiera su granito de arena a la hora de establecer relaciones cordiales con el dueño de la plantación; cosas que no cabía esperar de Maggie. Así que tomó nota de las fechas y escribió al dueño de la plantación para comunicarle su elección.

El día de la excursión, Rose estaba hecha un manojo de nervios. Ni Mai ni Carmichael sabían adónde iba realmente. So pretexto de ir con su madre al interior del país a visitar a su abuela había conseguido tres días de libertad antes de preparar el próximo concierto. Con todo, aún no estaba segura de lo que sentía por Paul Havenden. Él en cambio no parecía dudar tanto: la respuesta que le había devuelto distaba mucho de ser una mera confirmación de fechas.

Aunque ya había pasado casi una semana, no lograba quitarse de la cabeza la imagen de Paul con su prometida. ¿Estaba jugando con ella? ¿O era esa guapa inglesita la que estaba siendo engañada? ¿Cómo llevaba él todo el asunto? No se había vuelto a dejar ver por los conciertos. O bien estaba muy ocupado o se había dedicado a cuidar de su prometida.

—Discúlpeme, señora, pero quería salir a las siete en punto. —La sacó de sus pensamientos Mai con voz aún soñolienta. Su ama había vuelto pasada la medianoche del penúltimo concierto en Padang. Aún quedaba uno, el día antes de partir a la India para continuar la gira. Y Rose tendría que afrontar el duro trago de intentar olvidar que Paul ya estaría camino de Inglaterra y que quizá no volvería a verlo.

—Tienes razón, debería salir ya —dijo Rose, ataviada con un elegante vestido de viaje de color verde.

Se levantó y agarró el bolso de arpillera, que había llenado hasta los topes con todo lo que iba a necesitar esos días. Al notar el peso de su equipaje no pudo evitar sonreír. Cuando era niña y tenía que cruzar la jungla con su madre le bastaban menos de la mitad de esas cosas. Ahora también podría apañarse con apenas unos víveres. Pero viajaba con Paul y, seguramente, con un guía y algunos acompañantes más. O, al menos, eso esperaba pues viajar con un hombre sin carabina era de todo menos decente.

—Cuida de mis cosas y revisa mi vestuario —le insistió a Mai para que en su ausencia no perdiera el tiempo soñando despierta—. Asegúrate de que no hay ninguna mancha ni ningún roto. Quiero que todo esté en perfecto estado a mi vuelta. ¡Y pienso revisarlo!

—Descuide, *miss*. Me encargaré de que todo esté en orden.

Rose asintió. Después de que se fuera de la lengua, no había vuelto a darle motivos de queja.

—Abre bien los ojos, compórtate como Dios manda y mantén de buen humor al señor Carmichael para que no se le ocurra ir a buscarme y me traiga de los pelos para tocar en un tugurio de mala muerte.

—Así lo haré, *miss* Rose —repuso Mai con una sonrisa, pues había captado que eso último era una broma —. Tenga mucho cuidado en la jungla.

—No es tan peligroso como lo pintan. Si vas por las sendas que mi pueblo lleva usando durante años no corres el riesgo de ser devorada por los tigres. —Se sorprendió de lo que acababa de decir. ¿Cuánto hacía que no llamaba a la población de Sumatra «su pueblo»?—. Y si lo que te preocupa son las personas de la selva, descuida: no hacen nada.

—¿Las personas de la selva? —repitió Mai con los ojos como platos.

—*Orang Hutans;* así es como los llaman los nativos. Son unos monos muy grandes que tiempo atrás se creía que eran personas. Ya te contaré a mi vuelta. —Dicho lo cual se despidió y abandonó la habitación.

Esperaba que Carmichael se hubiera olvidado de despedirla, pero al salir al pasillo se lo encontró de frente.

—Que tengas un buen viaje. —Era la primera vez que hablaban desde la discusión; hasta de sus breves vacaciones le había informado por escrito. Ahora, al encontrarse, no quedaba otra que saludarlo—. Cuida de ti y sobre todo de tus manos. Sin ellas...

—Sin ellas no soy nada, ya lo sé —contestó Rose algo incómoda—. No te preocupes, estoy en mi patria, conozco el terreno.

Cuando iba a dejarlo atrás, Carmichael estiró la mano y la agarró; sus ojos la taladraron.

—¿Cuánto te va a durar el berrinche? ¿Tenía o no razón cuando dije que no eres una mujer normal? ¡Deberías escuchar los elogios que te dedica la gente después de los conciertos! Muchos te comparan con un ángel. Si no fueras tan terca y dieras tu brazo a torcer te enseñaría las críticas. Son mejores que nunca.

Rose apartó su mano. Saber que sus actuaciones estaban teniendo tan buena acogida la halagó, pero también le confirmó que estar ilusionada, enamorada incluso, no afectaba para mal a su arte.

—Pues entonces me debes una disculpa —repuso fríamente—. Pero mejor te la guardas para cuando vuelva. Según parece no he hecho nada malo. Mi música sigue siendo brillante, así que la escenita que me montaste carece de justificación. Y ahora vas a tener que perdonarme... ¡No quiero hacer esperar a mi madre! —exclamó, y siguió su camino sin volver la vista atrás, a sabiendas de que Carmichael la estaría mirando con gesto agrio.

Previendo que su agente no podría contenerse e intentaría seguirla, Rose había trazado un plan con Havenden: iría hacia el puerto para hacer creer a su hipotético perseguidor que realmente se dirigía a casa de sus padres, pero poco antes de llegar doblaría por un callejón, donde él estaría esperándola. El corazón le latía desbocado mientras avanzaba por las calles intentando esquivar los charcos. La noche anterior había llovido mucho, pero apenas había refrescado. En la ladera de las montañas, una niebla blanca como el algodón se extendía sobre el aterciopelado verde que las cubría.

Muy cerca del callejón se detuvo un momento. Tenía las manos heladas de los nervios, mientras que las mejillas le ardían. Como nos suceda algo durante el viaje no solo Carmichael va a maldecirme para toda la eternidad, se dijo. Pero enseguida apartó de su mente esos pensamientos y siguió caminando con paso resuelto. Entonces oyó un resoplido. Dobló la esquina y se encontró con tres caballos. Un nativo de piel bronceada sujetaba a dos de ellos por las riendas. Al tercero lo estaba acariciando Paul.

—¡Ah, pero si ya está aquí! —exclamó al verla—. Pensé que al final cambiaría de opinión.

—¿Por qué iba a hacerlo? —Acto seguido saludó en malayo a su paisano—. Esperamos a alguien más, ¿no?

—No sé a quién —dijo Paul con una amplia sonrisa—. Mi abogado, el señor Dankers, ha preferido adelantarse para hablar con mi futuro socio e ir allanando el camino... Ya me entiende.

—¿Acaso el dueño de la plantación aún no está seguro de hacer negocios con usted?

—Por supuesto que sí, pero la plantación en la que pretendo invertir no marcha tan mal como para no atraer a otros inversores. Si por lo que fuera no consigo caerle bien a su dueño, el negocio se irá al traste.

Rose tuvo que admitir que el mundo de los hombres era un misterio para ella. En ocasiones, cuando Carmichael le contaba cómo llegaban a firmarse los contratos, todo le parecía un completo disparate, pero entonces solía decirse que era una artista y que no tenía por qué entender de esas cosas.

—Pues ya puede ir sacando a relucir sus encantos —repuso Rose, arrancándole una sonrisa al inglés.

—Seguro que su presencia va a serme de gran ayuda a ese respecto. De lo demás se encarga mi abogado. Yo solo tengo que sonreír y hacer algún que otro comentario ingenioso.

—¿De veras cree que podré convencer al dueño?

Paul la miró hasta hacerla enmudecer. No era la mirada de un hombre que se había procurado la compañía adecuada para quedar bien delante de un socio; iba mucho más allá. De pronto su mente se vio inundada de toda la moralina que la señora Faraday le había inculcado. Era inadmisible que una joven atravesara la jungla a solas con un hombre. ¡Qué menos que una dama de compañía, o siquiera una doncella! Pero el hecho era que ahí estaba ella, con un hombre al que encontraba de lo más atractivo y un guía que no movería un dedo por mantener su virtud a salvo. ¿Y ella?, ¿quería ella mantener su virtud a salvo? No era

203

una niña consentida de familia noble, y se sabía lo bastante lista como para evitar un escándalo. ¿Por qué no seguir entonces los dictados de su corazón?

—Pues si no espera a nadie más... —Rose miró a su alrededor. Sentía el deseo irrefrenable de abandonar la ciudad; Carmichael podía acechar en cualquier esquina...

—Pongámonos en marcha. Confío en que no sea la primera vez que monta a caballo.

—No. —Rose meneó la cabeza—. Mi padre me enseñó a montar. Puede que esté algo oxidada, pero en cuanto monte en la silla seguro que recupero el hábito.

En cuanto dejaron la ciudad atrás, Rose sintió un profundo alivio. Hasta el último momento no había dejado de temer que Carmichael apareciera de la nada, descubriera la verdad y la hiciera bajar del caballo a tirones. Por suerte, eso no había sucedido, y ahora la rodeaba la exuberante vegetación de la jungla, el trino de los pájaros y los gritos de los monos.

—No parece muy intimidada por el entorno —dijo Paul acercando su caballo al de ella. El guía iba un poco adelantado, pero Rose sabía que esos caminos no entrañaban gran riesgo. Los tigres merodeaban por el corazón de la jungla, y solo los ejemplares más viejos, carentes ya de fuerzas para la caza, osaban acercarse al hombre. El ruido de los cascos espantaba a las serpientes y a las arañas, y los pacíficos orangutanes eran tan inofensivos como los macacos o el resto de las numerosas especies de monos pequeños. Por otro lado, un observador atento podía deleitarse contemplando hermosas aves y mariposas.

—Por supuesto que no... No olvide que esta es mi patria —repuso Rose con una sonrisa—. Créame si le digo que me inspiran más respeto algunos barrios de Londres. Aquí no hay nada que temer.

—El viejo Londres no es tan fiero como usted lo pinta. —Una sonrisa asomó en el rostro de Paul—. Pero esto es el paraíso. Cuanto más conozco esta isla, más me convenzo de que el jardín del Edén tuvo que estar aquí.

—Seguro que así lo creen algunos viajeros provenientes de otros países. En cambio, yo he visto muchos lugares hermosos.

—Pero ninguno como la isla que la vio nacer, ¿me equivoco? —Paul la miró expectante.

Rose comprendió que era inútil negarlo.

—No, ningún lugar puede compararse a Sumatra —sentenció esbozando una sonrisa—. ¿De veras planea venir frecuentemente?

—Después de todo lo que he visto, sí. Esta isla me resulta de lo más inspiradora, y además mi salud mejora lejos del frío y la humedad. Como es natural, tengo que ocuparme de mis negocios en Inglaterra, pero un par de meses al año sí que podría pasarlos aquí; a poder ser en invierno, que es cuando en Inglaterra se está peor.

—¿Y qué opina su prometida de esto?

Al ver cómo se ensombreció el rostro de Paul, Rose casi se arrepintió de haberle hecho esa pregunta.

—Lo cierto es que Maggie... —Ahora era él quien parecía arrepentirse de haber empezado a responder—. Ella no quiere saber nada de este país. La verdad es que cada día crece más en mí la impresión de que no le interesa nada de lo que hago —se lamentó—. Si he de serle sincero, ya no estoy seguro de que Maggie sea la mujer que... —Paul volvió a titubear, y a tenor del gesto que adoptó tenía que estar albergando un pensamiento terrible—. Quiero decir que ya no sé si... deseo casarme con ella.

Rose se quedó sin aliento.

—¡No diga eso!

—Ya lo creo que lo digo —replicó con vehemencia, como si quisiera inculcarse sus propias palabras—. ¡Lo digo porque es lo que siento! Si al fin llego a un acuerdo con el dueño de la plantación, voy a tener que venir a menudo. Será mucho tiempo, y no quiero pasarlo solo. Necesito una mujer que esté dispuesta a viajar conmigo, que no se arredre ante lo desconocido. ¿De qué me sirve una mujer que teme a los monos o a los nativos por más que le digas que son inofensivos?

Rose miró a Paul impresionada, no se esperaba tanta franqueza. Una parte de ella se alegraba, pero otra aún mayor se sentía impactada y confusa. ¿Sería tan fuerte su anhelo secreto como para hacer que todo conspirara a su favor? Pero ¿qué sucedería si dicho anhelo amenazara con cumplirse? ¿Estaba preparada para ser la esposa de Paul? ¿Lo estaba siquiera para ser su amante? ¿Estaba dispuesta a dejar la música por él? A esto último sin duda no, pero seguro que Paul lo comprendería...

Cabalgaron en silencio hasta que el sol se escondió en el horizonte y la bruma empezó a apoderarse del aire. De pronto, el guía se volvió hacia ellos y les dijo, en un rudimentario neerlandés, que la plantación se encontraba cerca.

—¿Ha oído? —le dijo Paul a Rose con una amplia sonrisa—. Pronto sabremos si es una buena inversión o un fiasco.

La casa señorial estaba algo ajada, pero aun así brillaba como una perla en medio de la verde vegetación que la rodeaba. El dueño había decidido proteger sus bienes con dos perrazos, concretamente dos sabuesos, como supo reconocer Rose, pues en Londres conocía a una familia acaudalada que había optado por la misma medida de seguridad. El negro portón de hierro, decorado con una roseta, no era demasiado amigable, al igual que los altos setos que se extendían entre los postes de la verja para ahuyentar las miradas curiosas. ¿A qué vendrá tanta precaución?, se preguntó Rose. A nadie se le ocurriría atravesar la jungla para robarles. Y un animal salvaje no tendría problema en salvar esos obstáculos; los perros no eran rivales para un tigre.

Para llamar la atención de los de dentro había una campana en lo alto de la cerca. Paul tiró de la cuerda y se oyeron unos ladridos amenazantes y las dos fibrosas fieras negras plantaron sus pezuñas en los barrotes de la verja, asustando a los caballos.

—Si no han oído la campana seguro que a los perros sí —dijo Paul algo contrariado.

Al poco vieron a dos hombres acercarse por el camino. Uno de ellos, un hombre alto y robusto que a Rose le recordó a un

206

guardabosque, llevaba dos sogas con las que ató en corto a las dos fieras. Luego les dijo algo en tono severo y tiró de las cuerdas con fuerza; tras unos breves aullidos, los perros se postraron mansos a sus pies.

—Collares con pinchos —musitó Paul, anticipándose a la pregunta que rondaba la mente de Rose.

Acto seguido les abrió el otro hombre, que obviamente no era el dueño sino su mayordomo.

—Sea usted bienvenido, *mijnheer* Havenden —dijo antes de girarse hacia Rose con gesto interrogante.

—Esta es mi prometida, Maggie Warden —la presentó Paul. Rose se quedó de piedra.

—*Mijnheer* Van den Broock y *mijnheer* Dankers lo están esperando. Acompáñeme, si es tan amable. Anders se encargará de los caballos. No se preocupe, están en las mejores manos.

El sirviente, que tanto y a su vez tan poco tenía que ver con un mayordomo inglés, se dio la vuelta. Solo entonces Rose se atrevió a mirar indignada a Paul. ¿Cómo se le había ocurrido presentarla como su prometida? ¿Acaso los dos hombres con los que iban a reunirse no sabían qué aspecto tenía la novia de Paul? De buena gana le habría leído la cartilla, pero prefirió esperar. ¡Estaba por ver cómo saldría Paul de ese atolladero! Tales eran el miedo y la ira que embargaban a Rose que ni siquiera pudo fijarse en el maravilloso jardín que estaban recorriendo. Solo al llegar a la escalinata que daba a la casa fue consciente de que estaba inmersa en un mar de flores. El dueño de la plantación no había tenido muy en cuenta las normas y usos de la jardinería inglesa; había preferido dejar que la vegetación creciera salvaje, casi como hacían los antepasados de su madre. Mientras subía las escaleras descubrió, casi ocultas entre la maleza, las chozas de los plantadores y cosechadores. Más allá se erigían en terraza los campos de caña de azúcar.

—A simple vista parece un lugar muy agradable, ¿verdad, querida? —dijo Paul esbozando una desvergonzada sonrisa.

Rose optó por no decir nada. Probablemente la verdadera Maggie habría hecho lo mismo, le dio por pensar. El sirviente los condujo a través del vestíbulo a lo que parecía ser una especie de recibidor, cuyas paredes recubiertas de madera apenas asomaban entre tanto cuadro. Rose estaba a punto de estallar, pero no dejó de poner buena cara hasta que vio al sirviente abandonar la estancia.

—¿Cómo se le ocurre decir semejante cosa? —le reprochó a Paul entre susurros—. ¡Seguro que su abogado conoce a su prometida!

—A mi abogado esos asuntos le importan un bledo, y además no ha visto a Maggie en su vida.

—Y ahora me dirá que no lo traía planeado...

Una sonrisa pícara asomó en el rostro de Paul.

—Pues no, ha sido una ocurrencia. Una ocurrencia que va a evitarnos muchas explicaciones. De otro modo insistirían en saber quién es usted y qué relación nos une. Así todos la aceptarán como mi prometida y usted podrá disfrutar de su anonimato.

—¡Pero no deja de ser una sinvergonzonería injustificable!

—Venga, Rose, no me diga que no le gustan los juegos. Véalo como tal y disfrute. Son solo dos días. Además, estoy seguro de que nuestro anfitrión va a caer rendido ante una mujer tan encantadora como usted y será más proclive a rebajar sus pretensiones.

¿Mujer encantadora? Quizá en otras circunstancias le habría halagado oír esas palabras, pero ahora le hicieron montar en cólera. ¿Qué sería lo próximo que Havenden le tenía reservado?, ¿tomarla del brazo? Y si todo aquello no era más que un juego, ¿por qué no la había puesto al corriente de las reglas? Antes de que Rose pudiera poner el grito en el cielo la puerta se abrió de nuevo y apareció el mayordomo en compañía de dos señores: uno moreno, algo chaparro y con una poblada barba, y otro alto y rubio que, a juzgar por su sencilla pero elegante indumentaria, debía de ser el dueño de la plantación.

Paul le lanzó a Rose una última mirada suplicante y le tendió la mano al rubio.

—*Mijnheer* Van den Broock, es un placer conocerlo en persona. Le presento a mi prometida, Maggie Warden, que se ha quedado sin palabras al ver su maravillosa propiedad.

Rose se tragó la bilis e incluso logró esbozar una sonrisa. Enseguida notó que ese hombre la escrutaba con mirada inquisitiva, probablemente por el leve exotismo de sus rasgos, pero como no quería perjudicar a Paul se limitó a decir:

—Encantada de conocerlo. Hace días que Paul no habla de otra cosa que de la plantación.

Van den Broock, cuyo aspecto era todo menos afable, soltó una sonora carcajada.

—Bueno, ya veremos si dura su entusiasmo. Mi plantación marcha bien, pero podría dar aún más beneficios con un socio de fiar a mi lado.

—Le tomo la palabra. No tengo la menor duda de que Paul es el socio que anda buscando.

¿Había ido demasiado lejos? Sea por lo que fuere, la mirada de Van den Broock se había tornado escéptica.

—Su neerlandés es admirable. ¿Puedo preguntarle dónde aprendió mi lengua una señorita de Inglaterra? —preguntó al fin.

Rose ni siquiera se había dado cuenta de haber respondido en la lengua materna del dueño de la plantación. Entonces cayó en que la verdadera Maggie no habría entendido una palabra. Inmediatamente se le aceleró el pulso.

—La aprendí de mi madre —repuso, lo cual al fin y al cabo no era mentira. Luego bajó la cabeza fingiendo timidez, aunque en realidad pretendía que no se notara lo enfadada que estaba con Paul—. A ella se la enseñaron de niña.

—Qué curioso... Lo cierto es que me alegro, así no tendré que ofender a nadie con mi espantoso inglés. ¿Vamos al salón? Mi cocinero es un auténtico mago, por más que yo aún no sea del todo capaz de apreciar sus milagros culinarios, me temo. Por ello le compenso dejando que despliegue todo su talento con mis invitados.

El menú que el cocinero llevó a la mesa consistía principalmente en especialidades locales, la mayoría con fuertes condimentos. Van den Broock, al igual que Rose, parecía estar acostumbrado a esa comida, mientras que Paul tenía serios problemas con el picante. Verlo llorar a lágrima viva, después de vaciar el vaso de agua en su garganta sin querer admitir por orgullo que no podía más, supuso para Rose una pequeña revancha con respecto al juego que la había obligado a jugar. Ella también tenía las mejillas rojas por la comida, pero la sensación le resultaba familiar y no le suponía inconveniente alguno, pues su madre cocinaba aún más picante que el cocinero del dueño de la plantación.

Después de cenar, Van den Broock inició una charla eterna sobre la producción de azúcar. Parecía saberlo todo acerca del clima, la fauna, la flora y, sobre todo, la situación política. Paul contraatacó con anécdotas relacionadas con la hacienda familiar, ligadas sobre todo a la cría de caballos y la agricultura, que resultó ser la debilidad de ambos. Rose se alegró de que el anfitrión apenas le dirigiera la palabra. Las pocas preguntas que le formuló giraron en torno a Londres, lugar que Van den Broock no conocía, así que no halló dificultad alguna en contestarlas. Más de una vez tuvo que morderse la lengua para no soltar alguna anécdota del instituto de la señora Faraday. En un determinado momento se dejó llevar por su pasión y comentó que era una gran admiradora de la obra de Vivaldi. Paul no dejó pasar la oportunidad de retomar su arriesgado juego y comentó que su prometida no tocaba mal del todo el violín. Como era de esperar, Van den Broock le pidió entonces que hiciera una pequeña demostración. Por suerte, el violín que había en la casa dejaba bastante que desear, y eso, unido a que Rose se forzó a tocar con cierta dejadez, hizo que nadie se diera cuenta de que estaban ante una de las mejores violinistas del mundo. Tras esa broma inocente (al menos lo era para él), Paul le guiñó el ojo con complicidad y Rose fue incapaz de mantener su enfado. La verdad era que resultaba excitante y divertido confundir un poco al anfitrión. Una vez Rose hubo tocado, el resto de la velada transcurrió armoniosa y sin más sobresaltos para ninguno de los presentes.

Ya en su cama individual –Van den Broock, soltero y sin hijos, por suerte era de la opinión de que dos prometidos no podían compartir lecho–, Rose miró pensativa hacia la ventana, por la que de vez en cuando se veían pasar murciélagos y aves nocturnas. Esa noche acababa de comprobar, en cierto modo, qué significaba ser la prometida de Paul. Por un lado le había gustado ser apreciada por los hombres sin tener que demostrar de lo que era capaz. Pero por otro se había dado cuenta de que, a los ojos de esos mismos hombres, no era más que un apéndice de Paul. En el escenario, donde ella era el blanco de todas las miradas, nadie dudaba de su valía. En cambio, esa noche, se había sentido inútil... Aunque quizá se debía a que había tenido que adoptar una identidad que no era la suya. Pensó en ello y volvió a enfadarse un poco con él. ¿Por qué no se había limitado a presentarla como una amiga? Aunque Van den Broock no daba la impresión de ser un melómano, ella al menos habría tenido algo de que hablar. Aun así, a pesar de sus tretas miserables y de que no parecía importarle más que conseguir una parte de la plantación, no podía evitar sentirse en la gloria junto a Paul. A la vuelta, en cuanto el abogado les dejara un rato de intimidad, hablaría con él e intentaría aclarar la situación.

A la mañana siguiente, Paul la despertó muy temprano, pues Van den Broock había quedado en enseñarles el terreno. En un primer momento, al abrir los ojos, no supo dónde estaba. Pero en cuanto vio a Paul sus sentidos se pusieron alerta; había entrado sin llamar.

—¿Qué hace usted aquí? —exclamó tapándose con la colcha hasta la barbilla.

—Buenos días, Rose. Perdone la intromisión, pero es que ayer tuve una revelación, y he pensado que era una buena ocasión para... —Se detuvo, tomó aire e intentó tranquilizarse.

211

—¿Y no puede esperar hasta más tarde? —preguntó Rose sorprendida y un poco nerviosa, pues él parecía estar completamente enajenado.

Entonces, aún con mayor asombro, lo vio arrodillarse junto a la cama.

—Rose, ¿quieres casarte conmigo?

Con eso sí que no había contado. Rose abrió los ojos como platos y retrocedió espantada como si quisiera apartarse de un insecto repugnante.

—¡Usted ha perdido el norte!

—De eso nada. Hablo en serio. ¿No te imaginas siendo mi esposa? Viviendo juntos... Aquí, en Sumatra.

—Olvida que mi profesión me obliga a viajar por todo el mundo. Y no estoy dispuesta a abandonar el violín y las actuaciones por usted.

—No tiene por qué ser así. Aquí tendríamos nuestra primera residencia... Y tú podrías viajar igual que ahora. Y cuando me lo permitieras, yo iría contigo. Y cuando no estuvieras con tu agente cosechando éxito tras éxito a lo largo y ancho del mundo, estaríamos juntos, dando largos paseos por la jungla o haciendo lo que tú quisieras.

Rose negó con la cabeza.

—Olvida también a su prometida.

—No hay compromiso que no pueda romperse.

Ahora sí que Rose se convenció de que había perdido la cabeza. Lo mejor sería largarse de aquí, pensó. Que se encargue él de explicar por qué su «prometida» se ha esfumado.

Finalmente se encogió, se envolvió en la sábana y se levantó.

—No sé a qué viene todo esto a estas horas de la mañana, pero empiezo a temerme que se trata de otra de sus bromitas.

—¡No bromeo! —exclamó Paul ofendido, y se apartó de la cama.

—¡Pues peor me lo pone! ¿No se da cuenta de las consecuencias? ¡Menudo escándalo se formaría!

—¡Me da igual! He estado rumiándolo toda la noche... Y la única conclusión a la que he llegado es que mis sentimientos son sinceros y que por tanto hago lo correcto.

A Rose, el corazón estaba a punto de salírsele por la boca. Ella también había estado dándole vueltas a la idea de ser su esposa, pero que él se lo planteara seriamente era algo que no se esperaba en absoluto. De hecho, aún ahora seguía convencida de que no era más que una artimaña. ¿Cómo iba a romper su compromiso?

—Nunca debí haber venido con usted —dijo finalmente, sin saber muy bien si la opresión que sentía en el pecho era debida a la decepción o a otra cosa—. Vaya adelantándose, por favor. Yo tengo que vestirme. Todavía hemos de seguir con esta farsa un poco más.

Paul la miró sin decir nada. Su gesto reflejaba decepción, pero también melancolía. ¿Iría en serio de veras? ¡Valiente disparate aunque así fuera!

—Está bien —dijo él soltando un suspiro y apartando la vista—. Le pido disculpas, no pretendía...

A Rose le habría encantado saber qué pretendía en realidad, pero antes de reunir el valor suficiente para preguntárselo Paul se volvió y abandonó la habitación.

Con un nudo en el estómago, Rose apareció en el comedor, donde el cocinero había servido un espléndido desayuno. Los tres hombres, que charlaban animados, se levantaron al verla entrar.

—Espero que haya pasado una buena noche, señorita Warden —dijo el anfitrión en un inglés de supervivencia.

—He descansado muy bien, gracias —repuso Rose, esforzándose por ocultar su casi imperceptible acento, pues estaba segura de que Van den Broock quería ponerla a prueba.

Mientras tomaba asiento le lanzó una mirada a Paul, que había vuelto a sentarse como los demás pero enseguida clavó la vista en su taza de té como si contuviera algo terriblemente interesante. Rose notó el desencanto en su rostro. Confundida, optó por hacer lo mismo y contempló la nubecita de leche que flotaba sobre el té, recién servido por un criado sudanés. ¿Habría dejado pasar la oportunidad de su vida? Cuando Paul había abandonado su cuarto, hacía tan solo unos minutos, ella creía haber hecho lo correcto, pero ahora la duda le arruinaba el apetito y la sumía en un sombrío silencio. Rose volvió a la vida en cuanto dio comienzo la visita a la plantación.

—Espero que el paseo no resulte engorroso, señorita Warden —dijo Van den Broock mientras cruzaban el patio, jaleados por los ladridos de los perros.

Le habría gustado decirle que, para ella, recorrer una plantación de azúcar no era más que un modesto paseíto, pero afortunadamente se mordió la lengua.

—No se preocupe por mí, adoro pasear.

El anfitrión se echó a reír.

—No deje escapar a esta mujer, lord Havenden. Ese es el espíritu que se requiere aquí en Sumatra.

Paul asintió sin siquiera mirarla. Por suerte, Van den Broock no pareció requerir de ellos ninguna muestra de amor. El anfitrión le dijo algo a su gigantesco administrador, el mismo que el día anterior había domeñado a los sabuesos sin despeinarse, y luego conminó a Paul, a Rose y al abogado a seguirlo.

La plantación, dispuesta en sucesivas terrazas, era un lugar paradisíaco. Los gritos de los monos se oían a lo lejos y aves de vivos colores revoloteaban sobre sus cabezas. Rose creyó remontarse a aquella visita que hiciera a su abuela de niña, pero la visión de Van den Broock, que iba unos metros por delante de ella, la devolvió precipitadamente al presente. Aquel hombre no había ido a ese lugar en busca de un hermoso jardín; el interés de los terratenientes holandeses se limitaba a sacar la mayor rentabilidad posible de cada palmo de tierra. La caña de azúcar había encontrado un buen aliado en esos terrenos, y mientras que a un lado los brotes verdes luchaban por crecer, al otro las gruesas cañas se erigían con las puntas cortadas a machete. Los hombres que trabajaban en los cultivos vestían casi sin excepción con pantalones blancos y sencillas camisas de algodón, aunque algunos iban con el torso desnudo. En la cabeza llevaban atado un pañuelo para absorber el sudor. Era admirable verlos apilar y atar la caña recogida para luego llevarla a las chozas donde sería procesada.

Llegados a un determinado punto, Van den Broock decidió no seguir y animó a sus invitados a continuar solos la ascensión. Obviamente la plantación no abarcaba toda la ladera, pero la última terraza ofrecía unas vistas impresionantes del paisaje, semejante a un mar verde cuyas olas rompían en los lindes de la plantación.

—Al principio, había días en que uno dudaba de poder lograrlo. Mi padre fundó todo esto, pero no vivió lo suficiente como para verlo en su máximo esplendor.

—Esplendor que sin duda se debe a usted.

—Al menos ese ha sido mi empeño —dijo Van den Broock con aparente modestia, aunque Rose supo captar el tremendo orgullo que destilaban sus palabras—. Pero he llegado a un punto en que no puedo seguir adelante solo. Necesito un socio fuerte que me ayude a crecer.

—Pues espero estar a la altura de sus expectativas.

—Primero ha de comprender lo exigente que es poseer una plantación. Es muy probable que tenga que pasar largas temporadas en Sumatra. Debería plantearse si su futura mujer y su venidera familia están dispuestas a aceptarlo.

Paul miró a Rose, que, puesta en ese brete, no pudo evitar bajar la mirada. Pero ¿por qué? No dependía de ella que Paul se embarcara en ese negocio. ¡No era ella su mujer, sino esa tal Maggie! Esa Maggie que no podía soportar Sumatra y que solo pensaba en irse de allí cuanto antes. Curiosamente, ese pensamiento la entristeció un poco. No por la isla, sino por Paul. Y por sus propios sentimientos. Como nunca había estado enamorada, no sabía lo que se sentía, pero ese ardor que consumía su pecho bien podría encajar con eso que llamaban amor.

Al final dieron la espalda a la plantación y siguieron a unos trabajadores que llevaban la caña a unas chozas de las que salía un ruido ensordecedor. En esas construcciones de bambú trabajaban sobre todo mujeres, que se encargaban de meter la caña de azúcar en una inmensa prensa, de la que salía molida gracias a una correa de transmisión y una máquina de vapor. El traqueteo y los constantes silbidos ahogaban cualquier otro ruido, así que les resultó casi imposible escuchar las explicaciones de Van den Broock.

Rose contempló fascinada cómo la máquina trituraba la caña. Si un brazo quedara atrapado entre esos engranajes de hierro, acabaría cercenado sin remedio. Pero las mujeres trabajaban con cuidado y eficiencia; los movimientos de sus manos, repetidos una y mil veces, eran mecánicos y precisos. Por un caño de bambú fluía un espeso jugo marrón claro que iba a parar a una marmita. En cuanto esta se llenaba, una mujer la trasladaba a un fogón. Allí se esperaba a que el viscoso sirope hirviera y luego se derramaba en unos moldes.

—Esto es oro puro —afirmó Van den Broock, sujetando en alto un puñado ya cristalizado—. Nadie sabe a ciencia cierta lo que durará una mina de oro. En cambio, esta riqueza no se agotará mientras el suelo que pisamos siga siendo fértil.

Al mismo tiempo que escuchaba a Van den Broock enumerar las fantásticas posibilidades del comercio del azúcar, Rose se percató de que las trabajadoras lanzaban fugaces miradas de temor a su señor e inmediatamente apartaban la vista. Además, a algunas se les marcaban los huesos bajo la túnica. ¿Acaso el amo no las trataba bien? De niña había oído en varias ocasiones que algunos terratenientes maltrataban y explotaban a sus trabajadores. No obstante, ese tipo de cosas no se sabían en la ciudad. Claro que los nativos tenían que trabajar muy duro en el puerto, pero jamás se vio a ningún holandés maltratar abiertamente a los trabajadores. Su padre, por ejemplo, siempre se había preocupado de que su gente dispusiera de lo necesario para comer y mantener a sus familias.

Rose sintió un nudo en el estómago. Al fin y al cabo, por más que apenas se le notara, ella era en parte nativa, y no podía evitar avergonzarse de estar junto a Van den Broock y ser el blanco de las miradas de espanto de esas mujeres. Hasta entonces casi nunca se había parado a pensar en que los holandeses eran los amos de la isla, pues ya estaban ahí desde mucho

216

antes de que ella naciera. Sin embargo, en ese instante le pareció terriblemente injusto que esas mujeres dieran hasta la última gota de sudor por ese señor. Un señor que, a juzgar por el demacrado aspecto de las trabajadoras, ni siquiera les pagaba bien. Entonces una de las mujeres la miró. Sus ojos eran oscuros como el fértil suelo de la plantación, y Rose pudo ver con claridad que una cicatriz le surcaba la mejilla, fruto probablemente de un fustazo o de un corte. ¿Se lo habría hecho Van den Broock? La mirada de esa mujer se le grabó a fuego en el alma.

—*Miss* Warden, ¿nos acompaña? —preguntó una voz arrancándola de sus pensamientos. Sin que le diera tiempo a darse cuenta, los tres hombres ya estaban en la puerta. Rose miró de nuevo a la mujer, que ya se había vuelto hacia su montón de azúcar, y le dio la espalda con una terrible angustia en la boca del estómago.

Tras la visita a esas chozas, donde todo estaba impregnado de un olor dulzón, le chocó el aire fresco y acre que se respiraba fuera. Un lejano rumor, transportado por el viento, llegó desde las montañas. El cielo había estado cubierto todo el día. ¿Llegaría ahora la lluvia? Rose deseó que así fuera, pues esperaba que un buen aguacero le despejara la mente de dudas y resquemores. Pero comprendió que, si al fin llegaba el agua, no podría correr a recibirla con los brazos abiertos. Rose Gallway hubiera sido capaz de llegar a hacerlo, pero no así Maggie Warden, a la que esa idea ni siquiera se le habría pasado por la cabeza.

—Deberíamos regresar. Aquí la lluvia llega cuando menos te lo esperas, y no queremos que nuestra dama se empape de pies a cabeza.

Dicho lo cual Van den Broock echó a andar, llevándolos por un caminito tan estrecho que apenas se distinguía.

Nada más regresar a la casa, a Rose volvieron a asaltarle los recuerdos de la conversación de esa mañana. Como Van den

Broock había dado su consentimiento para que Paul adquiriese una parte de la plantación, ambos se sentaron con el abogado para ultimar los detalles de la operación. Puesto que ninguna mujer era invitada a esas reuniones, ni tan siquiera la «prometida», Rose se fue a su habitación y se sentó junto a la ventana, desde la que podía verse el jardín. Para su sorpresa descubrió varios árboles frutales europeos, seguramente plantados por Van den Broock o sus padres. Aunque parecían sanos, estaban como fuera de lugar; habrían pegado más en un jardín de Inglaterra o Francia. No eran más que un error, como la proposición de Paul. Ser su esposa le abría muchas puertas, pero le cerraba otras tantas. Una cosa estaba clara: lo deseaba con todas sus fuerzas. No podía imaginar nada más hermoso que vivir con él. Hasta entonces no había sentido nada semejante por un hombre, y le costaba horrores imaginarse a otro capaz de despertar en ella esa pasión.

Sus ensoñaciones se veían interrumpidas por las llamadas de atención que incansablemente su propia conciencia le hacía con respecto a los trabajadores. ¿Cambiaría su situación cuando Paul fuera socio? Quizá ella fuera capaz de hacérselo ver. Pero ¿con qué derecho iba ella a decir nada? Ni siquiera era su prometida, así que no tenía voz ni voto. Bien distinto sería si aceptara su proposición. Convirtiéndose en su esposa no solo vería cumplidos sus más íntimos anhelos, tal vez también podría hacer algo por esas pobres gentes. Por sorprendente que pudiera parecerle a sí misma, hasta entonces no había pensado en nada salvo en la música. Pero ver a esas mujeres había abierto una ventana en su alma, gracias a la cual la petición de mano de Paul había dejado de resultarle tan ridícula y desatinada. Tenía la oportunidad de hacer algo por ellas..., además de apagar la ardiente pasión que le consumía por dentro.

Esa noche no pudo aguantar mucho rato en la cama. Lo vivido durante la jornada la impulsó a levantarse, quitarse la bata y ponerse a dar vueltas como una leona enjaulada. ¿Qué debía hacer? ¿Qué era lo correcto? Aún seguía pareciéndole completamente absurdo que Paul le hubiera pedido la mano. Pero ¿no era ese su más secreto anhelo? ¿Había sabido ver Paul ese deseo oculto?

Rose apoyó la frente en el cristal de la ventana y esbozó una leve sonrisa al recordar la cara de Paul cuando le pidió que fingiera ser su prometida. ¿Acaso no era propio de los enamorados comportarse de manera irracional? La señora Faraday siempre le había advertido de que quien entrega el corazón acaba perdiendo la cabeza. Ella no creía haber perdido la cabeza, pero, a juzgar por los disparates que él estaba cometiendo, quizá la vieja profesora no andaba desencaminada. ¿Necesitaba más pruebas? Todo indicaba que Paul estaba loco por ella. Y, pensándolo mejor, ella también había empezado a cometer locuras... Si no, no habría accedido a viajar con él ocultándoselo a todo el mundo.

Mientras los relámpagos iluminaban la estancia y las gotas de lluvia golpeaban el cristal, Rose tomó una decisión. ¡Tenía que hablar con Paul! Se echó la bata por encima y salió de su habitación de puntillas. Paul respiraba plácidamente en su cama, pero en cuanto notó su presencia se sobresaltó.

—¡Rose! —exclamó asustado—. ¿Qué hace aquí?

—No podía dormir —admitió avergonzada mientras jugueteaba con el cinturón de la bata—. Quería preguntarle algo.

—¿De qué se trata?

—¿Hablabas...? ¿Hablaba en serio?

Paul se incorporó aún adormilado. Era como si no diera crédito a sus ojos o como si estuviera en medio de un sueño.

—¿Usted qué cree? —dijo dando un bostezo que reprimió en cuanto vio asomar la decepción en el rostro de Rose—. ¡Pues claro que hablaba en serio! ¿Aceptarías?

Rose volvió a ver los ojos de esa mujer mirándola fijamente, y también la cicatriz que le atravesaba el rostro. De inmediato sintió los latidos de su corazón y un intenso calor le recorrió el cuerpo. Tu sueño podría realizarse, le susurró una voz desde el interior de su cabeza. No dejes pasar esta oportunidad...

—Sí —dijo con voz firme, y enseguida tuvo que luchar por acallar la vocecilla, que ahora le advertía de todo lo que se les venía encima y de los muchos imponderables que pueden hacer que una boda no llegue a celebrarse–. Pero esto te va a traer un sinfín de problemas. Tendrás que romper tu compromiso y hablar con tu madre...

Una sombra oscureció el rostro de Paul, pero enseguida se disipó y dio paso a una sonrisa.

–No te preocupes por eso. Vas a encantarle a mi madre, ya lo verás.

–Olvidas que no soy noble. Y sé por experiencia que algunos aristócratas piensan que todos los músicos son unos crápulas.

–¡Pero no una violinista que ha tocado para reyes! Que el gobernador de Sumatra te haya invitado a tocar en su isla es una prueba más que fehaciente de que no eres una perdida. Ya me encargaré yo de explicárselo todo. Tiene un gran corazón, y aunque a veces se acalora no tarda mucho en recobrar la calma. Te prometo que, cuando te la presente, será la bondad personificada.

Rose asintió. En esos momentos estaba dispuesta a creerse todo lo que le dijera.

–¿Y qué va a ser de Maggie? –adujo Rose–. Creo de corazón que es quien sale peor parada de todo esto.

–Maggie se merece a otro hombre, créeme. Soy demasiado aventurero para ella; me he dado cuenta en Sumatra. Mientras que a mí me interesa todo lo nuevo, ella tiene miedo de los nativos. Haría mejor casándose con un hombre que se quede con ella en Londres, que la tenga en palmitas, le presente a sus amistades y le permita pasarse todo el día hablando con las otras damas de temas intrascendentes como la moda y las fiestas de sociedad. A mí, en cambio, lo que me conviene es una mujer aventurera que no le tema a la jungla... Y que sea capaz de meterse en la piel de mi prometida aunque no lo sea.

Después tomó su mano y se la apretó. Rose sintió que el corazón iba a estallarle. Ahora no tenía dudas de que estaba siendo sincero.

–Permíteme que te haga otra pregunta, la más importante de todas. ¿Me quieres? –le preguntó Paul, mirándola fijamente a los ojos–. Porque yo a ti sí, y estoy dispuesto a enfrentarme a todas las adversidades si sé que me estarás esperando.

Rose escarbó en su corazón. ¿De veras lo amaba?

–¡Oh, sí, claro que te quiero! Te amo desde el momento en que te vi en el jardín de Van Swieten.

Paul tiró de ella y, apretándola contra su cuerpo, la besó.

–Deja el resto en mis manos. Me separaré de Maggie y, en cuanto vuelva, nos casaremos.

Una vez más sus labios se acercaron a su boca, despertando en ella un deseo hasta entonces desconocido. Y aunque sabía que quizá no era lo correcto y que atentaba contra todo lo que la señora Faraday le había inculcado, en vez de irse a su cuarto dejó que sus labios se estamparan en su boca y que luego le recorrieran el cuello hasta detenerse en el hombro.

–Oh, Rose –susurró Paul atacado por un escalofrío que le recorrió el espinazo. Por un instante se quedó quieto, la miró y, sin apartar la vista, acarició su piel. El tacto de sus manos encendió el cuerpo de Rose y despertó en su pecho un tórrido deseo que ya había sentido alguna que otra noche, pero que nunca había sabido cómo aplacar. Ahora al fin lo sabía: la respuesta estaba en el calor de Paul y en el aroma de su piel.

Los oídos le zumbaban, pero cuando él la llevó a la cama no opuso resistencia. Jadeando, Paul le subió el camisón por encima de los muslos y se bajó los pantalones del pijama. No llegó a ver su sexo, pero cuando la penetró con delicadeza lo sintió con tal intensidad que se quedó sin aliento. El dolor duró solo unos instantes... Luego se impuso el placer.

–Te amo, Rose –susurró entre jadeos mientras se hundía en ella y empezaba a moverse cadenciosamente. Ella lo estrechó entre sus brazos e intentó silenciar la desagradarle voz de la señora Faraday, que insistía en llamarla fulana.

Estaba haciendo lo que quería, y se sentía bien por ello. Él era el hombre al que amaba. Deseaba ser suya para siempre. Y en ese momento todo lo que hasta entonces había escuchado sobre la moral le dio absolutamente igual. Lo amaba. Amaba su piel, su olor, el peso de su cuerpo sobre el de ella... Sus manos recorrieron sus músculos, hinchados bajo la piel, para luego aferrarse al cabello que le caía sobre la nuca. Y cuando al fin Paul se vació dentro de ella se produjo una explosión que barrió de un plumazo todas las dudas, todos los reproches.

16

Un tiempo húmedo y frío recibió a Lilly y a Ellen nada más salir del aeropuerto. En cambio, Cremona se había despedido de ellas con la mejor de sus caras: el sol se había plantado vigoroso sobre la estación de tren y las había acompañado hasta el aeropuerto de Milán.

—Debimos quedarnos en Italia —murmuró Ellen mientras con una mano intentaba ceñirse al cuerpo el abrigo de lana. En vano, pues una ráfaga de viento lo abrió y lo hizo ondear al aire. Guiñó los ojos y echó la cabeza a un lado; así no había manera de avanzar.

Finalmente tuvo que detenerse, dejar en el suelo la maleta y abrocharse el dichoso abrigo.

—Lástima de obligaciones... Si no, le propondría a Dean pasar los meses de invierno en Italia.

—¿Qué sería entonces de tus violines? —objetó Lilly con una sonrisa. Ella también sentía el frío y la humedad, pero la ilusión de volver a ver a Gabriel la calentaba por dentro. No podía dejar de preguntarse qué diría cuando viera las fotos y los artículos de prensa.

Enrico había traducido dos de ellos, el resto los mandaría por correo electrónico. En cuanto los tuviera todos intentaría quedar con Gabriel; aunque quizá fuera mejor cumplir su promesa e invitarlo a cenar primero. Mientras hacían cola a la espera de un taxi libre, Lilly se imaginó la cita, aunque rápidamente la fantasía la llevó por otros derroteros. Primero vio unos magnolios en flor, y luego un parque en primavera donde Gabriel y ella paseaban sin dejar de hablar de Rose y de Helen...

—¿Sigues aquí? —dijo Ellen azuzándola con un codazo. No se había dado cuenta de que ya era su turno en la cola. El taxista guardó el equipaje en el maletero y ellas tomaron asiento.

—Dime, ¿en qué pensabas? —le preguntó, pero antes de que Lilly pudiera contestar el taxista tomó la palabra.

—¿Adónde vamos, señoras?

Después de que Ellen le diera las señas, el taxista puso a tope tanto la calefacción como la radio. La música de baile india que sonaba por los altavoces estaba tan alta que apenas se oían los mensajes que le iban transmitiendo por la emisora. Mientras se adentraban en el tráfico londinense, Lilly contempló fascinada por el espejo la figurita de Ganesha que se bamboleaba con cada giro que daba el coche. Resultaba tan graciosa que hasta el viajero más malhumorado se veía forzado a sonreír. El taxista enseguida empezó a hablarles, pero lo hacía con un acento tan fuerte que Lilly se perdía la mitad de lo que decía. Ellen, en cambio, no tenía problemas para entenderle, pues se puso a charlar animadamente con él; parecía que acabara de encontrarse con un viejo amigo. Tras una breve retención y casi una hora de trayecto, llegaron a casa.

La melodías indias se extendieron por todo el vecindario, asustando incluso a dos cuervos que, apostados en la copa de un árbol, intentaron sin éxito contrarrestarlas con sus graznidos. Ellen pagó al taxista y este se fue, llevándose la música a otra parte.

—Aún no has contestado a mi pregunta —le recordó Ellen a su amiga mientras marcaba la combinación numérica que abría el portón.

—¿Qué pregunta? —dijo Lilly tirando de la maleta y entrando ya en el jardín.

—¿En qué pensabas antes de que Sharukh Kahn entrara en escena?

—¿Quién demonios es Sharukh Kahn?

—Un actor hindú muy conocido. Pero no cambies de tema. Pensabas en él, ¿verdad? En Gabriel Thornton.

Lilly se puso roja como un tomate.

—¡Lo sabía! —exclamó Ellen guiñándole un ojo—. ¿Qué eran, pensamientos impuros?

—¡Pero mira que eres...! Me gusta, eso es todo. Y cuando te gusta alguien lo normal es pensar en él, ¿no?

—Por supuesto. —Ellen rio por lo bajo.

—¿Y qué hay de tu Enrico? —preguntó Lilly para desviar la conversación y no tener que hablar de Gabriel, pues no le gustaba nada hacerse ilusiones con cosas que quizá nunca pasarían—. Me dio la impresión de que estabais muy compenetrados. ¿Hay algo que deba saber y no me hayas contado?

Ellen soltó una carcajada y luego meneó la cabeza.

—No, al menos no lo que estás pensando. Sería incapaz de serle infiel a Dean. Pero he de admitir que, cuando lo conocí por cuestiones de trabajo, él se mostró muy interesado en mí. Y acabamos siendo buenos amigos. Eso es todo. Por cierto, me dio la sensación de que tú todavía le interesabas más que yo. ¿Por qué no le diste un poco de coba?

—¿Coba? —Lilly frunció el ceño—. ¿Qué querías, que le hiciera un *striptease*?

—Tampoco es eso, pero no me digas que no notaste que intentaba ligar contigo. ¿Por qué no le hiciste ni caso? Podía haber sido divertido.

—Porque... —Se detuvo; sabía perfectamente el motivo, pero no quería retomar el tema.

—Gabriel Thornton, ¿verdad? Ese es el motivo.

—Solo contesto cuando sé la respuesta —repuso Lilly, a sabiendas de que su amiga estaba en lo cierto. Lo que sentía por Gabriel era algo más que simpatía. Pero no quería reconocerlo, pues temía que él no sintiera lo mismo. Y además, por momentos, cuando recordaba a Peter, le venía un poco de mala conciencia. Mejor será esperar, se dijo. Primero me gustaría volver a verlo.

Un ligero murmullo recorrió las copas de los árboles que se alzaban sobre sus cabezas. Por lo demás, todo estaba en calma. Ellen respiró hondo y sonrió para sus adentros.

–Pensándolo bien, no me apetece nada pasar el invierno en Italia. No hay nada como el hogar, ¿verdad?

–Qué razón tienes... –suscribió Lilly, que sin embargo no estaba muy segura de alegrarse de tener que regresar a Berlín, ya que eso la alejaría de Gabriel y de la oportunidad de conocerlo mejor.

»¿Te apetece que hoy también cocinemos juntas? –propuso Lilly, agarrándose a su amiga mientras ambas arrastraban sus maletas.

–Por mí de acuerdo –accedió Ellen, que enseguida pareció dirigir sus pensamientos en otra dirección. De pronto esbozó una leve sonrisa y concluyó–: A Dean le va a encantar saber que hay alguien intentado descifrar un mensaje secreto en la partitura.

Acababa de empezar a deshacer la maleta cuando sonó el teléfono. Lilly supuso que la llamada no era para ella y siguió a lo suyo, hasta que oyó acercarse unos pasos por el pasillo y detenerse ante su puerta.

Ellen llamó una vez y entró. Una sonrisa muy significativa se esbozó en su rostro cuando susurró: «Es para ti».

Lilly tomó aire, agarró el teléfono y se presentó.

–¿Qué, ya de vuelta? –dijo Gabriel Thornton.

–Ya lo está comprobando –respondió Lilly mirando a Ellen, que, aunque se estaba yendo de la habitación, en el último momento se volvió, le sonrió con picardía y cerró la puerta.

–Espero que sirvieran de algo las fechas que le envié –dijo Gabriel.

–¡Y tanto!, nos fueron muy bien. Hemos encontrado algunos artículos que quizá usted no tenga.

–Como ya le comenté, gran parte del material se perdió en la Segunda Guerra Mundial. Estoy seguro de que todo lo que ha encontrado será de gran importancia para nuestros estudios.

Lilly vaciló un instante, pero al final se lanzó:

–En Cremona tuve un sueño muy extraño.

—No soñaría conmigo... —dijo Gabriel en tono socarrón.

—No, con Helen. Con Helen de niña... ¿Cree usted que la partitura podría encerrar una especie de mensaje en clave?

—¿Un mensaje en clave?

—Sí, ya sé que solo fue un sueño, pero tal vez mi subconsciente quiso decirme algo. Ha de haber un motivo para que escondieran la partitura bajo el forro. La Helen de mi sueño me dijo que la solución al enigma está en *El jardín a la luz de la luna*.

El silencio siguió a sus palabras. ¿Seguía Gabriel al aparato? ¿Se estaría riendo de ella? De pronto empezó a arderle la boca del estómago. Quizá habría sido mejor no contárselo...

—¿Gabriel? ¿Sigue ahí?

—Sí, solo estaba pensando.

—Le parece una locura, ¿verdad?

—No crea. No sería la primera vez que se introduce un mensaje oculto en una obra musical. Sí, sería posible que *El jardín a la luz de la luna* contuviera un mensaje cifrado... De ser así, una de esas dos mujeres, o Rose o Helen, era un auténtico genio. Suponiendo que la compusiera alguna de ellas, claro está.

—Ellen tiene un amigo que a su vez tiene un amigo que es criptógrafo. Quizá él pueda arrojar algo de luz a la cuestión. Si usted...

—No, me temo que no tengo ni idea de descifrar códigos ni tengo ningún amigo en los servicios secretos, pero aun así me gustaría echarle otro vistazo a la partitura. A veces se descubren cosas solo con prestar la suficiente atención...

Lilly sonrió a su imagen reflejada en la ventana. Gabriel era un encanto.

—Muchas gracias —dijo con dulzura.

—No hay de qué, Lilly. Estamos en el mismo barco, ¿no?

—Por supuesto, pero también podía haberme tomado por loca. ¿Quién cree hoy en día en los sueños?

—¡Usted! —repuso él—. Y si he de serle sincero, yo también. ¿Qué sería la vida sin sueños... y sin misterios?

—¿Y usted?, ¿tiene novedades? —preguntó ella, apoyando la mejilla en el cristal de la ventana para refrescársela.

—Bueno, algo tengo, pero será mejor que lo tratemos cara a cara.

—¿Eso significa que tiene tiempo para mí?

—¿Cómo le viene mañana a mediodía? Podríamos quedar en la cafetería de la escuela y deleitarnos con las creaciones culinarias de nuestro cocinero.

—¡Por mí de acuerdo! —contestó Lilly loca de contenta.

—Y así de paso me cuenta qué le pareció Cremona. Me interesa mucho su opinión sobre la ciudad.

—Cuente con ello, lo haré lo mejor que pueda.

—Pues entonces hasta mañana. Ha sido un placer volver a oírla.

Lilly se despidió, colgó y se sentó un momento en el borde de la cama. ¡Había sido tan agradable escuchar la voz de Gabriel! ¡Y qué alegría poder volver a verlo! No solo por saber lo que hubiera descubierto, sino por él mismo. Lo había echado tanto de menos...

—Debiste haberlo invitado a venir a casa —le dijo Ellen cuando Lilly le devolvió el teléfono. Era como si pudiera leer el contenido de la conversación solo con mirarla a la frente.

—¿Cómo dices? —dijo Lilly algo confusa.

—A cenar. Una reunión de expertos, ya sabes.

—Hemos quedado para comer. En la cafetería de su escuela.

—Pero es que a mí también me gustaría intercambiar impresiones con él. ¡Anda, llámalo y queda con él!

—Es que... No puedo.

—¿Cómo que no puedes? Seguro que serás capaz de arreglártelas con el teléfono.

—No es eso. Lo que pasa es que no me atrevo a invitarlo así, sin más.

Ellen ladeó la cabeza y le lanzó una mirada escrutadora.

—Qué curioso... ¿Sabes?, no creo que lo tuyo sea timidez. Da la impresión de que Gabriel te gusta más de lo que aparentas; tanto que no quieres compartirlo conmigo.

—¡No sé de dónde sacas esas cosas!

—Cuando un hombre te gusta siempre se te ponen esos coloretes de muñeca pepona.

Al verse atrapada, Lilly se mordió el labio.

—Ya te he dicho que me cae bien. Pero eso no significa nada.

—¿Cómo que no significa nada? —Ellen puso los brazos en jarras—. Hay un hombre que le cae bien a Lilly Kaiser. ¿Cuántas veces se da esa circunstancia en la vida? ¿Cuándo fue la última vez que se te pusieron las orejas rojas porque alguien te caía bien?

—Mira que eres tonta —replicó Lilly, aun sabiendo que su amiga tenía razón. Desde la muerte de Peter no había mostrado interés por ningún hombre. Cuando uno la miraba por la calle, ni siquiera se enteraba. Y la clientela masculina que pasaba por su tienda en su mayoría eran hombres casados, tipos no muy recomendables o señores demasiado mayores para ella.

—Sí, lo soy, y también soy muy tozuda. Haz el favor de invitarlo.

—¿De verdad no te importa?

—¡Pero cómo va a importarme si soy yo quien lo ha propuesto!

—De acuerdo, como ordenes.

Como no quería que Ellen viera su reacción al oír la voz de Gabriel —bastantes bromas había hecho ya al respecto—, prefirió irse a su habitación. Una vez allí, con el corazón a cien y los dedos temblones, marcó su número mientras escogía con cuidado las palabras con las que iba a abordarlo. Pero no contestó Gabriel sino su secretaria. Lilly se llevó tal susto que tuvo que colgar... Aunque luego se preguntó por qué lo había hecho. Ni que fuera a susurrarle obscenidades por el teléfono... Inténtalo dentro de un rato, se dijo, y se puso otra vez a deshacer la maleta.

Media hora después, justo cuando se disponía a revisar la documentación que habían traído de Cremona, sonó el teléfono. Sin pensarlo dos veces, saltó como un resorte y salió pitando de la habitación para darle el teléfono a Ellen, pues estaba convencida de que sería para ella. Pero en el último momento se detuvo.

—Supuse que era usted —dijo la voz de Gabriel sin más rodeos.

—¿A qué se refiere? —disimuló Lilly, y se sintió mal por andarse con jueguecitos. Además, cabía la posibilidad de que la secretaria hubiera anotado su número, que Gabriel naturalmente habría reconocido, con lo que ahora sabría que no había tenido el coraje suficiente para vérselas con la arpía que trabajaba para él.

—A la llamada. ¿Quería volver a escuchar mi voz o se debía a algún otro motivo?

—No vaya tan de sobrado, Gabriel —dijo Lilly en tono de broma y sin poder evitar sonreír—. Sí, me temo que hay otro motivo.

—¿Uno que no quería compartir con mi secretaria?

—Así es. —Antes de proseguir, respiró hondo—. Quisiera cancelar nuestra comida e invitarle a cenar aquí, en casa de mi amiga Ellen.

—¿En casa de Ellen Morris? ¡Menuda bomba! Podía habérselo dicho tranquilamente a mi secretaria.

—Pues ahora ya lo sabe usted.

—¿A su amiga no le importa?

—¡Pero si es parte del equipo de investigación! —replicó Lilly—. Y además está deseando conocerlo.

—Bien, en ese caso dígame cuándo.

—¿Cuándo le viene bien?

—Usted es la anfitriona —repuso Gabriel—. Además, no tengo ni idea de cuándo tiene pensado abandonar Inglaterra... Así que no perdamos más tiempo, soy todo suyo. Si es preciso, le diré a Eva que reordene mi agenda.

—¿Qué tal mañana?

—¡Perfecto! —exclamó él al instante.

—¿A las ocho?

—¡Perfecto!

—¿Vendrá de esmoquin o de media etiqueta?

—¿Perdón?

—Quería comprobar si realmente me estaba escuchando o se estaba limitando a contestar al tuntún —dijo entre risas Lilly.

—La escucho. E iré vestido como usted quiera verme. Pero espero que esto no valga por la cena que me debe.

Lilly se ruborizó. Se había olvidado de que le debía una invitación. Obviamente, la cena en casa de Ellen no zanjaba la deuda.

—Por supuesto que no... Se trata solo de una reunión para intercambiar información.

—De acuerdo, pues entonces hasta mañana.

Lilly escuchó la risa de Gabriel.

—¡Hasta mañana! —se despidió con una sonrisa en los labios.

—¿Y bien? —la espetó Ellen nada más verla entrar en el salón. Solo con ver su cara, supo que Gabriel había aceptado.

—Vendrá mañana a las ocho. Y trae novedades.

Ellen dio una palmada de entusiasmo.

—¡Fenomenal! Ahora tengo que pensar qué voy a prepararos.

—¿Tendrás tiempo? —preguntó Lilly un tanto inquieta—. Deberás ir al instituto. Y además está Dean...

—Tranquila, lo tengo todo controlado. Seguro que tras mis mini vacaciones habrá trabajo acumulado, pero eso no es problema. Y Dean estará encantado de tener visita. Puede que así desconecte un poco de la dichosa obra.

—¡Pidamos unas pizzas! Gabriel come todos los días en la cafetería, así que no creo que le importe.

Ellen meneó la cabeza con vehemencia.

—¡Ni hablar! ¡Jamás he servido pizza a mis invitados! ¡Esta es una casa decente, no pienso quedar en ridículo!

Antes de que Lilly pudiera decir nada, llamaron a la puerta. Eran Jessi y Norma de vuelta del colegio. Nada más entrar, se echaron al cuello de Ellen y la comieron a besos. Luego fue el turno de Lilly, a lo que siguió un severo interrogatorio sobre el fin de semana en Cremona.

17

Rose, abatida, estaba asomada a la ventana lamentándose un poco de que el hotel no estuviera junto al mar. Al menos así podría haber visto zarpar el barco en el que iba Paul. Tenía sus palabras grabadas a fuego en la memoria, así como los ardientes abrazos y caricias de aquella noche en la plantación. «Volveré», le había prometido antes de darle un beso apasionado. «Arreglaré las cosas en casa y, después, te aseguro que volveré.» ¿Sería fiel a su palabra?, ¿o se habría olvidado de ella nada más ver el océano? No, Paul no era así. Aunque no sabía gran cosa de él, estaba segura de que no era de ese tipo de hombres.

Se volvió hacia su maleta, que estaba abierta en mitad de la habitación. En realidad era tarea de Mai hacérsela, pero se había olvidado uno de sus vestidos en la sastrería y había tenido que ir a por él. Apenas había empezado a recoger sus objetos de higiene cuando Mai irrumpió en la habitación, pálida como una muerta.

—¿Qué sucede? —preguntó asustada Rose.

—El señor Carmichael dice que vaya inmediatamente, *miss* —dijo entre jadeos la doncella.

—¿Ir adónde?

Espero que no haya firmado más compromisos en la isla, pensó Rose para sus adentros; lo único que quería era irse lejos, abandonar esa insoportable espera. Tenía que distraerse, ver un poco de mundo hasta que Paul regresara y volviera a estrecharla en sus brazos.

—Al puerto. Ha habido un accidente. —Mai se llevó la mano a la boca, como si con eso ya hubiese dicho demasiado. Rose la miró un momento, luego saltó como un resorte y la agarró por los hombros.

—¿Vas a decirme qué ha ocurrido? —exclamó Rose, temiendo que le hubiera pasado algo a Paul. ¿Y si se lo había pensado mejor y había decidido volver?

Mai la miró horrorizada. Al ver que no decía palabra, Rose volvió a zarandearla.

—¡Habla de una vez! ¿Qué ha sucedido?

—Es su padre, *miss*...

La soltó, y apartándola de un empujón salió por la puerta como alma que lleva el diablo.

Con el pelo revuelto y sin reparar en si su vestido estaba arrugado o si llevaba bien el maquillaje, echó a correr por las calles de Padang. Mai la siguió al principio, pero enseguida la dejó atrás y la doncella acabó perdiéndola de vista. Era mejor así, en esos momentos no precisaba su ayuda para nada. Los latidos de su corazón retumbaban en sus oídos con tal fuerza que el resto de los sonidos de la ciudad enmudecieron. Mientras corría, Rose trataba de convencerse de que no habría sido nada grave, de que su padre estaría esperándola apoyado en una esquina y, al verla, iría a su encuentro para tranquilizarla y reírse con ella de sus miedos infundados.

Cuando llegó al puerto se encontró con una muchedumbre reunida en torno a una grúa de carga que se había derrumbado. Los estibadores intentaban llegar al lugar del accidente cargados con cuerdas y otros utensilios.

—¡Dejadme pasar! —gritó Rose tanto en neerlandés como en su lengua materna. Los que la conocían se apartaron de inmediato; ella intentó ignorar sus funestas miradas. ¿Dónde estaría su padre? Si la habían mandado buscar era porque había resultado herido. Aunque seguramente solo se habría hecho unos rasguños. Un hombre como Roger Gallway era duro de pelar...

Junto a la grúa vio a un montón de hombres afanados en levantar la pesada estructura. Había aplastado unas cuantas cajas y una caseta de madera al caer al suelo. Se oían gritos y gemidos. Algunas mujeres lloraban entre la multitud, y un desagradable olor emanaba del suelo.

Rose miró la grúa como si fuera un monstruo. Intentaba luchar contra el terrible presentimiento que se le echaba encima como un tigre, pero no era capaz de zafarse de él. Seguro que no le ha pasado nada grave, se repetía. En un par de días volverá a andar por ahí como siempre. Estaba tan absorta mirando la grúa que ni siquiera se dio cuenta de que un hombre se le acercaba a grandes zancadas y se detenía a su lado. El doctor Bruns, quien tantas veces había ayudado a su familia, la agarró del brazo. Rose casi se desmayó al ver las mangas de su camisa empapadas en sangre.

—Apártese un poco, Rose —le dijo aquel hombre que la conocía desde niña y que, por tanto, era incapaz de llamarla *mejuffrouw* Gallway—. Su padre y dos trabajadores más han quedado sepultados bajo la grúa.

—¡Seguro que pueden salvarlo! —le espetó ella. Le zumbaban los oídos y apenas podía oír lo que decía el doctor—. Pueden, ¿verdad, doctor?

El lívido rostro de Bruns se volvió aún más blanco. Al final, avergonzado, agachó la cabeza.

—A su padre ya lo han sacado. Lo siento, no he podido hacer nada.

Rose se estremeció del horror. Su boca se abrió, pero no profirió ningún grito. Toda ella era un grito. ¡No! ¡No podía ser! ¡No era justo!

—¡Quiero verlo! —exclamó finalmente—. ¡Ha de ser un error! Quizá él...

—Rose —dijo el doctor con el mismo tono de voz que cuando tenía que convencerla de niña para que se tomase una medicina—. Lo siento mucho, pero no hay duda de que se trata de su padre. Y no creo que sea buena idea que lo vea.

El temple con que dijo esas palabras doblegó la resistencia de Rose. Su mente seguía negándose a aceptarlo, pero ¿acaso era Bruns capaz de mentirle en semejante situación?

—Será mejor que se vaya a casa con su madre. Iba a mandar a alguien a decírselo, pero creo que es mejor que se encargue usted.

Rose asintió sin decir palabra y se volvió lentamente.

—¡Iré a verlas esta noche, en cuanto acabe aquí! —le dijo a gritos el doctor, pero ella ya no lo oyó.

Aturdida y mareada como si estuviera en la cubierta de un barco, Rose había empezado a abrirse paso entre el gentío. Esta vez no le hacía falta gritar, pues la gente se apartaba enseguida al ver su rostro conmocionado. De aquí y de allá le llegaban manos que le tocaban el brazo en señal de condolencia, probablemente de gente que la conocía. Pero ella no veía sus caras. Ni siquiera se enteró cuando dejó atrás aquel tumulto.

—¡*Miss* Gallway! —exclamó una voz de mujer a sus espaldas. Solo entonces Rose se detuvo y alzó la vista. Mai la había alcanzado pero no se atrevía a acercarse a ella, se mantenía a más de dos brazos de distancia.

—Ve al hotel, Mai —se oyó decir a sí misma—. Ahora no te necesito.

—Pero *miss* Gallway, yo...

—¿Quieres hacer lo que te digo sin rechistar? —dijo entre dientes Rose, cerrando los ojos para no estallar. De pronto notó que las lágrimas le corrían por las mejillas. Lo último que necesitaba ahora era a esa charlatana que no tenía la menor idea de cómo se sentía...

Mai se quedó clavada en el sitio.

—Sí, *miss*, ya voy, *miss* —dijo antes de darse la vuelta. Rose ni siquiera hizo ademán de volverse; se limitó a emprender el camino que llevaba a casa de sus padres.

El dolor y el miedo a la reacción de su madre llegaron a su punto álgido... Entonces, intentó de nuevo convencerse de que el médico se había equivocado, de que su padre la estaría esperando en casa para estrecharla entre sus brazos y tranquilizarla. Nada más cruzar la puerta se abalanzó hacia su madre, que abrió los ojos como platos al ver el semblante de su hija.

—¿Qué sucede? —dijo aferrándose al antebrazo de Rose. Sus manos estaban frías y húmedas, y el labio le temblaba. ¿Presentía lo sucedido?

Rose no era capaz de decir palabra. Tienes que contárselo, se repetía. ¡Al menos di algo! Pero la boca no le obedecía.

Necesitó un buen rato para pronunciar una sola palabra:

—Padre...

Más no pudo decir. Solo «padre». Pero Adit no precisó más para comprenderlo todo. Con un estremecedor grito de dolor, se echó en brazos de su hija y juntas se deshicieron en lágrimas.

Los siguientes días pasaron como un banco de peces por una anémona de mar. Por la mañana abría los ojos, se levantaba e iba a ver a su madre, que no se decidía a dejar la cama ni tan siquiera para ver la luz del día. Luego empezaba a venir gente: el pastor, el encargado de la funeraria, los vecinos... Rose hablaba con todos ellos, pero luego era incapaz de recordar lo dicho.

En el luto por su padre, Rose añoraba aún más a Paul. ¿Cuándo volvería a verlo? ¿Cuándo la estrecharía en sus brazos para consolarla? ¿Cuándo la acompañaría en ese tremendo dolor que la desgarraba por dentro? Llegaba el final del día y no había podido hacer nada, ni tan siquiera echar mano al violín, que Mai le había traído el día posterior al trágico accidente.

A Rose jamás se le había pasado por la cabeza tocar un réquiem en el entierro de un ser querido. Pero como sabía que a su padre le encantaba oírla tocar —no otra cosa sino el amor de su padre por el violín fue lo que la impulsó a aprender a tocarlo—, le pidió a Carmichael que le trajera unas partituras para poder ensayar un poco.

No había tocado el *Réquiem* de Mozart más que una vez en su vida, pero recordaba cada nota. En el entierro tuvo que reunir todas sus fuerzas para poner el arco sobre las cuerdas. Las manos le temblaban, y la idea de no volver a ver nunca más a su padre hizo que las rodillas le fallaran y que estuviera a punto de irse al suelo en varias ocasiones. Sin embargo, cuando empezaron a sonar los primeros acordes, el dolor se hizo un poco más soportable. Se dejó llevar por la melodía e ignoró las lágrimas que le corrían por las mejillas; al menos el alma de su padre subiría a los cielos con un hermoso acompañamiento musical.

Una vez hubo terminado de tocar, se volvió con la cabeza gacha. No le hizo falta mirar los rostros de los presentes; sentía que estaban sobrecogidos. Hasta el pastor se quedó sin palabras. La melodía resonó unos instantes más. Luego continuó el entierro.

Rose y su madre regresaron del sepelio con una profunda paz interior. Como a Adit le resultaba sencillamente imposible celebrar un convite fúnebre, agradeció la asistencia a los presentes y se retiró. Rose no alcanzaba a saber si la gente lo comprendería, pero en esos momentos le daba igual. Una y otra vez se preguntaba si no habría sido su empeño en buscar su propia felicidad el causante de todo. ¿Pero qué habría podido hacer para que su padre no fuera aplastado por la grúa? Ella ni siquiera estaba en el puerto. ¿Cómo iba a prevenir lo que acabó sucediendo?

Las dos mujeres se sentaron a la mesa de la cocina, pero, aunque se miraban a los ojos, ninguna de las dos estaba ahí en esos momentos. Rose deseó de nuevo que Paul estuviera a su lado para hablar con él y buscar el consuelo en su pecho. Pero su amado se encontraba muy lejos... Y ella estaba ahí sentada. Y allí continuaba cuando la oscuridad envolvió la casa y el ruido de la calle se tornó en silencio.

Siguieron unos días de letargo. Rose se pasaba la mayor parte del tiempo sentada junto a la ventana, intentando escuchar en su cabeza una melodía que no acababa de atrapar.

Tras dos semanas de paciente espera, a principios de la tercera Carmichael se presentó en casa de los Gallway. Al verlo plantado ante la puerta, Rose deseó esconderse o huir por la parte de atrás, pero sabía por experiencia que esos comportamientos infantiles no conducían a nada. Y también sabía que no podía escapar de lo que Carmichael había venido a recordarle: la gira debía continuar. Tenía que ir a la India y después a Australia. Rose guardaba todas las fechas en la cabeza, y era consciente de que su agente ya había cancelado tres actuaciones. Pero ¿sería capaz de subirse al escenario como si nada hubiera pasado? ¿Podría tocar?

Cuando Carmichael llamó por segunda vez, Rose se miró las manos: parecían no haber cambiado desde que tocara el réquiem en el cementerio, y sin embargo dudaba de que pudiera volver a hacerlo como antes del accidente de su padre. La música no solo venía de las manos, venía del alma, y su alma estaba herida por partida doble. No podía fingir que no ocurría nada.

—¿No vas a abrir, hija? —dijo de pronto su madre. Los persistentes golpes la habían sacado de la cama, y ahora estaba en la cocina, pálida y demacrada—. Siempre he sabido que no podrías quedarte aquí para siempre. La vida te llama, Rose.

—¿Y tú? —repuso ella, y por un momento pensó que tal vez Carmichael había desistido y se había marchado. Pero no, seguía ahí, a la espera, probablemente porque ya había escuchado voces en la casa.

—Saldré adelante, Rose. Me costará mucho, pues aún no sé si sabré vivir sin tu padre... Pero imagínate que, en vez de estando aquí, todo esto te hubiera pillado en el otro extremo del mundo. La noticia habría tardado semanas en llegarte, y luego habrías necesitado otras tantas para venir. Así, al menos, he podido tenerte a mi lado estos días.

—Pero...

—No hay peros que valgan. Abre la puerta o ese señor acabará echándola abajo. Como mínimo escucha lo que tenga que decirte y luego decide.

Rose asintió y, mientras su madre se retiraba a su dormitorio, se estiró el vestido y fue hacia la puerta.

—¡Rose, alabado sea Dios! —exclamó Carmichael visiblemente preocupado—. Pensé que...

—Tranquilo, en esta casa nadie ha caído enfermo de gravedad ni ha intentado suicidarse —contestó secamente haciéndose a un lado—. Entra, supongo que quieres hablar conmigo.

Carmichael la miró unos instantes con atención y después entró.

—¿Cómo estáis tú y tu madre? —preguntó sin saber muy bien cómo moverse en medio de esa cocina.

Rose se tragó una respuesta cínica y se limitó a decir:

–Tan bien como nos dejan las circunstancias.

–Bien, bien... –dijo algo turbado mientras clavaba la mirada en la punta de sus zapatos.

–Siéntate, por favor –dijo Rose arrastrando los pies por el suelo de la cocina. ¿Siempre le había pesado tanto el cuerpo? En los últimos días no le había prestado la menor atención, era como si estuviera flotando, pero ahora, con la visita de Carmichael, le pareció que de nuevo tomaba conciencia de él–. Sé a qué has venido: quieres que retomemos la gira.

Carmichael la miró sorprendido, pero enseguida se mostró visiblemente aliviado por que hubiera sido ella quien sacara el tema.

–Como bien sabes, tenemos una hoja de ruta establecida. En tu situación todo se comprende... Yo más que nadie, pues también perdí a mi padre en un accidente. Pero los promotores no van a esperar eternamente. Y si decepcionamos a un país entero, tu reputación se verá seriamente dañada.

Y bien que lo sabía Rose, pero sus dudas eran aún más fuertes que el miedo a manchar su nombre. Aunque, por otro lado, y no era la primera vez que lo pensaba, ahora tendría que ocuparse de su madre..., sobre todo económicamente, pues aún estaba por ver que el dueño de la grúa accidentada le concediera una pensión o la indemnizara.

–¿Cuándo sería la próxima actuación? –preguntó Rose para sorpresa de Carmichael, que seguro esperaba una respuesta muy distinta.

–Déjame pensar... Delhi... Sí, Delhi... El diecisiete.

Naturalmente, Rose tenía la fecha en la cabeza. No era su primera actuación en la India. A Delhi había ido poco después de su primer concierto importante, invitada por un conde que la había visto tocar en Londres. La ciudad, con su maravilloso colorido y sus fantásticos palacios, la había fascinado. Quizá tocando allí lograría distraerse un poco.

–De acuerdo, iremos a Delhi –resolvió al final, aunque ni siquiera tenía claro si iba a ser capaz de interpretar el repertorio previsto–. Encárgate de mi equipaje y avísame cuando partamos. Mientras, me quedaré con mi madre. Me necesita.

Carmichael asintió y se puso en pie.

–Dale mi más sentido pésame.

Ella asintió y lo acompañó a la puerta.

Una vez se hubo marchado, Rose entró en el dormitorio de sus padres. En contra de lo esperado, su madre no estaba acostada, sino sentada en una silla de mimbre junto a la ventana, mirando el mar por el hueco que había entre las dos casas de enfrente.

–Reanudas tu gira, ¿verdad? –preguntó sin volverse.

–Así es, madre. Y no lo hago porque la música para mí sea más importante que tú, sino para poder mantenerte.

Su madre, que a buen seguro había estado escuchando la conversación con Carmichael, guardó silencio un instante.

–Y aunque le dieras más importancia a la música que a mí tampoco te lo reprocharía –dijo levantándose con dificultad de la silla, como si tuviera 80 años en vez de 45.

–Pero madre, yo...

–Está bien, mi pequeña. Eras el orgullo de tu padre, y sería una pena que echaras por tierra tu fama por quedarte aquí. Ve tranquila de gira... Toca, Rose, toca lo mejor que puedas. Hazlo por tu padre, seguro que estará escuchándote desde el cielo. –Entonces se acercó a su hija y le estrechó la cara entre las manos–. Eres muy especial. Prométeme que cuidarás de ti, pues en ti y en tus hijos perdurará tu padre.

–No te preocupes, madre, no me pasará nada –respondió Rose con decisión–. Hasta ahora he sabido desenvolverme bien en la vida.

–Lo sé, pero ahora que solo te tengo a ti tendrás que poner aún más cuidado. ¿Lo harás?

A pesar de que sus ruegos le sonaron un tanto extraños, Rose asintió, tomó las manos de su madre y se las llevó a la frente.

–¿No creerás que...? –comenzó titubeante mientras se incorporaba–. ¿No creerás que esa anciana nos maldijo cuando te negaste a...?

Adit meneó la cabeza.

—No, mi niña, esa mujer no tiene tanto poder como para maldecirnos. Si así fuese yo sería la responsable de la muerte de tu padre, y entonces me habría quitado la vida de inmediato. Probablemente el destino me trajera a esa mujer para advertirme, pero no creo que tomar otra decisión hubiera salvado a Roger. Hay cosas en la vida que están escritas. Debí aceptar la herencia de mi pueblo. Llegará el día en que seas tú quien tenga que tomar esa decisión. Mientras viva, haré lo que pueda para impedir que lleguen hasta ti, pero cuando yo muera tú serás la matriarca, y entonces tendrás que decidir qué es lo más importante.

Rose la miró pensativa. En realidad la decisión ya estaba tomada. En cuanto Paul volviera, se iría con él. Pero no quería decírselo a su madre... Al menos no ahora, cuando acababa de perder a su gran amor.

—Así lo haré —se limitó a decir. Entonces volvió a tomar las manos de su madre y, mientras se las ponía en las mejillas, deseó en silencio pero con todas sus fuerzas que Paul regresara pronto.

18

Lilly se retorcía de los nervios en el sofá como si estuviera sentada sobre un arsenal de dinamita a punto de estallar. Casi se arrepentía de haber aceptado la proposición de Ellen. A primera vista parecía una idea estupenda, pero ahora temía que su amiga notara el efecto que Gabriel causaba en ella; no quería comportarse como una colegiala y darle aún más argumentos para sus bromas e insinuaciones.

—¿Qué, nerviosa porque va a venir Gabriel? —preguntó Ellen con una sonrisa pícara.

—¿Yo? —replicó Lilly, forzando un gesto de sorpresa.

—Te agitas como si estuvieras sentada sobre un avispero. La última vez que te vi así fue cuando Markus Hansen pasó a recogerte para llevarte al baile de fin de curso.

—¡No digas bobadas! —le espetó Lilly. La verdad era que estaba tan nerviosa como el día en que quedó por primera vez con Peter. Solo que entonces era tal manojo de nervios que no se enteraba de nada, y ahora en cambio se mantenía bien alerta—. Lo que ocurre es que muero por saber qué ha encontrado.

—Ya, seguramente habrá descubierto qué perfume solía usar Rose Gallway.

—¡No seas mezquina! —la reprendió Lilly dándole un codazo.

—No lo soy, pero estoy segura de que nosotras vamos a darle más información que él a nosotras.

—¡Ya veremos!

El ruido del motor de un coche acabó con la discusión.

—¡Es él! —Lilly saltó del sofá como un resorte. Justo cuando iba a correr hacia la puerta, su amiga le dio el alto.

—Espera, aún tiene que subir las escaleras.

Lilly se detuvo, se alisó el vestido y empezó a dar vueltas.

–Deberías abrir tú la puerta, ¿no te parece? Al fin y al cabo eres la anfitriona.

–Ya, pero es tu invitado. Vayamos ambas, como un equipo.

Cuando él llamó, Lilly tuvo que contenerse para no acudir corriendo. Al final fueron hasta la puerta sin prisas, como quien va a abrir a cualquiera, y una vez allí, Lilly dejó que fuera Ellen quien abriera.

–Buenas noches, señor Thornton, me alegro mucho de conocerlo en persona.

Gabriel sonrió a ambas.

–Para serles sincero, no ha sido tarea fácil llegar hasta aquí. –Le dio a cada una un ramito de flores–. Es solo un pequeño detalle por el tiempo que voy a robarles.

–Pero no se quede ahí, señor Thornton.

Gabriel le guiñó el ojo fugazmente a Lilly y esta le sonrió. Luego pasaron al salón.

Ellen había cuidado hasta el último detalle. De aperitivo había algo de picar y un cóctel sin alcohol, y en la cocina esperaban la pasta y el inevitable escalope a la milanesa, pues para celebrar su vuelta de Cremona las dos amigas habían decidido servir comida italiana. De postre había un maravilloso tiramisú, cuya receta Lilly ya se había apuntado.

Jessi y Norma no iban a cenar con ellos. Habían pedido una pizza que excepcionalmente se comerían en su cuarto, idea que pareció entusiasmarlas. Tenían la música puesta y, aunque no estaba demasiado alta, se oía desde el salón, pero Ellen prefirió no regañarlas. Por desgracia, Dean tampoco estaba presente, pues la dichosa obra le impedía estar para la cena. Pero había prometido llegar a una hora razonable, aunque solo fuera para saber qué opinaba Gabriel del supuesto mensaje oculto en la partitura. Durante la cena, Ellen y Lilly fueron contándole a su invitado el fin de semana en Cremona. Gabriel las escuchaba con atención con un ojo puesto en las copias de los artículos de prensa que habían recopilado.

–Han encontrado un auténtico tesoro –reconoció echando mano a la fotografía de Rose y la señora Faraday–. No conocía esta foto, ni tampoco los artículos. Es muy probable que la señora Faraday conservara una edición de estos periódicos, pero durante la guerra se destruyó gran parte de sus fondos. Con todo, sabemos que durante los bombardeos pusieron a buen recaudo unas cuantas cajas. Todo ese material no salió a la luz después de la guerra, de lo que deducimos que finalmente también fue pasto de las llamas, aunque quizá esté en algún desván criando moho.

–¿Qué ha descubierto sobre Rose? –saltó Lilly–. Nos prometió novedades.

Gabriel sonrió y levantó las manos.

–Está bien, me rindo, no hace falta que saquen los instrumentos de tortura.

–No pensábamos hacerlo –repuso Ellen–. Aunque he de informarle de que ha estado a punto de quedarse sin postre.

–Después de esta estupenda comida me cuesta imaginar algo mejor, pero siento curiosidad por ver lo que me espera. –Se sentó bien, hizo como si rebuscara en su memoria y comenzó–: Antes de que fueran a Cremona puse nuestros archivos patas arriba, y he de confesar que no encontré gran cosa. Como saben, Rose Gallway es un personaje de máximo interés para nuestra institución. Toda la información sobre su vida y milagros ya fue recopilada y archivada por mis predecesores. Pero hubo algo que les pasó inadvertido. Quizá no sea muy importante, pero al revisar su expediente me llamó poderosamente la atención.

–¿De qué se trata?

–Antes nuestra escuela contaba con un internado donde residían las alumnas que no eran de Londres. Y esto era así porque la señora Faraday dedicaba todos los años un tiempo a recorrer el mundo para visitar a los jóvenes talentos que algunas profesoras de música de su confianza le recomendaban. El internado lo dirigía una tal señorita Patrick, de la que apenas se sabe nada salvo las fechas de su nacimiento y muerte. Eso sí: la buena mujer hacía minucioso acopio de todos los datos y documentos de las alumnas a su cargo. Desde el punto y hora en que la señora Faraday decidía reclutar a una muchacha, la señorita Patrick entraba en escena y abría una entrada en su anuario. Esos anuarios —hay uno por cada curso académico— principalmente consistían en informes sobre la conducta de las alumnas, aunque solo en los casos más flagrantes se mencionaba el nombre de las infractoras. Además, en ellos se hacía inventario de todo lo adquirido, y se tomaba nota de los datos personales de las nuevas incorporaciones. En cuanto llegaba una nueva alumna, la señorita Patrick anotaba todo lo que averiguaba de la muchacha. Y Rose debió de contarle muchas cosas, pues su hoja de admisión está plagada de apuntes.

—¿Y cómo es que hasta ahora nadie se dio cuenta? —le inquirió Ellen tras dar un trago a la copa de vino.

—Mis predecesores debieron de pensar que esos libros no eran más que un puñado de informes de cuentas e historias edificantes escritas por la señorita Patrick. Lo que no supieron ver es que una buena parte de esas historias procedía de las propias alumnas, y tampoco debieron reparar en los jugosos datos que se ocultaban entre tanta paja.

—Bueno, déjese ya de crear suspense; termine con este suplicio y díganos qué ha averiguado.

Gabriel se sacó un sobre del bolsillo que Lilly supuso enseguida que contendría fotocopias. Pero en vez de abrirlo prefirió contestar:

—Que Rose Gallway era de Sumatra ya lo sabíamos, así como la fecha de su nacimiento: el 9 de mayo de 1880. Pero sus padres nos reservaban alguna sorpresa. —Al fin Gabriel sacó una hoja del sobre—. Su madre se llamaba Adit y era de un pueblo llamado Magek, mientras que su padre era inglés.

—Pues no parece indonesia —comentó Lilly—. Tiene más bien pinta de italiana o de española.

—Fíjate bien en sus ojos, son bastante exóticos —dijo Ellen señalando la fotografía en la que aparecía Rose de pequeña—. En esta foto se aprecian mejor.

—Tiene razón. Aunque tampoco es para tanto. También hay europeas con ojos de gato y cabello negro como el azabache. Viendo la foto uno nunca pensaría que su madre era una *minangkabau* y que provenía del corazón de la isla.

Lilly puso cara de no entender y Ellen apartó a un lado su espresso.

—¿Quiénes son esos *minangkabau?* —preguntó Lilly; era la primera vez que oía ese nombre en su vida.

—Una tribu de Sumatra que se rige por el Adat, una comunidad en la que la mujer ocupa un lugar preponderante.

—Vamos, un matriarcado —apostilló Ellen cosechando el asentimiento de Gabriel.

—Así es. Naturalmente prevalece el islam, así que el estudio del Corán está reservado a los hombres. Pero la tierra se hereda por vía materna. Cada familia tiene una matriarca que es venerada por todos sus descendientes. Su primogénita es la encargada de que la tribu perdure, mientras que sus hermanas han de ocuparse de que la familia crezca o incluso de fundar nuevos clanes.

Al final, Gabriel sacó del sobre una hoja de papel doblada y, rozándole intencionadamente la mano, se la dio a Lilly. ¡Qué suave era su piel y qué firmes sus dedos! Sin duda era la mano de un músico, pero también la de un hombre presto a agarrar la suya.

Turbada, Lilly echó un vistazo a la fotocopia. No contenía una minuciosa descripción de la sociedad *minangkabau,* pero en ella Rose contaba con orgullo que su madre pertenecía a ese pueblo. Y también que vivían en Padang, y que iba a una escuela donde una profesora de música holandesa se fijó en ella y se empeñó en que recibiera clases de violín.

—¡Déjeme adivinar! —intervino Ellen—. La madre de Rose entró a servir en casa de unos ingleses y el señor la dejó preñada.

Gabriel se echó a reír.

—Señora Morris, ¿puede saberse por qué tiene tan mala opinión de los hombres del siglo XIX?

—¿Acaso no es ese el tópico de siempre? Allí donde asentaban sus colonias, los ingleses tomaban a su servicio a los nativos e iban dejando niños ilegítimos desperdigados por todo el mundo.

Thornton volvió a sonreír socarrón.

–Sí, puede que ese sea el tópico, al menos en los libros y en las películas, y seguro que en la vida real también se dieron varios casos así. Pero en esta ocasión el cliché no se cumple.

Hizo una pausa y miró alternativamente a Ellen y a Lilly, para detenerse finalmente en la anticuaria. A esta le empezaron a arder las mejillas y el estómago se le encogió.

–De hecho, el nacimiento de Rose Gallway fue moralmente intachable. Su padre era el gerente del puerto de Padang, un inglés que no puso peros a casarse legalmente con Adit. Pero lo más sorprendente es que ella vivió toda su vida con su esposo. He estado indagando un poco sobre los *minangkabau*. Lo normal para ellos es que la mujer se quede en la casa materna y que a su vez el hombre se vaya a la de su madre, pues a sus ojos no deja de ser un mero visitante. Asimismo, los hijos que tengan pertenecerán a la familia de la madre, y no a la del padre.

–O sea, que la madre de Rose rompió con la tradición.

–Es una manera de decirlo. Lo cual no significa que las cosas quedaran así. Los *minangkabau* están muy apegados a sus tradiciones, por lo tanto puede que acabara volviendo con su pueblo. Creo que este es el punto en el que debemos incidir. El rastro de Rose se pierde en Sumatra. Cuando su carrera empezó a declinar viajó allí sin explicarle a nadie el por qué. Tiendo a pensar que fue a ver a sus padres. Quizá haya rastros de ella y de su familia en Padang y en Magek. Dado que allí la propiedad se hereda por vía materna, no es descabellado pensar que aún conozcan su nombre; y aunque en esas tierras no se estilen los registros parroquiales, puede que los *minangkabau* guarden algún tipo de censo de sus antepasados, aunque sea por medio de la tradición oral.

–Pues no nos va a quedar más remedio que viajar a Indonesia –apuntó Ellen dejando ver claramente que no iba en serio.

–Esa es una posibilidad –admitió Gabriel–. La otra sería recabar documentación de ese país. En Indonesia hay muy buenas escuelas de música que seguro que podrían brindarnos su ayuda.

Lilly se quedó de piedra. Algo en su interior le decía que no bastaba con tener contactos en Indonesia. Había que seguir el camino de Rose. ¡Había que ir a Sumatra!

–Bueno, creo que después de esta historia me he ganado el postre. ¿Qué opinan ustedes?

Algo más tarde, después de dar cuenta del postre y trasladarse al sofá que había junto a la chimenea, retomaron la conversación sobre el violín de la rosa y sus dueñas.

–¿Ha descubierto algo nuevo sobre Helen Carter? –preguntó Lilly, dejando por un momento a un lado sus cavilaciones en torno a Indonesia.

–Obviamente la he buscado en los anuarios, pero en su época nuestra querida señorita Patrick ya había fallecido, y sus sucesoras fueron mucho menos minuciosas en lo que respecta a las anotaciones. Se siguieron registrando las nuevas incorporaciones, pero la entrada de Helen no dice gran cosa. Sus padres eran James e Ivy Carter, residentes en Padang, y ella nació el 12 de diciembre de 1902. La vieja señora Faraday, que a sus ochenta y tres años seguía recorriendo el mundo a la caza de jóvenes talentos, se interesó en ella al saber de la fama de niña prodigio que la rodeaba. Helen había aprendido a tocar de manera autodidacta, como algún otro genio de la música. Tras el terremoto de 1910, su nombre empezó a sonar con fuerza, así que al final la señora Faraday fue a visitarla. Y debieron aceptar su oferta, pues en 1911 Helen Carter ingresó en el conservatorio, siendo una de las alumnas más jóvenes jamás admitidas. Al principio, la señora Faraday se encargó personalmente de su instrucción, pero a los tres años tuvo que delegar en sus profesoras a causa de un ataque al corazón. No obstante, se ocupó de ella hasta su muerte, en 1916, convirtiéndola en la rutilante estrella que llegó a ser entre los años 1919 y 1920, los principios de los dorados veinte.

–Y luego vino el accidente.

–En efecto. Concretamente fue un accidente de tráfico; la arrolló un autobús... Así fue como el mundo vio apagarse de golpe una estrella. Helen sobrevivió al atropello, pero no volvió a tocar, ya que perdió la mano izquierda.

—Debió de ser terrible —musitó Ellen mirándose la mano—. Que algo te impida hacer lo que más te apasiona... De niña a veces deseé que me pasara algo en las manos. Tras el entusiasmo inicial por el violín, perdí las ganas de seguir tocándolo, pero mis padres insistieron en que siguiera. Y lo hice, por amor a ellos, pero Lilly puede decirle lo mucho que me costó.

—¡Ya lo creo! —intervino Lilly.

—Sin embargo —prosiguió su amiga—, no puedo ni imaginarme lo que eso supondría si yo fuera una violinista de verdad. Sufrir una lesión que te impida desarrollar tu don debe de ser lo más espantoso que le puede pasar a uno. Solo se me ocurre compararlo a que mi instituto ardiera en llamas.

—Y eso que hoy en día se puede asegurar cualquier cosa —repuso Gabriel—. Conozco a músicos profesionales que tienen aseguradas sus manos por mucho más valor que sus propias vidas. Por aquel entonces eso era inconcebible. Con todo, no creo que el dinero pueda consolar a un músico de pura sangre que pierda la capacidad de tocar. Puede que eso les garantice cierta seguridad económica, pero ¿qué hay de la pasión?

—¿Se casaría Helen porque no tenía otra elección? ¿Se veía obligada a elegir entre el matrimonio o la ruina?

—No lo creo. Tiendo a pensar que amaba realmente a su esposo. Nada indica que fuera por interés.

—Al menos conoció el amor —musitó Ellen, reflexiva, antes de que su mirada se perdiera en el vacío.

Por unos instantes los tres guardaron silencio, cada uno abismado en sus pensamientos.

—Por cierto, me prometió que me dejaría tocar su violín al menos una vez —dijo al fin Gabriel dirigiéndose a Lilly—. Creo que me lo he ganado.

Lilly se sonrojó. Tendría que habérselo enseñado hacía rato. ¡Qué falta de delicadeza!

—Por supuesto, voy a por él.

249

Cuando se levantó sintió la mirada de Gabriel en sus hombros. Regresó con el estuche, extrajo con delicadeza el instrumento del forro rojo y se lo dio a Gabriel, que lo primero que hizo fue girarlo y mirar la rosa con admiración.

—El violín de Rose Gallway. Jamás pensé que pudiera llegar a tocarlo... ¡Pero a veces suceden milagros!

—¿Y no sabe cómo el violín llegó a manos de la pequeña Helen Carter, habiendo pertenecido a Rose Gallway? —preguntó pensativa Ellen.

—Es posible que Rose lo empeñara o lo vendiera. O puede que se lo robaran. Lo más probable es esto último, que Rose fuera víctima de un crimen. Eso explicaría también su desaparición.

—Pero ¿no había nadie que cuidara de ella? Entonces los músicos tenían mánager o agente.

—Así es, y en el caso de Rose sabemos incluso su nombre. Se llamaba Sean Carmichael, un joven emprendedor que supo ver enseguida el potencial de la chica. Por desgracia, en su declive no mostró ninguna piedad hacia ella, puede que incluso contribuyera a su fracaso. También esas cosas son objeto de nuestra investigación. Y, ya que usted lo ha sugerido, será de él de lo próximo que me ocupe.

Dicho lo cual se caló el violín bajo el mentón. Lilly iba a pedirle que tocara *El jardín a la luz de la luna,* pero al ver que ya había empezado prefirió no interrumpirlo. Al momento comprobó sorprendida que estaba interpretando esa pieza. ¡Se la había aprendido de memoria! Lilly cerró los ojos conmovida e intentó imaginar un jardín. Un jardín con flores silvestres, árboles de los que colgaban largas guirnaldas de hojas y frondosos arbustos refugio de pequeños animales. Y coronándolo todo, una luna que con su luz empalidecía todos los colores sin restarle al lugar un ápice de su belleza. La visión duró unos minutos, hasta que Gabriel terminó de tocar; tras lo cual bajó lentamente el arco y observó admirado el violín.

—No me extraña que se dijera que Helen Carter era la nieta de Paganini. Si yo, con mis limitaciones, he logrado hacer sonar así este violín, ¿qué no haría un genio como ella? ¿Y qué decir de Rose Gallway, cuyo talento era aún mayor?

Antes de que Lilly pudiera replicar, oyeron llegar un coche. Al poco, Dean entró en el salón.

—Siento llegar tan tarde —dijo entre jadeos—. Esa obra va a acabar volviéndome loco.

—Dean, este es el señor Thornton. —Ellen presentó al invitado—. Y estoy casi segura de que aún le queda alguna historia que contarte.

Gabriel se despidió bien pasada la medianoche y Lilly lo acompañó fuera.

—Ha sido una velada inolvidable —dijo él con una tímida sonrisa mientras se metía las manos en los bolsillos—. Su amiga y su marido son encantadores.

—Sí, son una gente maravillosa. Les debo mucho. Siempre han estado ahí para apoyarme, sobre todo después de que falleciera mi marido.

Gabriel pareció acordarse.

—Es verdad, me lo contó en el avión. Siempre es bueno tener gente en la que poder confiar. A mí también me habría encantado tener amigos en los que apoyarme cuando me separé de Diana.

—Su mujer.

Gabriel asintió, y por un momento pareció tan frágil que Lilly estuvo a punto de estrecharlo en sus brazos. Pero se contuvo; notaba que le gustaba, pero eso no le daba derecho a tirársele al cuello.

—Lo siento mucho —dijo a falta de algo mejor.

—No tiene por qué. Diana y yo no estábamos hechos el uno para el otro, así de sencillo. Y yo estaba tan absorbido por mi trabajo que descuidé las amistades, así que acabaron pagándome con la misma moneda. Pero en la vida se aprende de los errores, ¿no cree?

Tras dedicarle una sonrisa, Gabriel se sacó algo del bolsillo.

—Tengo algo más para usted.

Lilly supo enseguida que se trataba de la fotocopia que Gabriel no había llegado a sacar del sobre. Se trataba de la transcripción de un cuento titulado *La olvidada.*

—Esta historia tuvo que contársela Rose a nuestra querida señorita Patrick. Es un cuento indonesio muy popular. He comprobado que aparece en varias antologías. Desgraciadamente, no contiene ninguna indicación de que ella compusiera *El jardín a la luz de la luna,* pero muestra a las claras las influencias que tuvo en su infancia. He leído que en Indonesia los cuentos populares se representaban en el teatro de sombras. Puede que Rose asistiera a esas funciones de títeres...

—Es muy posible. Gracias.

—No hay de qué. Pienso tenerla al tanto de todo lo que descubra.

—¿Cuándo volveremos a vernos?

Gabriel sonrió de oreja a oreja.

—Aún me debe una cena, ¿verdad? No es por desmerecer la de hoy, pero ha sido más bien una reunión de trabajo.

—¿Y cómo se imagina la que le debo?

—Un poco más íntima... ¿No cree?

Lilly se sonrojó. ¿Cuándo era la última vez que había salido con un hombre?

—No tiene nada que temer —dijo Gabriel al verla dudar.

—No, si no es eso... Tiene razón, quizá deberíamos...

—Solo si usted lo desea. Ha de saber que no le estoy ayudando para conseguir una cita. Seguiré prestándole mi ayuda con cena o sin ella, pero pensaba que...

—El viernes —le espetó de pronto Lilly—. ¿Lo tiene libre?

Gabriel arqueó las cejas.

—Sí, por supuesto. Y si me surge algo inesperado lo dejaré para otro momento. Parece que no tarda mucho en decidirse.

—Bueno, a fin de cuentas no sé cuánto tiempo voy a estar en Londres. Y, quién sabe, quizá...

—... Nos guste tanto que queramos repetir —completó él la frase.

—Es posible, ¿no?

—Desde luego que es posible. —Gabriel la miró fijamente, luego se inclinó y le dio un beso en la mejilla—. Buenas noches, Lilly.

—Buenas noches, Gabriel. Tenga cuidado al volver a casa.

—No se preocupe, no pienso estropear esta estupenda velada.

Dicho lo cual se separaron. Antes de subirse al coche, Gabriel se volvió y se despidió una vez más con la mano.

19

A Helen le encantaba esconderse. Cuando buscaba cobijo entre el frondoso arbusto de detrás de la casa y sentía que nadie podía encontrarla, inventaba fantásticas historias de príncipes, rajás, demonios y bellas princesas. A veces se escondía de su madre; otras de *miss* Hadeland, su profesora de música holandesa.

—¡Helen! —clamó la voz de su madre desde el interior de la casa, pero la chiquilla no la oyó.

Ajena a todo, Helen rodeó corriendo el edificio en dirección al portón del jardín, donde un tupido seto impedía ver la calle. En esa muralla verde había un lugar donde las ramas formaban un hueco en el que Helen quedaba guarecida por completo. Era su escondite favorito.

Ahí solía pasar mucho rato sola, hasta que su madre lograba encontrarla. Pero esta vez, delante del portón, vio a una mujer delgada de pelo negro que llevaba un bonito vestido de color azul oscuro. Miraba el camino como si estuviera esperando a alguien. Era evidente que aún no se había percatado de la presencia de Helen, así que la niña tuvo tiempo para pensar qué hacer. ¿Le dirigiría la palabra sin más? Su madre no veía con buenos ojos que hablara con extraños, pero ¿valía esa norma también para alguien que parecía completamente inofensivo? Al final se armó de valor y se asomó por el poste de piedra.

—Hola —le dijo a la mujer, que pareció asustarse un poco. Al ver a Helen abrió los ojos como platos. ¿Desde cuándo una mujer adulta se asustaba de una niña pequeña?

—¿Quién eres? —preguntó Helen con una sonrisa que pretendía relajar el gesto de la desconocida.

—Yo... —dijo la mujer aún asustada.

—Tendrás un nombre, ¿no? —insistió Helen, planteándose invitarla a entrar. La cocinera siempre hacía *scones* para la hora del té, con nata estaban deliciosos, y seguro que también le gustarían a esa señora.

—Claro que tengo nombre —dijo la mujer, un poco más tranquila. Se agachó para hablar con Helen, y esta vio que caían lágrimas de sus ojos.

—¿Por qué lloras? —le preguntó tendiéndole una mano. ¡Qué guapa era! Helen nunca había visto una mujer tan bella. Ni siquiera su madre lo era tanto.

—Lloro porque me alegro mucho de verte —contestó, y cerró los ojos al sentir la manita de la niña en la mejilla. Helen notó que la señora temblaba. Una lágrima se deslizó por la yema de sus dedos.

—¡Si estás contenta no entiendo por qué lloras! —Helen retiró la mano y observó con asombro las lágrimas que mojaban sus dedos: eran como gotas de rocío.

—A veces la gente llora de felicidad —dijo la mujer sacándose un pañuelo de la manga para secarse los ojos. Luego se quedó mirando a Helen un rato, como queriendo memorizar cada rasgo, cada pelo de sus cejas, cada poro de su piel—. Tenéis un jardín precioso —dijo al fin la desconocida, para luego señalar por encima del hombro de la niña—. ¿Sabes cómo se llaman esas flores de ahí?

—No todas. Sé que esas son rosas, y que esas otras son fangi..., franchi...

—Franchipanes —le ayudó la desconocida.

—Sí, eso es, fran-chi-pa-nes. —Helen tenía que pensarse cada sílaba para decir correctamente la palabreja—. Esas de ahí son orquídeas, y esos son jazmines.

La mujer se echó a reír.

—¡Pero si conoces un montón de flores!

—Pero no todas. Tenemos muchas más —repuso Helen—. ¿Quieres verlas?

—Quizá luego.

Al oír la voz de la madre de Helen, la desconocida se asustó mucho.

—Tengo que irme —dijo guardándose el pañuelo en la manga. Su voz sonó muy bajo, como un susurro.

—¿Vendrás a visitarme? —le preguntó Helen cuando oyó venir a su madre.

—Sí, vendré —le prometió la mujer—. Pero no le digas nada a tu madre. No debe saber que he estado aquí.

—¿Por qué no?

—Porque es un secreto.

—¿Un secreto?

—Sí, un secreto. Y si me lo guardas, la próxima vez te daré algo muy bonito.

—¿Qué? —inquirió Helen, pero la mujer vio que la madre venía hacia el portón dando grandes zancadas.

—Ya lo verás. Volveré pronto.

Se dio la vuelta y se marchó apresuradamente.

Al momento apareció su madre.

—¡Helen! ¡Pero si estás aquí! ¡Llevo un buen rato llamándote!

Y bien que lo sabía Helen, pero no podía decirle que no le había dado la gana de contestar.

—¿Quién era esa mujer con la que hablabas?

Ivy Carter, la madre de la niña, alargó el cuello para intentar verla, pero ya había desaparecido.

—No lo sé —respondió Helen consciente de que no podía contarle nada si quería el regalo que la desconocida le había prometido.

—¿Y qué quería?

Helen se mordió el labio inferior sin saber qué decir. Por nada del mundo quería mentir a su madre, pero tampoco quería traicionar a la bella desconocida, que quizá fuera una princesa o un hada buena.

—Me ha dicho que teníamos un jardín muy bonito –repuso al fin, satisfecha de sí misma por haber logrado no decir ninguna mentira.

La madre de Helen sonrió y la tomó en brazos.

—Espero que hayas sido educada y le hayas dado las gracias.

—Sí, se las he dado, y además la he invitado a entrar. Pero entonces se ha despedido y se ha marchado.

Ivy le estampó a su hija un beso en la frente. Pero, al mismo tiempo, una arruga de preocupación apareció en su entrecejo.

—¿He hecho mal en invitarla? –preguntó la niña, que sabía perfectamente que cuando su madre ponía esa cara era porque se había portado mal.

—No, no has hecho mal, vida mía –contestó su madre–. Ha sido muy amable por tu parte invitarla. Pero la próxima vez pregúntame antes; no sabemos qué clase de persona es.

—¡Pero si era muy simpática! –exclamó Helen, sorprendida por la desconfianza de su madre.

Ivy suspiró. ¿Cómo explicarle a su pequeña que la gente que parece amable no siempre lo es? ¿Cómo decirle que la sonrisa de un adulto puede ocultar oscuras intenciones?

—Bueno, vamos dentro. Los *scones* ya están listos. ¿Quieres probarlos?

Helen asintió y siguió a su madre dando saltitos.

Esa noche Helen tardó en atrapar el sueño. Sin nada más que hacer, observaba las sombras que se proyectaban en el techo de su cuarto. Antes, los contornos de la ventana y las ramas de los árboles, mecidas por la brisa del mar, le daban mucho miedo... Pero ahora sabía que eran árboles y no demonios. Cuando lo descubrió no pudo evitar sentirse un poco decepcionada, pues adoraba los cuentos. Sobre todo los del teatro de sombras, al que su padre la había llevado hacía poco. Al día siguiente no había podido parar de hablar con su amiga Antje Zwaneweeg de esas maravillosas y también horripilantes marionetas que se movían tras el lienzo iluminado.

Cuando, después de ir al teatro, volvió a ver esas sombras en el techo que tanto miedo le daban, llegó a la conclusión de que solo eran árboles. Y que lo que se movía entre sus ramas no eran más que aves nocturnas buscando algo que comer. ¡Pero ahora tenía un secreto! ¡Uno de verdad! ¿La vería al día siguiente? Le había dicho que volvería pronto, pero, como ella misma sabía, eso no era decir mucho: cuando le decía a su madre que ordenaría su cuarto pronto, solía tardar un par de días en ponerse a ello. ¿Vería de nuevo a la desconocida?

A la mañana siguiente, mientras repasaba el alfabeto con su madre en el cuarto de estudio, Helen solo podía pensar en aquella mujer. ¿Qué pasaría si le daba por aparecer cuando ella no estuviera? ¿Y si no se acordaba de lo convenido? Se moría de ganas de salir e ir a echar un vistazo, pero sabía que su madre no la dejaría hasta que hubiera escrito todas esas dichosas letras.

—¡Helen! ¿Me escuchas?

La niña se sobresaltó. Había oído a su madre, pero no sabía lo que había dicho.

—Helen, ¿se puede saber qué te pasa hoy? —le preguntó preocupada mientras dejaba a un lado el libro que tenía en las manos—. Es como si no estuvieras aquí.

Avergonzada, Helen clavó la vista en la mesa que tenía delante. No sabía qué decir. Las clases con *miss* Hadeland eran muy aburridas, pero con su madre le solía gustar aprender cosas; le había prometido que un día la mandaría a una escuela de verdad, donde habría muchos libros y podría tocar música.

Como Helen no respondía, su madre se acercó y le apartó un mechón de pelo de la cara.

—¿Estás cansada, tesoro? ¿No has dormido bien?

Para simplificar, Helen asintió, y lo cierto era que no había dormido mucho. Pero lo que no le dijo fue que, si estaba tan ausente, era sobre todo porque no podía dejar de pensar en la desconocida que le había prometido un regalo. ¡Si al menos le hubiera dicho un día y una hora! Por esa vez, su madre lo dejó pasar y siguió con la clase, aunque no estaba muy segura de que su hija la estuviera escuchando. Por su parte, Helen era consciente de que no podía seguir así. ¿Por qué no era capaz de quitarse de la cabeza a la bella desconocida?

En los días siguientes, aprovechó cada instante que su madre se ausentó de la casa para ir a la puerta en busca de esa misteriosa visitante. Obviamente no la dejaban sola, estaban la cocinera y la doncella, pero estas, en cuanto la señora salía por la puerta, se metían en la cocina a charlar y a tomar té. Se alegró más que nunca de que nadie estuviera pendiente de ella, así creerían que estaba en su cuarto haciendo los deberes. Esa mujer y el anhelado regalo ocupaban su mente desde que abría los ojos por la mañana. En el desayuno mareaba su *porridge* sin terminar de comérselo, y en las clases era incapaz de concentrarse. Los ojos se le iban constantemente hacia la ventana y su mente no dejaba de hacer conjeturas acerca del regalo de la desconocida. ¿Qué sería?, ¿una pulsera?, ¿un ramo de flores? No, para eso no hacía falta andarse con tanto misterio. Quizá fuera una cajita de madera con una joya dentro, o puede que algo aún más interesante, como un libro mágico o una muñeca parlante.

Mientras hacía guardia en la puerta, le iban viniendo a la mente todos los objetos que conocía. La lista parecía no agotarse, pues siempre se le ocurría alguno nuevo. Inmune al desaliento, la pequeña nunca pensó que su espera fuera en vano. Cuando su madre, extrañada, iba a buscarla a la puerta y le preguntaba qué hacía ahí, ella se inventaba cualquier cosa... Y luego se decía a sí misma que volvería a la carga.

Ese día había tenido clase de música con *miss* Hadeland. Helen la llamaba *miss,* ya que, aunque era holandesa, la niña era incapaz de decir «señorita» en holandés. A *miss* Hadeland solía bastarle verla practicar al piano con afán para darse por satisfecha. Aunque últimamente no estaba demasiado contenta con ella. Una mañana, Helen había oído que le decía a su madre:

—No parece progresar. Toca como si no le gustara hacerlo.

—Quizá sea eso —había respondido su madre—. ¿Y si lo intentamos con otro instrumento?

—¡El piano es el instrumento más indicado para una dama! Si no logra dominarlo, ¿cómo va a aprender a tocar otro instrumento?

—Démosle un poco más de tiempo. Solo tiene ocho añitos. Aún le están creciendo las manos, dentro de poco será más diestra.

—¡Con seis años Mozart ya tocaba sonatas enteras!

—Nuestra Helen no es una niña prodigio ni tiene por qué serlo. Me conformo con que adquiera un buen oído para la música y llegue a disfrutar tocándola. Sea más indulgente con ella.

Pero *miss* Hadeland no era partidaria de la indulgencia. Obsesionada por hacer de ella una niña prodigio como ese tal Mozart, del que Helen tenía que tocar obras a menudo, cada vez le exigía más, hasta el punto de que no tardó en adoptar la costumbre de darle un varazo en las manos a la menor equivocación. Una vez le dio tan fuerte que la pequeña corrió a los brazos de su madre con lágrimas en los ojos. Tras ese incidente, su madre habló seriamente con la maestra y se acabaron los golpes. A partir de entonces, pasó a maltratar a Helen con las palabras.

Como en ese preciso día.

—¡Ni un camello aporrearía así el piano con sus pezuñas! —le espetó mientras se paseaba delante de ella haciendo sonar sus tacones—. Lo que acabo de escuchar me daña los oídos. ¡Vamos, toca el pasaje otra vez!

Helen, harta ya de tocar esa pieza y cada vez más insegura, colocó los dedos en las teclas y empezó a tocar de nuevo el odioso pasaje. Ahora incluso mejor que antes, a su parecer. Pero volvió a suceder. Sin previo aviso, la vara silbó sobre sus dedos. Asustada y dolorida, retiró la mano provocando una estridente disonancia que resonó en toda la habitación. Ya no pudo más.

Se levantó de un salto y, tras patalear un poco, exclamó: «¡No pienso tocar más!». Salió corriendo antes de que la ira de *miss* Hadeland la alcanzara.

Tenía tanto miedo que el corazón se le salía del pecho. Cuando hubo ganado cierta distancia, aguzó el oído suponiendo que la profesora la estaría persiguiendo. Pero no oyó nada; quizá *miss* Hadeland necesitara un respiro para recuperarse del susto. Llena de rabia y de miedo, Helen se dirigió hacia el arbusto donde cada día esperaba a la mujer. Aunque en esta ocasión no pensó en ella: su mente estaba demasiado ocupada deseándole todo tipo de males a su profesora de piano; como, por ejemplo, la peste bubónica, de la que le había hablado Antje.

Al llegar al florido arbusto, se quedó paralizada. La desconocida apareció ante ella como si fuera una visión. Estaba delante de la verja, esperándola pacientemente, como si un hechizo la hubiera convertido en estatua. Helen sonrió contenta.

—¡Has vuelto! —dijo con dulzura.

A Helen se le pasó de golpe el dolor de la mano. Llevaba todos esos días esperándola, y ahora, precisamente el día en que la estúpida *miss* Hadeland había sido tan mala con ella, la desconocida había acudido en su ayuda para consolarla como un hada buena. La niña se acercó a la verja. La mujer alargó la mano y la acarició en la mejilla produciéndole un agradable frescor. Fue entonces cuando vio que en la otra mano llevaba un estuche alargado.

—He venido todos los días con la esperanza de volver a verla —dijo Helen, que a duras penas conseguía no echarse a llorar de alegría.

—Perdóname, siento haberte hecho esperar, pero es que... No me encuentro muy bien —repuso la mujer—. Además, tenía que resolver un asunto. Pero ya estoy aquí, y te he traído tu regalo. —Deslizó el estuche entre los barrotes.

—¿Qué hay dentro? —preguntó la pequeña, fascinada.

—Algo muy especial. Un violín.

Los ojos de la niña se abrieron como platos.

—¿Un violín?, ¿para mí?

—Sí. Es tuyo si lo quieres. Pero vas a tener que aprender a tocarlo. He oído que tocas el piano.

—¿Cómo te has enterado? —preguntó la cría, haciendo sonreír a la mujer.

—Sé muchas cosas de ti, Helen. Por eso me he decidido a regalarte el violín. Antes era mío, pero ya no puedo tocar.

—¿Por qué?, ¿has olvidado cómo se hace? —Aunque a Helen no le entusiasmaban las clases de música, sería incapaz de olvidar las cosas que *miss* Hadeland le había enseñado.

—No, no es ese el motivo. —La mujer miró a la pequeña y añadió—: Tienes un corazón fuerte, ¿verdad?

—¡Claro que sí! —afirmó Helen sin saber muy bien cómo medir la fuerza de su corazón; aunque, a juzgar por cómo le latía en esos instantes, tenía que ser el corazón más fuerte del mundo.

—Bien, así podrás tocar el violín muchos años.

—Pero ¿cómo voy a aprender a tocarlo? ¿Vas a enseñarme tú?

—¿Qué hay de la mujer que te enseña piano?

—A ella no le gusta el violín —repuso Helen—. Ni siquiera sé si sabe tocar... Yo solo la veo dar vueltas alrededor del piano con su vara de fresno preparada para darme en los dedos en cuanto me equivoco.

—¿Te pega? —preguntó la mujer sin salir de su asombro.

—Solo cuando me equivoco... Lo que sucede a menudo.

La desconocida frunció los labios, agarró la mano de la pequeña entre los barrotes y observó los arañazos. Luego le acarició suavemente el dorso. De nuevo parecieron asomar las lágrimas en sus ojos.

—¡Quién es ella para pegarte! Si vuelve a ocurrir, díselo a tu madre. Como máximo puede reprenderte si te equivocas, pero pegarte, de ningún modo.

—No es para tanto —la tranquilizó Helen al ver que la desconocida estaba seriamente preocupada por ella—. Duele un poco, pero puedo seguir tocando. Y me vengo de ella en silencio llamándola vaca burra.

La mujer soltó una breve carcajada. ¿O era un sollozo?

—Además, se lo dije a mamá y ya habló con ella. Hoy he preferido marcharme.

—Cuida de tus manos, ¿me oyes? —dijo la mujer, ahora agarrando la mano de la niña con fuerza—. Y prométeme una cosa.

Helen se mostró entusiasmada. Por un regalo así era capaz de prometer lo que fuera, y más a la desconocida.

—Prométeme que un día llegarás a ser una virtuosa del violín. ¿De acuerdo? Suponiendo que te hagas con él...

—¡Prometido! —respondió, aunque enseguida se dio cuenta de que se había precipitado un poco—. ¡Pero primero tengo que aprender a tocarlo!

La mujer miró hacia la casa. ¿Vendría alguien? Cuando Helen se dio la vuelta no vio a nadie acercarse.

—Yo podría enseñarte un poco. Pero necesitamos encontrar un lugar donde la gente que pase por la calle no pueda vernos, ni tampoco tu madre ni sobre todo tu profesora de música. Te enseñaré cómo sujetarlo y te cantaré las notas que tú tendrás que arrancarle al instrumento. ¿Crees que así podrás aprender?

—Pero ¿dónde voy a practicar? —preguntó Helen, sorprendida, pues nunca había oído hablar de un método así.

La mujer levantó la cabeza y abarcó todo el jardín con su mirada.

—Todo esto es muy amplio. Digo yo que habrá algún rincón donde nadie te vea. Además, seguro que tu madre saldrá en algún momento a hacer sus recados, ¿no es cierto?

—Sí. Suele irse siempre dos o tres horas por la tarde. En esos ratos podrías venir a ayudarme.

—No, no creo que sea buena idea. Si tu madre se enterara, me impediría venir a verte. Tendremos que mantenerlo en secreto. Te gustan los secretos, ¿verdad?

Helen asintió. Sí, claro que le gustaban, aunque fuera difícil guardarlos.

—¿Y dónde nos encontraremos? —preguntó.

—¡Dímelo tú! Supongo que no te dejan salir de casa sola, ¿no?

Helen se tomó un tiempo para reflexionar. ¿Dónde podían esconderse ella y su nueva amiga para tocar el violín? Entonces se le ocurrió un sitio. Había estado allí solo una vez, pues en realidad no estaba en su finca sino en la del vecino, donde el jardín crecía a su aire. Entre sus recuerdos había la imagen borrosa de un pequeño pabellón, que ahora, sin embargo, pudo ver con nitidez. ¡Qué mejor lugar para quedar con la desconocida!

–Sé un sitio. Pero tengo que enseñártelo, pues no es fácil de encontrar.

–¿Es aquí en vuestro jardín? –preguntó la mujer, a quien la idea no parecía hacerle mucha gracia.

–No, fuera. Solo tienes que recorrer esa valla hasta llegar a un seto. Nos vemos allí.

Helen se perdió en la maleza. Rápidamente dio con el angosto hueco que había en la valla y que daba al seto del terreno contiguo. Asomada desde su pasadizo secreto, empleó el tiempo que necesitó su amiga para llegar al lugar acordado en contemplar la blanca casa de madera llena de desconchones. ¿Viviría alguien allí? Ella nunca había visto a nadie... Las ventanas parecían ojos tristes. Quizá se sintiera sola al estar deshabitada.

Oyó un ruido a su espalda y se volvió. Entonces apareció la mujer, con el aliento entrecortado como si hubiera venido corriendo; pero no había sido así, pues habría llegado antes.

–Así que este es tu lugar secreto –dijo secándose el sudor de la frente con un pañuelo. Helen se dio cuenta de que los labios se le habían puesto azules, del mismo color que unos arándanos que había visto en un libro.

–¿Te encuentras bien? –dijo preocupada; nunca había visto a nadie con unos labios tan azules.

–Sí, enseguida se me pasa –contestó la mujer. A Helen el tono de su voz le recordó al que empleaba su madre cuando le dolía la cabeza.

–¿Te gusta?

La desconocida contempló la casa.

—Da un poco de miedo, ¿no te parece?

—No vamos a tocar ahí dentro... ¡Ven, te enseñaré dónde!

La agarró de la mano y la llevó a través de la maleza, que estaba tan alta que casi la cubría por completo. Aunque apenas se podía ver nada, al poco apareció ante ellas un pabellón con un aspecto no mucho más lucido que la casa. Quizá podrían devolverle la vida con sus encuentros periódicos.

—¡Aquí es! —dijo Helen señalando la endeble construcción de delgadas paredes de madera.

—¿De veras crees que es seguro?

—Sí, mamá jamás me buscaría aquí. Si no hacemos mucho ruido, nadie nos descubrirá.

—De acuerdo pues, nos encontraremos aquí. ¿Te parece bien los martes y los jueves? Cuando vengas, yo estaré esperándote.

—¡Vale!

—Recuerda que has de esconder el violín donde nadie lo vea.

Helen asintió entusiasmada.

—Eres una niña muy valiente —dijo la mujer acariciándole la mejilla—. Ahora deberías volver a casa.

—¿Seguro que vendrás?

—Te lo prometo. Y la próxima vez no te haré esperar tanto. Dentro de dos días ya es jueves, y aquí estaré entonces.

Loca de alegría, la niña apretó el violín contra su pecho, se despidió de su amiga y, con el corazón contento, emprendió el camino de vuelta a casa. Prefirió evitar la puerta principal, pues seguro que *miss* Hadeland la estaría esperando allí. Así que se deslizó por la entrada de servicio y subió corriendo las escaleras hasta llegar a su cuarto, donde, con el corazón desbocado, guardó el violín bajo la cama. Cuando volvió a salir al pasillo empezó a pensar dónde podría practicar sin que nadie la viera. El desván siempre le había dado un poco de miedo, pero quizá el violín pudiera protegerla y espantar con su música a los espíritus que habitaban ahí arriba... Antes de llegar a la escalera que llevaba al desván, se escucharon unos pasos detrás de ella.

—¿Dónde te habías metido, Helen? —preguntó enfadada Ivy Carter al ver a su hija—. ¡Qué haces aquí arriba! ¿No deberías estar en clase de música?

Helen alargó la mano para enseñarle a su madre los arañazos aún frescos, y dijo con la mayor de las convicciones:

—¡No volveré a tocar el piano en mi vida!

20

Entre suspiros, Lilly miró la bandeja de entrada de su correo electrónico. Seguía sin tener noticias de Enrico ni de su amigo. ¡Deseaba tanto saber si la partitura contenía algo que pudiera confirmar lo que la pequeña Helen le había dicho en sueños! Pero no era esa su única inquietud. Desde la visita de Gabriel no había dejado de pensar en viajar a Sumatra. Algo le decía que la solución al enigma estaba en esa isla. Pero ¿tendría el coraje suficiente para hacer sola un viaje así? Desde la muerte de Peter apenas había viajado, pues no se sentía con ánimos. Pero ahora algo había cambiado en su interior, y todo gracias al violín, a Rose, a Helen, a Gabriel... Se había pasado toda la mañana buscando un viaje barato, y el resultado había sido desolador. Solo el vuelo ya costaba una fortuna. La tienda de antigüedades daba para mantenerse, pero no para costearse un viaje a Padang con la única finalidad de seguir la pista de dos violinistas del siglo pasado. ¿Había llegado la búsqueda a su fin?

El sonido del teléfono la sacó de sus pensamientos. No esperaba ninguna llamada, pero aun así bajó corriendo las escaleras y descolgó.

—¿Lilly? —oyó decir a una voz de hombre de sobra conocida. De fondo se oía un ruido tremendo, como si estuviera en mitad de la calle.

—¡Gabriel! ¿Ocurre algo? —contestó. ¿Estaría impaciente por cenar con ella? Esa misma mañana le había enviado la dirección de un par de restaurantes.

—Me temo que tengo malas noticias —dijo titubeante—. He recibido una llamada de Diana, mi exmujer. ¿Se acuerda?

—Sí —constató Lilly—. ¿Ha sucedido algo malo?

—Podría decirse que sí. He de ir a verla, me necesita. Ya le contaré cuando nos volvamos a encontrar. Ahora voy de camino, y muy a mi pesar voy a tener que cancelar la cena. El viernes me va a resultar imposible.

Lilly tragó aire. La alegría de escuchar a Gabriel dio paso a un terrible nudo en el estómago.

—Entendido —dijo sin poder evitar el tono de decepción.

—Lo siento mucho, Lilly. Pero le aseguro que lo de nuestra cena sigue en pie. Aplazado, mas no archivado, ¿no se dice así en alemán?

Ella soltó una risa forzada.

—Sí, así lo decimos.

—La llamo en cuanto vuelva a Londres. ¿De acuerdo?

Una enorme bola en la garganta le impidió responder. ¡Cómo le gustaría saber cuándo sería eso!

Como si le hubiera leído el pensamiento, Gabriel añadió:

—No sé si será en unos días o en una semana, pero volveré. Se lo prometo.

—De acuerdo. Hubiera querido colgar, pero aun así se oyó decir—: Cuídese, Gabriel.

—Y usted también, Lilly. Hasta pronto. —Y colgó.

Lilly se quedó un rato aturdida junto a la mesita del teléfono. Va a ver a su ex, se dijo para sus adentros, y aunque en realidad eso no significaba gran cosa sintió un profundo desánimo. Había depositado tantas ilusiones en esa cena... No seas niña, siguió diciéndose. Al fin y al cabo, tú hiciste lo mismo.

Entonces la posibilidad de ir a Sumatra cobró más sentido. De esa forma no pensaría todo el rato en que Gabriel estaba con su exmujer y en que quizá Diana era más importante para él que ella...

—¿Qué andas buscando? —preguntó Ellen, apoyándose suavemente en el hombro de su amiga y echando un vistazo a la pantalla del ordenador. Había caído la tarde y Lilly seguía buscando una oferta. También continuaba intentando superar la terrible desilusión que había supuesto el desplante de Gabriel.

—Una lotería que toque —musitó.

—¿Y tiene que ser precisamente en Padang?, ¿qué pasa, que allí toca más?

—No, lo que quiero es que me toque para irme a Indonesia, por disparatado que pueda sonar.

Ellen guardó silencio un instante y luego giró con lentitud la silla de ruedas de su escritorio, obligando a Lilly a que la mirara a la cara.

—¿Qué te pasa?

Lilly frunció los labios y fijó la mirada en sus rodillas.

—Ha llamado Gabriel.

—¿Y?

—Habíamos quedado para cenar el viernes, pero ha cancelado la cita.

Ellen meneó la cabeza en señal de incredulidad.

—¿Te ha dado algún motivo?

—Según él, tiene que resolver un asunto familiar.

—Bueno, esas cosas pasan.

—Se trata de su exmujer.

Se hizo una pausa.

—¿Su exmujer?

—Sí, Diana. Dice que necesita su ayuda y que tiene que ocuparse de ella.

Una sonrisa asomó en el rostro de Ellen.

—Estás celosa.

—No digas bobadas. ¿Por qué iba a estar celosa? —se revolvió Lilly por no admitir que Ellen había dado en el blanco—. Pero si solo somos amigos.

—¿De verdad? Pues a juzgar por las miradas que te lanzaba la otra noche yo diría que hay algo más.

—Pues yo no noté nada —repuso Lilly, airada.

—¡Venga, Lilly! —dijo Ellen tirando de ella del brazo—. A mí no puedes engañarme. Tienes miedo de que vuelva a sentirse atraído por su mujer, ¿no es eso? Ten en cuenta que no sabes cómo fue su divorcio. Puede que se separaran de mutuo acuerdo y que quedaran como amigos. No tires la toalla antes de tiempo. No ha cancelado vuestra cita, sino que la ha aplazado, ¿no?

–Sí. Según él solo es un aplazamiento. Pero no ha sabido decirme cuándo volveremos a vernos.

–Quién sabe lo que puede estar pasando, cariño. Espera a que él te lo cuente. Yo en tu lugar no me preocuparía. Ahora lo mejor es que nos dediquemos a buscar la manera de que puedas ir a Padang.

Se pasaron toda la tarde sentadas frente al ordenador buscando un viaje asequible, pero todos estaban carísimos. Lilly sentía que el desánimo se apoderaba de ella, y tampoco ayudaban demasiado las constantes bromas que Ellen hacía con la intención de animarla. No habría otra cita con Gabriel, y probablemente nunca iría a Sumatra. El misterio de las dos violinistas jamás sería desvelado, y a ella, ya de vieja, no le quedaría otra que preguntarse qué extraños sucesos se habían dado en su familia para acabar siendo la dueña del legendario violín.

Durante la cena estuvo muy callada, ni siquiera fue capaz de comentar que no podía pagarse el viaje a Indonesia o por qué no podía dejar de pensar en Gabriel, quien había ido a ver ni más ni menos que a la mujer con la que había estado casado. No saber nada de su pasado la traía loca. ¿Tendría razón Ellen al decir que quizá solo fueran amigos? ¿Aún habría algo entre ellos? ¿Serían ridículas todas las ilusiones que se había hecho respecto a él? Al fin y al cabo, una cena íntima no implicaba que la cosa fuera a ir a mayores...

Todas esas preguntas se fueron a la cama con ella, deparándole un desasosegante sueño plagado de templos indonesios y exóticos paisajes por los que corría en pos de Gabriel sin lograr alcanzarlo.

Dos días más tarde, cansada ya de esperar en vano noticias de Italia, Lilly se encontró un sobre junto a su taza de café. Era tarde, así que Ellen se había ido a trabajar, las niñas ya no estaban en casa y tampoco parecía haber rastro de Dean. ¿Sería esa la carta que tanto tiempo llevaba esperando?

El «Lilly» escrito a mano con la bonita letra curva de Ellen dejaba pocas dudas de a quién iba dirigido. Su amiga incluso había sellado la solapa, como si contuviera secretos de Estado, así que echó mano de un cuchillo y lo abrió cuidadosamente por el costado.

Como era de prever, el sobre contenía papeles. En un primer momento solo vio una hoja en blanco, pero al sacarla comprobó que se trataba de una breve carta y que esta ocultaba un sobre estampado más pequeño. Nada más darle la vuelta, a Lilly se le desencajó el rostro. Tras quedarse mirando el sobre aturdida, lo dejó en la mesa y salió corriendo de la cocina en busca del teléfono.

Tardó un tiempo en contactar, pues esa mañana la línea del despacho de Ellen parecía estar ocupada todo el rato.

Finalmente contestó una voz de hombre. Era Terence, su secretario.

—¿En qué puedo ayudarle? —se ofreció con un tono de voz capaz de apaciguar a la gritona más fiera.

Lilly preguntó por Ellen, a lo que le contestó que estaba reunida, pero que en cuanto le fuera posible la avisaría. Habría querido saber cuándo iba a ser eso, pero se limitó a darle las gracias y colgar.

Con gesto de estupor observó los dos logotipos que adornaban el sobre. Uno era una cabeza de cabra violeta sobre un fondo gris. El otro consistía en unas líneas de color azul turquesa dispuestas de tal manera que parecían evocar la cabeza y las alas de un águila en pleno vuelo.

—Qué demonios has hecho, Ellen —musitó Lilly meneando la cabeza y leyendo las breves líneas una y otra vez, por si algo se le había pasado por alto.

En cuanto sonó el teléfono salió disparada y descolgó antes de que sonara una segunda vez.

—¿Ellen? —preguntó antes de que pudieran decir nada al otro lado de la línea.

—¡Por el amor de Dios! —exclamó la voz de su amiga—. ¿Se puede saber qué te pasa?

—Eso precisamente quería preguntarte yo a ti —dijo mirando de nuevo el emblema azul turquesa—. Tengo delante tu carta.

—¿Y bien? —repuso Ellen con una sonrisa que Lilly creyó escuchar.

—¿No crees que te has pasado? ¡No voy a poder devolverte el favor en la vida!

—No es más que un vale. Y una invitación a que lo uses si quieres.

—¡Esto es mucho más que un vale!

Lilly imaginó el ademán con que su amiga estaría quitándole importancia al asunto.

—Es solo una reserva. Aún falta por abonar la cuarta parte del importe total de los dos vuelos. Aunque, bien mirado, podía haberlos comprado directamente. Después de nuestra cena con el señor Thornton, supe que irías sí o sí a la patria de Rose. Así que dame ese gusto y confírmalos. Tómalo como un regalo de cumpleaños adelantado.

Pensativa, Lilly acarició con el pulgar el logo de Garuda Airlines, la línea aérea nacional de Indonesia. El de la cabra pertenecía a Qatar Airways. Esos dos aviones la llevarían a Padang. Solo tenía que confirmar las reservas...

—¿Sigues ahí? —preguntó Ellen, extrañada por la larga pausa de su amiga.

—Aquí sigo. Tan solo estoy esperando a que aparezca alguien de *Objetivo indiscreto* y celebre la broma que acabáis de gastarme.

—Lilly, nos conocemos desde niñas, ¿de veras me crees capaz de tomarte el pelo así?

—No, pero es que todo esto sale tan caro...

—No hay problema, estoy forrada. Y sabes de sobra que no espero nada a cambio. Lo único que quiero es que sigas la pista de Rose y Helen. Y que vuelvas a tomar las riendas de tu vida. Si haces este viaje sola, te demostrarás a ti misma y también a Peter que puedes hacer cualquier cosa aunque él ya no esté. Tienes que librarte de una vez del hechizo que pesa sobre ti. El violín es una señal, y tengo la impresión de que ha logrado cambiar algo en tu interior. Así que haz el favor de aprovechar esta oportunidad. ¡Ya es hora!

Lilly prefirió no decir nada. Su amiga tenía razón: sin un motivo nunca iría a Indonesia. Y no solo por el dinero. El violín había puesto su vida patas arriba... El violín o más bien Rose y Helen.

—Mejor hablamos esta noche, que Terence me está atosigando —oyó decir a su amiga—. Pero te aconsejo que confirmes los vuelos, no vaya a ser que te quedes sin ellos. Y en vez de perder el tiempo pensando en si aceptar o no mi regalo, empléalo en documentarte todo lo que puedas sobre Indonesia.

—¡Eso haré, gracias! —alcanzó a decir Lilly.

—Así me gusta. ¡Besos, tesoro! —dijo y colgó.

Lilly necesitó un rato para reponerse del *shock*. Pero poco a poco empezó a experimentar una alegría hasta entonces desconocida, y también una extraña congoja. Excepto a Londres, nunca había viajado a ninguna parte sin Peter. Antes de venir a casa de Ellen casi no había salido de Berlín. ¿Y ahora iba a irse al otro lado del mundo? Solo con pensarlo sintió un aleteo en el estómago y un frío repentino en las manos.

Con todo, llamó a la agencia de viajes, cuyo número le había dejado anotado Ellen, y confirmó la reserva de los dos vuelos que en solo dos días la llevarían a Padang.

Por la tarde ya se había hecho a la idea de que realmente iba a emprender ese viaje. Todavía se sentía un poco avergonzada de haber aceptado semejante regalo de su amiga, pero sabía que estaba haciendo lo correcto.

¡Se moría de ganas de ir a Indonesia! Quería descubrir qué había pasado con Rose, y también arrojar algo de luz sobre la misteriosa vida de Helen Carter.

De pronto le vino Gabriel a la mente y sintió deseos de llamarlo y contarle lo de su inesperado viaje.

Pero ¿podía hacerlo? Solo hacía un día que se había ido a ver a Diana. Y, bien mirado, el hecho de que se fuera de viaje tampoco iba a cambiar el curso de la historia... Sin embargo, para ella era muy importante, y sentía la acuciante necesidad de contárselo. Sin pensárselo más, echó mano del móvil y buscó su número. Gabriel contestó al tercer intento.

—¡Lilly, qué sorpresa! ¿Tanto me echaba de menos?

El tono jocoso de su voz despejó las dudas de si su llamada era oportuna.

—Tengo que contarle algo que acaba de sucederme.

—Espero que no sea nada malo. ¿Se encuentra bien? ¿Tiene ya noticias de ese conocido suyo de Roma?

—No, no es eso. Se trata de otra cosa... —Lilly respiró profundamente. Una vez se lo dijera, no habría vuelta atrás—. En un par de días me voy a Sumatra.

Aún le costaba dar crédito a sus propias palabras. Y Gabriel también parecía sorprendido, pues tardó un momento en reaccionar.

—¡Cuánto me alegro! —dijo al fin; y a Lilly no le cabía la menor duda de que en su rostro estaba asomando esa sonrisa descarada tan suya—. Entonces nuestra cena tendrá que esperar.

—Eso me temo —repuso Lilly, apesadumbrada—. Aunque seguro que le tendrá ocupado su... asunto familiar...

—Un poco, aunque no ha resultado ser tan grave como pensaba. ¿Y cómo es que se va tan pronto?

—Mi amiga opina que hay que ir mientras las huellas estén frescas. Así lo aconsejan los cazadores experimentados.

—¿Hay algún cazador en su familia que se lo haya dicho?

Lilly se rio para sus adentros.

—La verdad es que no, pero es una oportunidad irrepetible, y creo que mi amiga tiene razón al decirme que he de librarme del hechizo...

—¿Hechizo?, ¿qué hechizo?

¿Había hablado más de la cuenta? Por un momento vaciló, pero luego decidió que Gabriel podía saberlo tranquilamente.

—Tras la muerte de mi marido apenas me he atrevido a salir de casa. Me atrincheré..., me encerré en mi mundo. Pero el día en que ese anciano me entregó el violín..., algo importante empezó a moverse. Mi visión del mundo ha cambiado... —Hizo una breve pausa y se quedó a la espera de escuchar una reacción a través de las ondas, pero al otro lado de la línea solo se oía la uniforme respiración de Gabriel—. En fin, en cualquier caso, mi avión sale dentro de dos días a las diez de la mañana. Si no se produce ningún retraso, llegaré a Padang a la mañana siguiente.

—Qué bien. Me refiero a que se haya decidido a viajar. No solo por Rose y por Helen, sino también por usted.

Lilly creyó notar cierta decepción en su tono. Le habría encantado preguntarle si se animaba a ir con ella; siendo el jefe de la *Music School* seguro que podía permitírselo. Pero no lo hizo.

—Si logra encajar un par de piezas más del puzle, conseguirá liberarse de ese hechizo. Y una vez libre, podrá darle una nueva dirección a su vida. Y además tendrá un montón de cosas que contarme. Suponiendo que no me olvide.

—¡Claro que no! —exclamó Lilly sonriendo.

—Indonesia está plagada de hombres apuestos capaces de hacerle perder la cabeza.

—Puede ser, pero... —Estuvo a punto de decirle que ya había perdido la cabeza por él, pero en el último momento reculó—. Pero no creo que vuelva a...

De nuevo había estado a punto de meter la pata. Aún no se sentía preparada para una nueva relación, pero diciéndoselo a él podía hacerle perder las esperanzas.

—Creo que entiendo lo que quiere decirme —repuso Gabriel, a lo que Lilly replicó para sus adentros: ¡por favor, no! ¡No lo entiendas así!—. Esperaré pacientemente a que regrese. Aún no me ha dicho cuánto tiempo piensa ausentarse.

—Oh, solo una semana.

—¿En serio? Pensé que desaparecería todo un mes.

—No, solo serán unos cuantos días. Espero que sean suficientes para la investigación. ¿No tendrá por casualidad algún conocido por esas tierras que pueda allanarme un poco el camino?

—Desgraciadamente no. Y aunque así fuera, le aconsejaría que se valiera por sí misma. Así, aunque esa semana resulte ser un horror, siempre se acordará de ella. Seguro que sacará algún provecho.

El tiempo que Ellen tardó en volver del trabajo le sirvió a Lilly para ir ganando un poco más de autoconfianza. Aunque aún creía estar viviendo un sueño, cuando después de cenar su amiga se sentó junto a ella sonriendo contenta sus últimas dudas se disiparon y tomó plena conciencia de que en un par de días estaría sentada en un avión rumbo a Yakarta.

—Lo único que siento es no poder llevarte conmigo —dijo con pesar.

—No te preocupes, Dean sabrá endulzarme la espera —respondió Ellen encogiéndose de hombros y lanzándole una mirada cómplice a su marido, que esa noche sí que había llegado puntual a la cena.

—De eso no tengo la menor duda, pero...

—Es tu viaje, Lilly —repuso Ellen alargando la mano sobre la mesa para acariciar la de su amiga—. Y si eso es tan bonito como parece en las fotos que he visto en Internet, ya iremos juntas en otra ocasión.

—O nos vamos allí para celebrar nuestra segunda luna de miel —propuso Dean.

—Lo dices como si hubiéramos tenido una —dijo Ellen entre risas.

—Pues claro que sí. ¿O es que te has olvidado de Escocia?

—¡Oh, Dios! —gimió Ellen. Lilly se abstuvo de sonreír; obviamente conocía la historia del malogrado viaje.

—Tú y yo en una tienda de campaña —recapituló Dean—. No me digas que no fue romántico...

—Lo fue... Hasta que se puso a llover a cántaros. Nos calamos hasta los huesos y el culo se nos quedó congelado.

Jessi y Norma intercambiaron risitas. Seguramente en su colegio no se empleaba ese lenguaje.

—Pero al final encontramos el castillo.

—¡Querrás decir las ruinas del castillo! —Ellen le regaló a su marido la más encantadora de sus sonrisas—. Pero sí, fue muy romántico. Contigo todo me resultaba romántico. Y aún hoy me lo parece.

Lilly sonrió, aunque por dentro se sintió extraña. No había podido evitar pensar en Peter, pero esta vez el dolor no había sido tan lacerante. Y al imaginarse yendo a Escocia con Gabriel, supo que aunque cayeran granizos como piedras no sería ella quien se quejara.

—Ahora nos toca a nosotros esperar a que vuelvas para que nos cuentes —dijo Dean sacándola de sus pensamientos.

—La chica de la agencia de viajes me dijo que el hotel es muy confortable. Y bastante antiguo, así que es posible que Rose o Helen se hospedaran en él —dijo Ellen—. Seguro que allí habrá museos y archivos, y no creo que tengas problemas para hacerte entender en inglés. Además, eres una mujer adulta, y la chica de la agencia me aseguró que en estos momentos Indonesia no es un lugar peligroso. Vas a poder moverte e investigar con tranquilidad... Y si no encuentras nada, relájate y disfruta de tu estancia en ese país tan diferente.

Lilly no estaba segura de cómo iban a irle las cosas; ya se vería. Casi se sentía como en el momento en que la pérdida de Peter se le empezó a hacer moderadamente soportable. Entonces, al igual que ahora, tenía ante sí un camino incierto en el que podía pasar cualquier cosa. En aquella ocasión había optado por encerrarse en sí misma para que nada pudiera volver a lastimarla. Ahora, en cambio, había decidido dar un paso adelante, sin reparar en los riesgos. Tenía la impresión de que eso era justo lo que necesitaba...

—¿Nos traerás algo de Indonesia? —exclamó ilusionada Norma; y a juzgar por las miradas suplicantes que le lanzaba a Lilly, su hermana debía de estar pensando lo mismo.

—Por supuesto —repuso ella—. Quizá encuentre un par de camisetas chulas.

—¡O joyas! —se apresuró a decir Jessi.

—Señorita, no hay que ser codiciosa —la reprendió su madre.

—De acuerdo —concedió Lilly—. Si encuentro algo bonito, os lo traeré.

—¡Yo también quiero algo! —se apuntó Dean esbozando una sonrisa.

—Sí, un elefante de la suerte para tus obras —sugirió Ellen—. Ahora mismo te vendría de perlas.

Dean hizo un gesto con la mano.

—Por nosotros no te preocupes, Lilly. Tú disfruta del viaje y regresa sana y salva. Eso es lo único que queremos.

21

Emocionada, Lilly se frotaba las manos en la sala de espera del aeropuerto, sin parar de moverse. ¡A Indonesia! Estaba a punto de embarcar rumbo a Indonesia, a Sumatra. ¡Y sola! A pesar de lo mucho que esperaba de ese viaje, en esos momentos de nerviosismo lo único que deseaba era que Ellen hubiera podido acompañarla. ¿Cómo se las apañaría en un país que le era completamente extraño? ¡Si ni siquiera hablaba la lengua de allí! No seas tonta, se regañó a sí misma. Si Gabriel pudiera oírte, se moriría de la risa.

Ahora se arrepentía de no haberlo llamado el día anterior. Pero los preparativos del viaje apenas le habían dejado tiempo para nada. Cuando se quiso dar cuenta ya era medianoche, y luego solo le quedaron unas cuantas horas para dar vueltas en la cama sin pegar ojo. A punto ya de amanecer, revisó el correo en el ordenador de Ellen y se encontró un mensaje de Sunny donde le informaba de que el archivo de las imágenes pesaba tanto que no podía enviárselo por correo electrónico. ¡Las imágenes! ¡Casi se había olvidado de ellas! Aunque tampoco tenía mucho sentido que se las mandara a Londres por correo ordinario. Ya las vería en casa y, en cuanto tuviera la ocasión, se las enseñaría a su madre. Así que le respondió pidiéndole que guardara bien el archivo hasta su vuelta.

Y ahora estaba ahí, sintiéndose como si se hubiera tragado un enjambre de abejas y deseando que la llamaran para embarcar cuanto antes.

—¡Lilly! —oyó decir de pronto a su espalda—. Por un momento pensó en volverse, pero luego se dijo que seguramente había otras muchas Lillys en ese aeropuerto, y que quizá una se había olvidado de algo...

—¡Lilly! —oyó de nuevo.

Cuando se dio la vuelta vio a Gabriel agitando la mano frenéticamente. ¿Qué hacía él allí? ¿No estaba con su exmujer? ¿No dijo que iba para largo?

—Por un momento pensé que tenía usted una doble —dijo deteniéndose ante ella y sin parar de jadear—. Una sordera repentina era aún menos probable, ¿no?

—¿Qué hace aquí? —preguntó sorprendida—. Pensé que estaba con...

—Ya terminó todo. Ingresaron a la madre de Diana en el hospital, y como siempre he tenido una buena relación con ella...

—¿Cómo se encuentra su...? —Iba a decir suegra, pero no era del todo exacto.

—Mi exsuegra ya se encuentra un poco mejor. Diana estaba muy nerviosa, lo cual es comprensible, pues hasta ahora su madre no le había dado ningún susto. Como sabe lo mucho que quiero a Jolene, me avisó inmediatamente. Al principio le dijeron que su estado era crítico. Por eso fui corriendo.

—Entonces la relación con su exmujer es...

—Amistosa —acabó la frase Gabriel—. Sí, hemos logrado volver a llevarnos bien. Aunque no lo suficiente como para intentarlo de nuevo; somos demasiado diferentes. Pero hablamos de vez en cuando y nos llamamos cuando sucede algo importante. Por cierto, su nuevo novio es muy aficionado a la vela, deporte que nunca me ha llamado demasiado la atención.

Aunque no le había pedido explicaciones, se alegró de que Gabriel le contara algo más de lo dicho por teléfono.

—¿Y por qué ha venido a todo correr al aeropuerto?

—Quería verla. —La pequeña sonrisa que dibujaron sus labios le pareció irresistible—. Como voy a prescindir de usted una semana, no me ha quedado otra. Además, tengo que darle una cosa. Aunque sería un buen anzuelo para asegurarme de que me llamará cuando vuelva, he pensado que debía examinarla de inmediato. Podría cambiar completamente el curso de la investigación.

Gabriel sonrió expectante a Lilly y le entregó una carta. Estaba muy deteriorada, como si Rose la hubiera llevado metida en el refajo un año entero. Iba dirigida a un tal lord Paul Havenden, y la dirección era una hacienda cerca de Londres.

—¿Dónde la encontró? —preguntó sorprendida Lilly, luchando contra unas terribles ganas de abrirla inmediatamente.

—Entre los documentos del señor Carmichael, el agente de nuestra querida Rose. Hice varias investigaciones hasta dar con una descendiente suya que guardaba una vieja carpeta con cartas de su abuelo. Una vez tuve claro que Jolene saldría de esta, me desvié un poco de mi camino para hacerle una visita a esa anciana señora, que aunque nunca había sentido la necesidad de hurgar en el pasado de su familia, tampoco había tenido valor para deshacerse de la carpeta. Cuando me entrevisté con ella me entregó los documentos sin pestañear. Parecía incluso aliviada de librarse de ese mamotreto que no hacía más que criar polvo.

—Puede que conociera su contenido.

—¡No le quepa la menor duda! Pero probablemente había llegado a la conclusión de que esos viejos papeles carecían de valor. Hasta donde yo sé, la familia Havenden ya no existe, así que no hay manera de sacar tajada de un escándalo.

—¿Un escándalo?

De repente, la carta que Lilly tenía en la mano pareció desprender calor, un calor que se extendió a sus dedos.

Yakarta, 16 de diciembre de 1909

Querido Paul:

Probablemente me habrás olvidado hace mucho. En lo que a mí respecta, aquella tarde en la plantación y tus promesas quedan tan lejos que parece que hubiera transcurrido una vida entera.

Supongo que sigues casado, que tu plantación marcha viento en popa y que tienes un montón de hijos a los que ver crecer. Seguro que ya no piensas en nuestros besos ni en los apasionados abrazos que nos dimos. Yo, en cambio, no puedo olvidarte. Y no porque te siga amando, no, pues esos sentimientos ya me son completamente ajenos. Conocerte dio un giro radical a mi vida; tanto que a veces desearía haber roto en mil pedazos la invitación del gobernador para ir a tocar a Wellkom.

La razón por la que te escribo es que esa noche nuestra unión dio un fruto: una niña. He podido vivir todos estos años con el peso de la culpa, e incluso he logrado desterrarte de mi corazón.

Pero ahora que me han confirmado el fatal diagnóstico y, gracias al doctor Bruns, sé que apenas me quedan unos cuantos meses de vida, un año a lo sumo, me dirijo a ti para pedirte que te hagas cargo de tu hija, pues yo ya no puedo. Si das tu consentimiento al portador de esta carta, te dirá dónde puedes encontrarla. Si no, nunca sabrás su nombre.

Rose

Lilly, que había leído a media voz el contenido de la carta, guardó silencio. Necesitó unos instantes para asimilar lo que acababa de leer.

—Así que Rose tuvo un hijo —dijo aún con la piel de gallina.

—Una niña, según parece.

—¿Y cómo es que nadie sabía nada al respecto? —Aturdida, ojeó de nuevo esas líneas cargadas de despecho y dolor.

—Porque el bueno del señor Carmichael lo mantuvo en secreto. Y porque era plenamente consciente del escándalo que este escrito habría causado de hacerse público. Le pedí a uno de mis empleados que investigara sobre los Havenden, y lo que ha descubierto hasta ahora es interesante de veras. Por lo visto, lord Havenden viajó a Sumatra con su esposa Maggie para adquirir una plantación. Y en ese viaje tuvo que conocer a Rose; tanto que la dejó embarazada.

Lilly meneó incrédula la cabeza.

—¡Esta carta es una auténtica bomba!

—¡Y tanto! Rose le pidió ayuda a Havenden para mantener a la hija que habían tenido, y lo hizo porque estaba gravemente enferma. Esa circunstancia, que ignorábamos hasta la fecha,

282

arroja algo de luz sobre su misteriosa y repentina desaparición. Sin duda, la enfermedad a la que alude en la carta acabó con su vida.

—¿Y por qué conservaría la carta Carmichael?

Una sonrisa asomó en el rostro de Thornton.

—¿Por qué no lo discutimos tomando un café? Aún falta un rato para que salga su avión, ¿no?

Ahora era Lilly la que sonreía. Gabriel había hecho un largo camino para enseñarle la carta. ¡Y solo para verla un momento antes de que ella volara en dirección a Sumatra!

—Ya lo creo. Hay tiempo de sobra. He venido prontísimo.

—Pues entonces vamos. Sé de un lugar donde podemos tomar un café rápido y charlar un poco.

Con una taza de café en la mano, se sentaron en uno de los restaurantes de comida rápida del área de restauración del aeropuerto.

—Cuénteme su teoría —le pidió Lilly después de darle un sorbo a un café endemoniadamente caliente y aguado.

—Allá vamos. —Gabriel respiró profundamente, como si fuera a dar una larga conferencia—. Hay varias posibilidades. Una es que Rose le pidiera a Carmichael que le hiciera llegar la carta a Havenden. De ser así, tenga en cuenta que no sabemos si Carmichael llegó a entregársela. De modo que, Havenden la rechazó, ni siquiera se dignó a recibir a Carmichael.

—¿No le parece un tanto mezquino dejar a una mujer embarazada y no querer saber nada al respecto?

—Bueno, así era la aristocracia inglesa. Pero prefiero no prejuzgar a Havenden. Los nobles de aquella época estaban sometidos a férreas obligaciones, y a veces hoy en día aún es así. Su matrimonio bien pudo ser de conveniencia, práctica más que común a principios del siglo pasado. Quizá amara de verdad a Rose. Y puede que quisiera hacer algo por su hija o que incluso llegara a hacerlo. Para saberlo habría que averiguar cómo se llamaba ella.

—¿Y por qué Carmichael conservó la carta?

—Buena pregunta. Puede ser que Havenden ignorara los ruegos de Rose. Aunque también es posible que leyera la carta y que luego se la remitiera para que nadie pudiera encontrársela.

—Pero Carmichael habría podido chantajearlo. Siendo el agente de Rose, no creo que tuviera muy buena opinión de él, y más sabiendo que había dejado preñada a su niña prodigio.

—Y puede que lo chantajeara, quién sabe. La tercera posibilidad sería que Carmichael nunca llegara a darle la carta.

—¿Por qué iba a hacer algo así? No veo en qué le afectaba a él que Rose le pidiera ayuda a su antiguo amante. Y lo cierto es que no descarto que Havenden ayudara discretamente a su hija. Usted mismo acaba de barajar esa posibilidad.

—Sí, podría ser. En cualquier caso, ahora es cuando la investigación se bifurca. Por un lado tengo previsto volver a visitar a la nieta de Carmichael para pedirle que hurgue un poco más en la historia de su familia. Y, por otro lado, también he de intentar dar con los descendientes de Havenden. Como acaba de leer, tuvo una esposa o una amante... Sea como fuere, tuvo pareja, y no me parece descabellada la suposición de Rose: es muy probable que llegara a tener hijos.

—A sus herederos no va a hacerles ninguna gracia saber que tuvo una hija ilegítima.

—Son cosas que pasan. Los hijos ilegítimos siempre han abundado en las familias nobles. Además, todo eso sucedió hace una eternidad. Si la niña nació entre 1902 y 1909, ya habrá fallecido.

—¿De dónde ha sacado esas fechas?

—Hasta 1902, la vida de Rose está bien documentada. Luego hay algunas lagunas, como por ejemplo un período de seis meses en el que no se sabe dónde estuvo. Puede que en ese momento tuviera la niña.

Lilly asintió, y acto seguido tuvo una idea.

—Pero la hija de Rose pudo a su vez tener hijos. Así que podrían existir nietos con derecho a una parte de la herencia. No sé gran cosa al respecto, pero existen pruebas genéticas para

284

determinar el parentesco. ¡Esas personas serían los herederos legítimos del violín!

—No tan deprisa, Lilly. No olvide que hay otra dama en nuestra partida de ajedrez: Helen. Ella fue la última dueña conocida del violín. Más bien sería su descendencia la que tendría derecho a él. Y subrayo el «tendría», ya que esa gente podría haberlo vendido, como al parecer hizo Rose.

Lilly suspiró.

—Tiene razón. Aún está por ver a quién pertenece.

—Su labor detectivesca tendrá que continuar. Disfrute de su estancia en Sumatra y aprovéchela bien. Mientras yo sigo aquí con la investigación, no deje de seguir el rastro de Rose y de su hija. Y tampoco descuide a Helen Carter. Tiendo a pensar que le será más fácil averiguar cosas sobre esta última.

—Descuide, así lo haré —le prometió Lilly mirándolo a los ojos. Le pareció que a Gabriel le estaba rondando algo por la cabeza, algo que no se animaba a decir.

—Estamos en contacto, ¿de acuerdo?

—Por supuesto —contestó ella—. Le tendré informado.

—Y yo a usted.

Sus miradas se cruzaron por un instante, y entonces Gabriel se abalanzó repentinamente hacia delante y la besó.

En un primer momento, Lilly se quedó paralizada, pero luego dejó que la estrechara entre sus brazos. El contacto de sus labios hizo que una ola de calor recorriera todo su cuerpo.

—Espero no haber echado a perder la oportunidad de que me escribas —musitó Gabriel una vez sus labios se hubieron separado.

Lilly se lo quedó mirando incapaz de proferir palabra.

—Pues claro que no —logró decir al fin—. Todo lo contrario.

Gabriel asintió sonriente.

—De acuerdo. Seguiremos donde lo hemos dejado la noche que me invites a cenar. Pienso reclamártela en cuanto vuelvas de Sumatra, ¿me has oído bien?

Ella asintió. Le ardían tanto las mejillas que de buena gana habría posado sobre ellas sus manos heladas. Pero Gabriel la tenía bien sujeta, sin quitarle el ojo de encima ni por un momento. La despedida no pudo prolongarse más, pues enseguida anunciaron su vuelo por megafonía.

Durante el vuelo a Dubái, Lilly no tenía otra cosa en la mente que la carta. Rose había tenido una hija con un noble inglés. ¿Qué habría sido de la niña? ¿Había desaparecido como su madre? ¿O habría sido acogida en otra familia?

Todo era posible, así que empezó a confeccionar una lista con las distintas alternativas. Como Rose era medio inglesa cabía la posibilidad de que hubiera bautizado a su hija. De haberse celebrado ese bautizo, tendría que estar apuntado en un registro parroquial. Gabriel estimaba que nació entre 1902 y 1909, por tanto habría que buscarla en ese lapso de tiempo. No obstante, el trabajo era ingente: había que revisar ocho años de registros parroquiales. ¿Era posible hacerlo en una semana?

Tras aterrizar en Dubái a las siete menos cuarto, Lilly aún disponía de dos horas para estirar un poco las piernas antes de subirse al avión a Yakarta. Primero comió algo, y luego paseó por las tiendas del aeropuerto sin llegar a sentir deseos de comprar nada. Finalmente optó por buscar un asiento libre en la terminal y sentarse a ver pasar a la gente.

Le llamó la atención un árabe orondo vestido con la tradicional chilaba y seguido de dos mujeres cubiertas por un *burka*. Ya había visto algún que otro *burka* en Berlín, pero los de esas mujeres tenían ricos bordados, lo que hacía evidente que el hombre que las precedía estaba forrado. También se fijó en un grupo de hombres de negocios árabes que hablaban de sus cosas sin parar de gesticular. Nada que ver con los alemanes, que apenas pestañean cuando hablan, pensó. Además de nativos, también había numerosos turistas asiáticos y europeos, la mayoría haciendo escala.

Cuando miró el reloj y vio que apenas habían pasado unos minutos, abrió de nuevo su guía. Las fotos eran preciosas y le traían recuerdos. Recuerdos de una feria de turismo a la que fue con Peter y en la que fantasearon acerca de adónde irían cuando a él le fueran mejor las cosas en el trabajo. En esos momentos no podían imaginar que jamás llegarían a hacer esos viajes; al menos no los dos juntos.

—¿No le atraen demasiado las tiendas del *Duty Free*, verdad? —dijo de pronto una voz a su lado.

Lilly se llevó tal susto que casi se le cae el libro al suelo. El hombre que se había sentado junto a ella le sonrió de oreja a oreja. Su pelo castaño oscuro clareaba por las sienes, y lucía un rostro bronceado. Hablaba con un inconfundible acento holandés.

—No, no sabría qué comprar. Además, ya voy bastante cargada.

—¿Usted también va a Padang?

—Sí —dijo Lilly un poco descolocada, justo antes de cerrar su libro—. ¿Cómo sabe que...?

El hombre señaló la guía.

—Soy bastante bueno adivinando. Creo que la vi en el avión. ¿Qatar Airlines, verdad?

Lilly asintió sorprendida.

Tras tomarse un instante para reflexionar, el desconocido añadió:

—Me llamo Derk Verheugen, y usted es la primera alemana que veo desde que aterrizamos.

—¿De verdad? —dijo Lilly, y enseguida cayó en la cuenta de que debería haber correspondido al holandés diciéndole su nombre.

—Se lo juro.

—Lilly Kaiser —se presentó al fin.

—Encantado de conocerla. Espero no estar molestándola. Es agradable encontrarse con alguien de una cultura afín a la tuya. ¿Qué le lleva a Padang, si no es indiscreción?

Lilly miró al hombre desconcertada y también un poco asustada, pues hasta ese momento nadie la había abordado de manera tan descarada. Y además no era su tipo, por más que tuviera unos ojos azules bastante bonitos y no pareciera tener muchos más años que ella.

Quizá se dedique a la trata de blancas, pensó con pavor. Pero como esperaba librarse de él al llegar al avión y había dos policías del aeropuerto muy cerca se limitó a decir:

—Voy en busca de una violinista.

—¿Organiza usted conciertos?

Lilly negó con la cabeza. Quizá no sea un bicho raro, se dijo. Aun así, decidió no bajar la guardia.

—No, sigo la pista de una violinista del siglo pasado. Desapareció en Sumatra. Y también tuvo allí una hija de la que no se sabe nada.

—Quizá se enamorara de un rico terrateniente. Hace años la isla estaba plagada de plantaciones.

—Pero eso no justifica su desaparición. No, creo que fue otro el motivo. En todo caso, eso es precisamente lo que me propongo averiguar, y también por qué su violín fue a parar a manos de otra violinista nacida asimismo en Sumatra.

—Suena de lo más emocionante. Casi siento pena de no haber estudiado Historia.

—¿A qué se dedica? —le preguntó ella, sorprendida de haber vencido su timidez. Sin saber muy bien por qué, ese hombre inspiraba confianza, lo cual podía verse como una virtud si no fuera porque se comportaba con cierto descaro.

—Soy dentista.

—¿Dentista? —Era lo último que Lilly se habría esperado.

—No tema, he dejado mi instrumental en casa —bromeó—. Se trata de un viaje de placer, así que no pienso sacar ninguna muela. A no ser que me lo ruegue encarecidamente, claro.

—Creía que había dejado su instrumental en casa.

—Seguro que algo se podría hacer. —Verheugen se echó a reír—. Pero tiene usted razón, no he venido a trabajar, sino a disfrutar de ese hermoso país.

Al momento siguiente anunciaron su avión.

—Creo que deberíamos ir tirando —dijo Verheugen jovialmente—. ¿Usted qué opina?, ¿accederá el pasajero que se sienta a su lado a cambiarme el sitio?

–No lo creo –repuso Lilly con una sonrisa–. Aunque siempre puede probar.

Como cabía esperar, el vecino de Lilly no accedió a cambiar su sitio, y tampoco en el siguiente vuelo hubo suerte. Lilly no sabía si sentir pena o celebrarlo. El holandés era muy divertido y seguro que guardaba en la manga unas cuantas anécdotas que contar. Pero había algo en su desenvoltura que rayaba en la indiscreción.

De modo que disfrutó del silencio del hombre de negocios indonesio que tenía sentado a su lado y que no despegó los ojos de un periódico local, y se dedicó a estudiar su guía.

«El aeropuerto de Minangkabau fue destruido por el *tsunami* de 2004 y posteriormente reconstruido siguiendo el estilo de las construcciones tradicionales de la isla», leyó antes de estirar el cuello para intentar ver algo por la ventanilla.

El librito decía que la mejor manera de contemplar los vastos palmerales de la isla era desde el cielo. Pero en esos momentos la isla estaba cubierta por una capa de niebla y solo un par de picos verdes asomaban por el denso velo blanco. En la guía también informaban de que en el verde manto que formaban las palmeras se abrían numerosas calvas provocadas por la tala indiscriminada y los incendios, y que el Gobierno pretendía poner en marcha un plan de reforestación. Quizá no fuera tan decepcionante que la jungla quedara oculta bajo esa niebla...

A pesar de todo, pudo echar un vistazo al aeropuerto antes del aterrizaje. El edificio estaba hecho a imagen y semejanza de las construcciones tradicionales *minangkabau,* con esos tejados picudos que parecían dos medias lunas apoyadas la una en la otra. Cuadraba a la perfección con el nombre de la línea aérea que les había traído desde Yakarta: Garudá, el símbolo nacional de Sumatra, una criatura mítica mitad hombre mitad pájaro de la que se dice que protege a los pobladores de la isla.

¿Qué le tendría reservado ese lugar? ¿Seguiría existiendo el jardín a la luz de la luna? ¿Lograría descubrir qué fue de Rose Gallway y por qué el violín acabó en manos de Helen Carter?

En el vestíbulo del aeropuerto estaba esperándola el doctor Verheugen. Aún no sabía muy bien qué pretendía ese hombre, pero su instinto le decía que solo quería ayudarle. Y quizá también buscara un poco de compañía.

—Bueno, ¿esto es todo lo que trae? —dijo señalando su maleta.

—Sí, ahora lo que necesito es echar un sueñecito.

—La entiendo, aunque quizá debería esperar un poco antes de acostarse, así le costará menos adaptarse al horario local. Aunque también podría ponerse el despertador y echar una siestecita hasta la hora de cenar.

—¿Viene a menudo a Sumatra?

El dentista sonrió.

—Podría decirse que esta isla es mi segunda casa: vengo dos o tres veces al año.

Lilly tuvo que contenerse para no mostrar abiertamente su sorpresa. Solo con pensar en la fortuna que Ellen había pagado por ese viaje...

—Espero que se aloje en un buen hotel.

—He reservado en el hotel Batang —dijo Lilly, buscándolo en la guía—. La única referencia que tengo de él es lo que dice este librito.

—El Batang es uno de los mejores. Lo llevan dos ingleses, aunque el edificio es más bien de estilo holandés. Hasta donde yo sé, siempre ha sido un hotel. La gente que ha dormido allí solo dice cosas buenas.

—¿Y usted dónde se hospeda?

—En casa de unos amigos que viven en el centro. Qué bien que haya elegido el Batang, queda cerca de donde yo me alojo. Si quiere puedo mostrarle los archivos donde se conserva toda la documentación de la época colonial. Pero no espere milagros, pues ha habido tantos terremotos que es muy posible que gran parte de sus fondos se haya perdido.

—¿Haría eso por mí? Me refiero a enseñarme los archivos.

—Sí, con mucho gusto, a no ser que no quiera que meta las narices en sus asuntos. Ha de saber que tengo el feo hábito de empeñarme en ayudar a quien creo que puede necesitarme. Si no le parece apropiado, no he dicho nada, pero si lo desea le echaré una mano con gusto. Si quiere, también puedo hacer de intérprete. Muchos documentos estarán en neerlandés, y aunque con la gente del archivo podrá entenderse en inglés, el malayo y el neerlandés le abrirán más puertas.

—No quisiera abusar —dijo Lilly algo insegura. A excepción de Ellen, no se había encontrado con mucha gente dispuesta a ayudar desinteresadamente—. Seguro que tiene otros planes...

—La persona con la que he de encontrarme no vendrá hasta dentro de dos días, así que tengo tiempo para usted. Créame: no es muy frecuente toparse con alguien interesado en hurgar en la historia colonial de Sumatra. Me encantaría que me contara más cosas sobre esas dos mujeres. Así, cuando vuelva a Ámsterdam, tendré una aventura que contar a mis pacientes.

¡Como si no fuera ya bastante aventura estar en este lugar del mundo!, pensó para sus adentros Lilly, alegrándose ahora de no haber ignorado o mandado a paseo a Verheugen.

—Perfecto entonces. Le agradezco su ayuda, y estaré encantada de contarle más cosas de las dos anteriores dueñas de mi violín.

—Estupendo. ¿Quedamos mañana a las diez delante de su hotel? Estaré con usted todo el tiempo que me necesite. Y si acabo resultándole molesto, no dude en decírmelo.

—De acuerdo —convino Lilly estrechando su mano. El dentista le brindó una sonrisa. Luego salieron fuera, donde aguardaban los taxis.

22

Helen corría como si la persiguiera una jauría de perros. Su madre había tardado más de lo habitual en salir a dar su paseo diario, y luego la doncella no se había despegado de ella en un buen rato. Pero al fin la dejaron libre y pudo subir a por su violín. Llegó al seto, se concedió unos segundos de descanso para recuperar el aliento y, acto seguido, se deslizó hacia la finca vecina para dirigirse al pabellón.

Con el corazón desbocado y el violín bajo el brazo, abrió la puerta con sigilo y respiró aliviada al ver a la mujer del vestido azul iluminada por el rayo de luz polvoriento que se colaba por la ventana. Sus labios volvían a estar rojos y parecía muy tranquila cuando la niña atravesó el umbral. Mientras la esperaba, había estado tomando notas en un cuaderno, que ahora se apresuró a dejar a un lado.

—¡Has venido! —dijo entusiasmada, al tiempo que alargaba la mano para acariciarle la mejilla a la niña.

—Lo siento, no he podido llegar antes —se disculpó Helen, pues sabía que se había retrasado unos minutos.

—No te preocupes. Aquí se está muy bien y, sobre todo, a salvo de las miradas de la gente que pasa por la calle. Además, he comprobado que la casa no está habitada, así que nadie va a molestarnos.

Helen le entregó el estuche y la mujer lo abrió. Al acariciar las cuerdas con las yemas de los dedos, sus ojos adoptaron una expresión nostálgica, como si contemplaran la foto de una amiga fallecida hacía mucho. A Helen le recordó a su madre cuando miraba alguna foto de su hermana, muerta años atrás; siempre acababa sacando el pañuelo para secarse avergonzada las lágrimas que le caían por las mejillas.

En cambio, la mujer no lloró, se limitó a extraer con cuidado el violín del estuche.

—¿Has probado a ponértelo en el hombro? —le preguntó—. ¿Sabes cómo sujetarlo?

—No, no me he atrevido...

—Pero al menos lo habrás visto, ¿no?

—¡Eso sí! —repuso Helen.

—¿Y qué te parece?

—¡Es precioso!

—¿Te has fijado en la rosa que tiene al dorso?

Helen asintió con excitación. En cuanto su madre la dejó sola, se había ido a su cuarto para observar detenidamente el violín. Nunca había visto algo tan bonito. Solo con acariciar con suavidad el barniz supo que era el instrumento que quería tocar.

—Pues entonces no pierdo más tiempo enseñándotela.

—¿Cómo llegó esa rosa ahí?, ¿la pintó alguien?

—No, cariño, la rosa la grabó en la madera el hombre que lo fabricó. Quiso adornarlo con ella para que fuera más bonito. Y por suerte no afectó a su sonido.

—¿Puedes tocarlo para que pueda oír cómo suena? —preguntó Helen.

La mujer pareció vacilar. Pero enseguida asintió, se caló el violín bajo el lado izquierdo del mentón y empezó a tocar. A pesar de que no quería hacerlo muy alto, la melodía resonó con fuerza en el pabellón. Apenas un minuto después, bajó el arco.

—Me temo que por ahora ya es suficiente.

Helen le brindó una radiante sonrisa.

—¡Ha sido precioso! ¿Podré yo llegar a tocar así algún día?

—Espero que llegues a ser bastante mejor que yo —contestó la mujer, devolviéndole la sonrisa—. Pero empecemos por aprender a sujetarlo.

Situándose detrás de la pequeña, le ayudó a sostener el violín en la misma postura en que ella había tocado, aunque manteniendo el arco suspendido en el aire. A Helen no tardó en dolerle el brazo, pero aguantó con paciencia hasta que la mujer se dio por satisfecha y dejó que se tomara un respiro, cosa que *miss* Hadeland nunca le permitía.

—¿Qué ha pasado con tu profesora de música?

—Mamá le ha dado unas vacaciones forzosas —repuso Helen no sin cierta inquina. *Miss* Hadeland se había quedado con un palmo de narices cuando Ivy, tras reprenderla, le dijo que no se molestara en venir en cuatro semanas.

«Si se replantea sus métodos, podrá usted continuar con sus clases», le había advertido Ivy a la profesora. «Si no es así, prescindiremos de sus servicios y haremos público que pega a sus alumnos. Dudo que entonces se digne contratarla ninguna otra familia.»

Miss Hadeland podía haber alegado tener otros muchos clientes y no necesitar el dinero, pero en vez de eso no dijo nada y se fue de la casa con la cabeza gacha. Esa escena hizo tan feliz a Helen que no pudo evitar aplaudir. Las odiosas clases de piano se habían terminado de momento.

Antes de que la mujer siguiera dándole instrucciones, algo distrajo a Helen. Una mariposa grande y de vivos colores aleteaba alrededor de la ventana sin saber que el cristal la separaba del mundo de fuera.

Cuando la mujer la vio, sonrió y dijo:

—¡Mira por dónde ya tenemos público! Aunque me temo que la mariposa tendrá que esperar un poco para llegar a disfrutar de tus interpretaciones.

—¿Crees que las mariposas pueden oír?

—¿Por qué no iban a poder? En mi opinión, hasta las plantas pueden oír. Cuando escuchan buena música crecen más. —Tras una pausa, añadió—: ¿Por qué crees, si no, que la jungla es tan frondosa? De noche allí suena música por todas partes y los monos entonan sus cantos.

—¿Lo dices en serio?

La mujer asintió.

—Más adelante, cuando sepas tocar, podrás hacer la prueba. Pero ahora tienes que aprender a poner las manos correctamente. Yo te diré dónde colocar los dedos y cantaré las notas que deberían salir del violín. Espero no lastimarte los oídos con mi voz.

Helen se echó a reír y la mujer le hizo una pequeña demostración. Entonces la niña se dio cuenta de la hermosa voz que tenía la desconocida. Podía haberse dedicado a la ópera sin ningún problema, pensó.

Las horas pasaron volando. Helen se lamentó de haber llegado tarde y haber malgastado así unos minutos preciosos. Pero su nueva amiga la consoló.

—Nos vemos el próximo martes. Y procura ensayar todo lo que puedas. Aunque no logres sonar como yo, tú insiste y ya verás como un día acabará saliéndote.

De vuelta a casa, las mejillas de la niña brillaban como dos manzanas. En cuanto oyó que se acercaba la doncella, subió corriendo las escaleras para esconder el violín. Le hubiera gustado ensayar un poco, pero entonces oyó detenerse un coche de caballos delante de la casa: su madre había llegado.

A la tarde siguiente tuvo más suerte y pudo ensayar un buen rato. La mujer tenía razón; la manera en que ella hacía sonar el violín distaba mucho de lo que había escuchado en la clase, pero con un poco de práctica seguro que las melodías irían tomando forma.

A partir de entonces, Helen se aplicó en ensayar sin descanso toda la música que la mujer le enseñaba los martes y los jueves. Eso sí, solo cuando su madre no estaba en casa. La doncella, que supuestamente debía cuidarla, tenía otras cosas en la cabeza. Desde hacía poco se reunía a escondidas en el establo con Jim, el mozo de cuadra de los vecinos, así que ella disponía de aproximadamente una hora de paz al día, hora que aprovechaba para subirse al desván y practicar.

Cuando aprendía las melodías en el pabellón, tenía siempre la voz de la desconocida susurrándole a los oídos. Pero en el desván podía escuchar solo el violín, y mucho más alto que en las clases. Como no tenía ninguna partitura, intentaba no solo recordar las posturas sino también la voz de su amiga secreta, y así iba haciéndose un pequeño repertorio que algún día interpretaría para ella. De momento, sin embargo, tenía que ensayar en solitario.

Por lo demás, aprender a tocar el violín no era el único aliciente que encontraba en las clases. La desconocida, cuyo nombre seguía sin saber, también le contaba historias maravillosas durante los breves descansos que se tomaba para recobrar el aliento: cuentos de peces dorados y de princesas que salían de un huevo, como los pájaros. Y a veces incluso le traía chucherías, sus preferidas eran unas bolitas verdes rellenas de azúcar de palma y recubiertas de coco rallado.

—No comas muchas —le advirtió la mujer una vez que le trajo un cucurucho entero—. Como tu madre vea que no tienes hambre empezará a sospechar y entonces nuestro secreto correrá peligro y no podré venir más.

—No te preocupes, me guardaré unas cuantas para otro momento —le aseguró Helen, que por nada del mundo quería renunciar a esas deliciosas horas con su amiga mayor, con la que además aprendía mucho más que con *miss* Hadeland. En ocasiones se sorprendía a sí misma fantaseando con la idea de presentársela a su madre para que todo saliera a la luz y se convirtiera en su nueva profesora de música. Una vez incluso se atrevió a proponérselo a ella, que nada más oírla torció el gesto y se puso lívida.

—No se te ocurra hablarle de mí —dijo sin que su voz perdiera su habitual calidez. Eso bastó para que Helen comprendiera que había estado a punto de cruzar un límite que podía costarle su amistad.

—Te prometo que no diré nada —se apresuró a responder—. Te doy mi palabra. Pero es que sería tan bonito que fueras mi profesora de música... Así podrías oírme tocar el violín de verdad.

—Tal vez lo haga algún día —repuso la mujer, que a juzgar por su triste mirada no contaba con que eso llegara a suceder nunca.

Unas semanas más tarde, la madre de Helen debía recibir la visita de un grupo de amigas y vecinas que solía reunirse de vez en cuando para merendar, cada vez en una casa distinta. En esa ocasión era Ivy Carter la encargada de organizar el ágape.

La reunión era un miércoles, pero el día antes la madre de Helen ya estaba metida en la cocina, con la doncella y la cocinera, preparando bollos y moliendo café. Helen comprendió enseguida que ese día su madre no saldría de casa, así que, como era martes y le tocaba clase de violín, tendría que extremar los cuidados para no ser descubierta. Tras merodear un rato por la cocina y constatar que no le dejarían probar ni una migaja de aquellos deliciosos melindres que entraban y salían del horno, decidió subir al desván a ensayar, en riguroso silencio, las posturas y notas que su misteriosa amiga le había encargado practicar para aquel día.

Cuando llegó la hora de la cita con la mujer desconocida, Helen guardó el violín en su estuche, bajó las escaleras sin hacer ruido, salió de la casa y, con el corazón en un puño y cerciorándose a cada instante de que nadie la veía, recorrió el trecho que la separaba del pabellón. Cuando al fin llegó a su destino, respiró aliviada. Su amiga la esperaba tomando notas.

—¿Qué escribes ahí? —preguntó Helen viendo que se guardaba el cuaderno bajo el corsé, que desde hacía unas semanas le quedaba mucho más holgado que antes.

—Es un diario —contestó la mujer—. Escribo todo lo que me pasa durante el día.

—¿Y escribes cosas de mí?

—De ti es de quien más escribo.

—¿Por qué? —preguntó Helen con los ojos como platos.

—Porque me gustas y me encanta estar contigo.

—¿Me dejarás leerlo?

La mujer sonrió. Sus labios volvían a estar azules, y hacía los mismos gestos que su madre cuando tenía migraña.

—Tal vez. En todo caso, algún día seguro que lo podrás leer, pues pienso regalártelo. Así podrás recordar cómo eras de niña.

Además he escrito todos los cuentos que te he contado, para que tú también puedas contárselos a tus hijos.

A Helen le gustó la idea, aunque le costaba imaginarse como una mujer adulta. ¿Se parecería a su madre? ¿Seguiría tocando el violín?

Al día siguiente no pudo practicar. Las amigas de su madre llegaron poco antes de la hora del té, y Helen, enfundada en un vestido de volantes que picaba y arañaba, tuvo que armarse de paciencia y esforzarse por estar a la altura. Lo cual no resultaba nada fácil. Además de demostrar que sabía quedarse sentada y quietecita, tenía que hacer gala de sus mejores modales y sonreír cada vez que una de esas señoras le decía lo mucho que había crecido, y eso aunque ella misma supiera que en realidad apenas había crecido y que, para su gusto, se estaba quedando canija... Convencida de que escuchar los chismes de esas señoras era una pérdida de tiempo, no dejaba de pensar en el momento en que aquel suplicio se acabaría y podría seguir practicando en el desván.

Resignada, Helen se sentó en el sofá junto a su madre con las piernas colgando y escuchó con paciencia toda esa aburrida palabrería. Su único consuelo era que al fin podría probar los ricos bollos que había hecho Ivy.

—Por cierto, *mevrouw* Carter, ¿quién toca en su casa tan maravillosamente bien el violín? —preguntó de pronto una vecina tras posar en el platito la taza de café.

Helen Carter arqueó sus finas cejas.

—¿El violín? —preguntó su madre desconcertada—. Me temo que se trata de un error, *mevrouw* Hendricks, aquí nadie toca el violín.

—¿Está segura? —insistió la vecina clavando los ojos en Helen—. Antes solía oír a su hija tocar el piano. ¿No ha cambiado de instrumento?

Ivy miró a su hija.

—Helen, ¿tienes que decirnos algo? ¿No se nos habrá metido en casa un violinista fantasma?

Helen no respondió. Prefirió maldecir para sus adentros el buen oído de la vecina. Debía haber previsto que acabarían oyéndola. ¡Ahora su secreto estaba a punto de ser descubierto!

Se levantó despacio de su asiento, ignorando por completo los aspavientos de asombro de su madre. Ivy Carter no era una mujer que perdiera fácilmente la compostura, así que era poco probable que saliera corriendo detrás de su hija. La reprimenda vendría en cuanto se fueran las visitas.

—¡Helen! ¿Adónde vas?

Pero ella hizo oídos sordos. Abandonó el salón con gesto impasible y, en cuanto llegó al pasillo, echó a correr. Subió las escaleras a tal velocidad que difícilmente la habría alcanzado un adulto. El corazón le latía como loco. ¿Qué podía hacer?, ¿esconderse?, ¿esperar a que subiera su madre a preguntarle qué estaba pasando?

Como una exhalación entró en su cuarto, cerró de un portazo y permaneció apoyada contra la puerta unos instantes sin dejar de aguzar el oído: no oyó nada; no se escuchaban pasos subiendo por las escaleras ni gritos desde abajo. ¿Qué estaría haciendo su madre? ¿Habría preferido ignorar su extraño comportamiento?, ¿o se habría quedado paralizada, sin saber cómo reaccionar? ¿Y cómo encajaría las inquisidoras miradas de sus vecinas?

¡Algo tenía que hacer!

Con el corazón latiendo desbocado, se arrastró por debajo de la cama y sacó el violín. ¿Qué hago?, le preguntó sin despegar los labios mientras abría el estuche para acariciar las cuerdas con el dedo índice.

El instrumento respondió a su manera: con un suave ruido que sonó como cuando el viento se colaba por los rincones de la casa. ¿Significaba eso que había llegado la hora de airear el secreto? ¿Y qué pasaba con la desconocida? Le había prometido no contárselo a nadie, pero ahora que la vecina la había oído tocar era imposible seguir ocultándolo.

¡Tal como estaban las cosas, no tenía por qué sentirse culpable de romper su promesa!

Tras unos minutos, la decisión estaba tomada. Y entonces experimentó un enorme alivio. Guardar un secreto era algo muy difícil... ¡Sobre todo con alguien a quien quería tanto! Volvió a cerrar el estuche, lo agarró por el asa y salió de su habitación.

De abajo llegaba el rumor de una animada charla. Le pareció entender que alguna de las señoras hacía referencia a su mala educación y que otras preguntaban qué significaba todo aquello.

Cuando entró por la puerta se hizo un silencio sepulcral. Tras mirarla de arriba abajo, todas se fijaron en el violín.

Helen sabía lo que tenía que hacer: demostrar a las presentes lo bien que tocaba. Si no, su madre se desharía del instrumento, y eso era lo último que quería que sucediera. Ignorando los requerimientos de su madre, dejó muy lentamente el estuche en el suelo, lo abrió y sacó el violín. Un murmullo se extendió por el salón.

—Ivy, qué demonios... —empezó a decir una de las señoras que más confianza tenía con su madre.

Pero antes de que pudiera obtener respuesta alguna, Helen se caló el violín bajo la barbilla y empezó a tocar dispuesta a sonar mejor que nunca. Eligió una vieja canción que su madre solía tararearle cuando era muy pequeña. La melodía era sencilla, aunque muy bella. Siempre había querido tocarla al piano, pero *miss* Hadeland nunca se lo había permitido.

Cuando terminó su interpretación, se hizo de nuevo un silencio sobrecogedor. Por un momento, Helen se imaginó que las notas se escapaban a través de las ventanas y, convertidas en gotas de rocío, caían al suelo haciendo brotar flores. Después, con gesto serio, volvió a guardar el violín en su estuche y esperó el veredicto de la audiencia.

Pero las mujeres se habían quedado sin habla. Helen habría querido preguntarle a la señora Hendricks si era esa la canción que había oído desde su casa, pero ni siquiera tenía fuerzas para pronunciar palabra. Había invertido tantas energías en la ejecución de la pieza musical que se sentía como si hubiera encogido un palmo.

Pasados unos segundos, Ivy se levantó. Estaba un poco pálida, pero no parecía enfadada. Sin previo aviso rompió a llorar.

—Ha sido precioso, Helen —dijo agachándose delante de ella—. ¿Quién te ha enseñado a tocar así?

La niña frunció los labios. Ya había revelado gran parte del secreto. ¿Debía mencionar ahora a su amiga? ¿Era lícito traicionar la confianza de la mujer que le había enseñado a sujetar el violín en el pabellón del jardín? ¿Podía contarles, sin más, cómo le había mostrado dónde colocar los dedos en el mástil para que saliera cada nota y cómo tocar sin hacer ruido para poder ensayar cuando su madre estaba en casa?

—He aprendido sola —dijo al fin—. Toco todos los días cada vez que te vas de casa.

—Pero ¿por qué lo has hecho a escondidas? —quiso saber su madre—. ¿Y de dónde has sacado ese violín tan bonito?

Estaba claro que esa pregunta tenía que llegar en algún momento, pues Ivy sabía muy bien que en su desván no había ningún violín.

¡Pero no! ¡No podía decírselo! ¡No podía traicionar a la desconocida!

—Helen, por favor, responde —dijo su madre con esa voz tan cálida a la que su hija no sabía resistirse...

De pronto la tierra empezó a temblar.

23

A la mañana siguiente, Lilly se sentía como si tuviera un algodón metido en cada oído. Gracias a las claves del wifi que le proporcionaron en la recepción del hotel, la tarde anterior había podido enviarle a Ellen un breve correo contándole que había llegado bien. También había tenido tiempo para escribir unas líneas a Gabriel. Ninguno de los dos le había respondido todavía, pero informar a las dos personas que más le importaban en el mundo de que había llegado sana y salva le produjo cierta paz mental.

Había querido seguir el consejo del dentista y echar solamente una siestecita, pero estaba tan cansada que cuando oyó el despertador prefirió ignorarlo. No se despertó hasta las tres de la madrugada, y entonces, como ya no tenía más sueño, decidió abrir la guía de viajes e ir señalando los lugares que quería visitar.

La soledad de la habitación le puso pensativa. Esas no iban a ser unas vacaciones de relax... Había mucho en juego, y sus ansias de descubrir cosas eran inmensas. ¿Lograría encontrar pistas de las dos violinistas? ¿Descubriría al fin qué secreta relación existía entre ella y el violín? ¿Y qué sería de su vida? ¿Acaso no había llegado ya el momento de desprenderse de la coraza detrás de la cual se había estado cobijando desde la muerte de Peter? Sí, tenía la sensación de que allí podría conseguirlo, y de que tal vez entonces podría bajar un poco la guardia e incluso volver a enamorarse de alguien sin que el temor a perderlo lo echara todo a rodar.

«Gabriel...», susurró, y con una sonrisa cerró los ojos. Quizá era él ese alguien de quien enamorarse. El beso que le dio en el aeropuerto no había estado nada mal, y él le había prometido que seguiría allí cuando ella volviera. ¿Qué motivo había para seguir manteniéndose a la defensiva? Gabriel era un hombre encantador, un alma en la que le gustaría sumergirse para ir descubriéndola poco a poco. Quizá a su vuelta le echara más agallas...

Cuando las agujas del reloj marcaron las siete, Lilly salió al balcón para ver amanecer. Abajo, en la calle, ya había movimiento, sobre todo de los ciclomotores, que, con cajas vacías atadas a la parte trasera del sillín, pasaban veloces presumiblemente en dirección al puerto, donde a esas horas empezaban a recoger las pesadas redes. El ruido del tráfico, como ocurre en todas las grandes ciudades, no había llegado a desaparecer por completo en ningún momento, ni siquiera en plena noche, pero ahora, a cada minuto que pasaba, se hacía más intenso, igual que la algarabía de los transeúntes.

Envidió un poco a los huéspedes que ocupaban el ala opuesta del hotel, pues desde allí tenían vistas al puerto, en cuyo muelle había atracado un viejo barco holandés. El brumoso y rosado cielo de la mañana tenía que estar precioso sobre el mar.

Cuando el ruido de la calle empezó a hacerse molesto, volvió a entrar en la habitación y revisó el correo, pero ni Ellen ni Gabriel le habían contestado. Al fin y al cabo, aunque allí amaneciera, en la vieja Europa seguía siendo de noche.

Después del desayuno, poco antes de las diez, Lilly bajó al recibidor del hotel. Ciertamente no era su estilo adentrarse en una ciudad extraña con un completo desconocido, pero el dentista no parecía tener otra cosa en mente que ayudarla en su búsqueda. ¿Pretendería solo ser amable y exageradamente servicial? ¿Sería verdad que los holandeses eran mucho más abiertos que los alemanes?

Unos minutos después, el doctor Verheugen se bajó de unos de esos minibuses con el lateral abierto que Lilly había visto en el camino del aeropuerto. El vehículo era de color azul cielo, y tenía pintados, a aerógrafo, los rostros de una pareja; a Lilly le hizo pensar en un cartel de Bollywood.

Tras echarse el bolso al hombro se dirigió hacia el dentista, vestido con una camisa blanca con un discreto bordado y unos pantalones largos de color caqui.

—Buenos días. ¿Ha pasado una buena noche?

—Según se mire —respondió ella, incapaz de mentir—. Quise seguir su consejo, pero no fui capaz.

—No se preocupe, ya verá como se despierta después de un viajecito en una de esas furgonetas que aquí funcionan como taxis.

—¿Qué insinúa? —preguntó Lilly preocupada, pues aquella frase auguraba de todo menos una conducción prudente.

—¡Déjese sorprender! La vida sería muy aburrida sin un poco de riesgo, ¿no le parece?

En cuanto dejaron atrás el hotel y pisaron la calle se vieron envueltos en una maraña de gente y vehículos. El aire era cálido y pegajoso, y estaba impregnado de distintos olores, de entre los que destacaba el de la gasolina.

Junto a los *minangkabau,* Lilly vio a muchos chinos, y también a algunos europeos e indios. Como es costumbre en los países islámicos, las nativas llevaban pañuelos de colores en la cabeza y largas faldas, que a menudo se levantaban por las ráfagas de aire que creaban los ciclomotores cuando, casi rozándolas, pasaban a su lado. A lo lejos, Lilly vio erigirse el minarete de una mezquita. La pasada noche estaba tan cansada que no había oído la llamada al rezo, pero sí por la mañana, justo antes de entrar en la ducha.

De la fachada de una casa colgaba un largo lienzo de tela en el que había pintada una pareja de enamorados de lo más *kitsch.*

—Es el cartel de una película —le explicó Verheugen.

—Es como los de Bollywood.

—A la gente de aquí le priva el romanticismo, aunque las películas indonesias no suelen ser así. También se estrenan algunos éxitos importados de la India y, por supuesto, nuestros *blockbusters* debidamente subtitulados.

¿Cómo sería ese lugar un siglo atrás? Lilly imaginó a la gente viajando en coches de caballos, y quizá también en *rickshaws.*

Entonces recordó una de las páginas *web* que había consultado para recabar información sobre el país y se preguntó si aún se celebrarían peleas de gallos y si se seguirían representando las famosas funciones de teatro de sombras, que, según había leído, duraban casi hasta el amanecer.

Por la calzada circulaban motocicletas, coches, furgonetas y esos minibuses con el lateral abierto que daban pavor con solo mirarlos. El rugido de los motores se mezclaba con los bocinazos y la música a todo volumen. Lilly reparó en que no había marcas viales; tampoco parecían estilarse los intermitentes, y de los semáforos mejor no hablar.

Era tal el ruido que le empezaron a zumbar los oídos. De pronto sonó un claxon que le hizo echarse a un lado, asustada. Provenía de un minibús de color rosa chicle de las mismas características que la furgoneta azul Bollywood, solo que en vez de una pareja cursi lucía un dibujo tribal y un alerón en la parte de atrás.

—Creo que se está ofreciendo a llevarnos —dijo el doctor—. ¡Sígame!

El vehículo se detuvo justo delante de ellos. Verheugen intercambió unas palabras con el conductor y luego le dijo a Lilly que se montara.

El conductor practicaba eslalon entre el tráfico siguiendo el ritmo de la música atronadora que salía por los altavoces. Mantener una conversación en ese cachivache era impensable; parecían saberlo bien las tres mujeres y los dos hombres que, abanicándose aburridos con sus periódicos, estaban sentados en el lado abierto de la furgoneta. A pesar de ir aferrada a su asiento, Lilly tenía la impresión de que a cada curva iba a salir disparada por el hueco de la puerta. De cuando en cuando, el conductor anunciaba una parada a bombo y platillo y unos cuantos pasajeros bajaban para que otros subieran. Lilly comprobó que todos pagaban al entrar, por lo que se le hizo evidente que el dentista había corrido con los gastos.

El viaje aún duró diez interminables minutos más, transcurridos los cuales el conductor tocó el claxon y detuvo el vehículo junto a la acera. Entonces el doctor Verheugen le indicó que ya podían bajarse.

—¿Se encuentra bien? —le preguntó mientras la furgoneta y su ensordecedora música se alejaban—. Está pálida como un cadáver.

—Más o menos —repuso Lilly a pesar de tener el estómago revuelto. Tras unos momentos de incertidumbre, volvió a sentir el suelo bajo los pies.

—¡Es ahí! —dijo Verheugen cuando llevaban recorrido un buen trecho de la calle.

Señaló un parque, en mitad del cual se levantaba un edificio de aspecto similar al del aeropuerto, pues tenía los mismos techos de media luna, o «tejados de cuerno de búfalo», como los denominaba la guía. Los nativos llamaban a ese tipo de edificaciones *rumah gadang,* que venía a significar algo así como «casa grande».

—Este es el Museum Adityarwaman, el museo nacional de Padang —le explicó el dentista—. En él hay expuestas, sobre todo, muestras de la cultura *minangkabau,* aunque también se pueden contemplar numerosas piezas de la época colonial. Además cuenta con un estupendo archivo. Todo lo que queda de los tiempos del protectorado holandés se encuentra aquí.

—¿Lo ha consultado en alguna ocasión?

—Hace unos años quise recopilar información sobre un edificio muy peculiar y me recomendaron que viniera a este lugar.

—¿Y encontró lo que buscaba?

—Ya lo creo. Tienen unos fondos sorprendentes.

Mientras subían unas escaleras de baldosas rojas y pasaban por delante de una torre de diseño moderno, Lilly miró fascinada los tejados plagados de picos y ondulaciones.

—¿Sabe por qué los *minangkabau* construyen así sus casas? —preguntó Verheugen, a quien no parecía escapársele una.

—Tiene algo que ver con los búfalos, ¿verdad?

—Sí señora. ¿Ha oído hablar de las peleas de búfalos?

—No, me temo que mi guía no es tan completa.

—Hágaselo saber al editor —bromeó él antes de contar su historia—. En tiempos remotos, un ejército de guerreros javaneses amenazó con conquistar la isla. Para evitar el derramamiento de sangre, ambos reyes acordaron que, en vez de combatir, resolverían el asunto con una pelea de búfalos. Mientras que los javaneses escogieron un búfalo enorme, los *minangkabau* dejaron sin comer un día entero a una cría de búfalo y recubrieron sus dientes con afilados pinchos de hierro.

—¡Déjeme adivinar! —saltó Lilly—. El hambriento ternero se abalanzó sobre el búfalo creyendo que era una búfala rebosante de leche.

—¡Bingo! Así fue como el ternero mató al búfalo e hizo que los javaneses tuvieran que irse por donde habían venido.

—Hay que admitir que fue una solución de lo más razonable, tratándose de aquellos tiempos. Nosotros habríamos resuelto nuestras diferencias partiéndonos la crisma con la maza o la espada.

—Los *minangkabau* son un pueblo pacífico. A los holandeses no les costó mucho esfuerzo colonizar Sumatra. Más adelante, cuando la situación económica empeoró, sí que se produjeron algunos incidentes. Pero de eso es mejor que hablemos después.

A Lilly le pareció una buena idea, pues estaba como loca por saber qué le tenía reservado el museo. ¿Encontraría allí una entrada en los registros parroquiales que la llevaría hasta la hija de Rose?

—En Sumatra quedan muy pocos edificios realmente antiguos —comentó el dentista mientras enterraba las gafas de sol en su poblado cabello.

—Por los terremotos, ¿verdad?

—Sí, por los terremotos y otras adversidades. Es un verdadero milagro que todavía queden en pie algunos edificios de principios de los años veinte; sin duda tienen una buena estructura. El museo fue construido en los años setenta, y lo cierto es que no se conserva mal, ¿verdad?

Dentro del museo, los ventiladores hacían lo posible por refrescar un poco el ambiente. Las vitrinas albergaban suntuosas túnicas y otros objetos de siglos pasados. Había expuesta incluso una corona de novia, llamada *sunting*. Lilly se preguntó cómo podían llevar puesto ese armatoste de oro de intrincado diseño sin destrozarse las cervicales.

Su acompañante no tardó en abordar a alguien y preguntarle por el archivo. Tras intercambiar unas palabras, Verheugen indicó a Lilly que se acercara.

La mujer con la que había hablado llevaba un pañuelo azul claro en la cabeza y un vestido negro cuya falda le llegaba a los pies. Lilly se sorprendió cuando la saludó en inglés.

—Me llamo Iza Navis, y estaré encantada de ofrecerle mi ayuda.

—Es directora adjunta del museo y sabe perfectamente dónde se encuentran todos los tesoros de esta casa —añadió Verheugen. Sus palabras hicieron que la joven, de unos veintitantos años, se sonrojara un poco.

—Al menos intentaré ayudarle en lo que pueda.

La modestia mostrada por Iza Navis le hizo pensar a Lilly en las películas japonesas, donde los héroes siempre hacían gala de una ejemplar humildad y callaban sus méritos.

—¿Qué puedo hacer por usted? —se ofreció la directora adjunta.

—Ando..., ando buscando registros parroquiales —dijo Lilly, y, aunque había comenzado por lo más obvio, la joven la miró con extrañeza.

—¿Registros parroquiales?

—Algo así como un registro de nacimientos —se apresuró a aclarar Verheugen.

—Ah, claro —repuso Iza Navis—. Tenemos algunos de esos «registros parroquiales» que usted dice. Nos los donó una iglesia después de que un terremoto la dejara seriamente dañada. Como no suelen despertar el interés de nuestras visitas los tenemos en depósito. Si espera un poco se los haré llevar a la sala de lectura.

La sala de lectura era una pequeña estancia bastante austera donde había unas cuantas mesas con lámpara y una estantería llena de libros en malayo. La encargada del museo les dijo que tendrían que esperar un rato, así que Lilly y Verheugen decidieron sentarse.

—¿Qué es lo que está buscando exactamente en los registros parroquiales? —preguntó él mientras sacaba sus gafas de leer y las limpiaba con una gamuza.

—Poco antes de venir supe que Rose tuvo una hija. Me gustaría comprobar si el nacimiento consta en el registro parroquial y si fue bautizada.

—A principios del siglo XX Indonesia se vio azotada por varios terremotos. Es posible que madre e hija perdieran la vida en una de esas catástrofes.

—En cualquier caso, antes tuvo tiempo de pedirle por carta al padre que se encargara de la niña. O nunca recibió la carta o no quiso hacerse cargo...

—O se ocupó de ella, la salvó y mantuvo en secreto su inconfesable origen...

En ese momento se abrió la puerta y un joven entró con un carrito que contenía unos cuantos tomos antiguos. A los registros parroquiales, *miss* Navis había añadido periódicos de la época encuadernados y un par de libros que a simple vista no guardaban demasiada relación con lo que Lilly quería saber. Sin embargo, decidió que les ojearía, por si las moscas.

Revisar los registros parroquiales no resultaba en absoluto fácil, pues muchas páginas estaban muy dañadas por el agua y no habían sido secadas por manos expertas. Aunque Lilly no era ni mucho menos una experta en restauración de libros, se le cayó el alma a los pies al ver que varias páginas no podían despegarse. ¿Qué sentido tenía guardar esos valiosos documentos si no se hacía nada para conservarlos?

—La verdad es que esto no tiene muy buena pinta —dijo Verheugen tras echar un breve vistazo—. Debería haber traído mi instrumental, seguro que con mi escalpelo y mis pinzas podría separar las páginas sin romperlas.

Con todo, se pusieron manos a la obra. Dado el mal estado de los registros parroquiales, decidieron centrarse en los periódicos, mucho mejor conservados, pero casi todos estaban en neerlandés.

—Si encuentra algo que llame su atención por los nombres propios o las fotografías hágamelo saber y se lo traduzco.

El olor a papel viejo y a moho se les metió en las narices nada más hojear las páginas. Los periódicos sueltos no eran precisamente voluminosos; en general eran ediciones de ocho páginas con una de ellas dedicada a anuncios de menaje del hogar, jabón, pomada para fijar el bigote y ligueros para calcetines.

Lilly revisaba los textos en busca de nombres que le sonaran. También observaba las ilustraciones, que en su mayoría eran viejas fotos del Padang colonial o imágenes de las plantaciones de tabaco y azúcar. De vez en cuando había algún retrato de familia, pero de Rose Gallway no encontró nada.

—Puede que esto le interese —dijo al rato Verheugen girando el libro hacia Lilly y señalando un nombre en medio de un texto para ella ilegible—. ¿Se escribe así el nombre de su violinista?

Lilly asintió de inmediato, atisbando un rayo de esperanza.

—¡Léame lo que pone, por favor! —le rogó mientras miraba la foto, en la que aparecía algo que se había derrumbado...

—«El pasado lunes, en los alrededores del puerto, sucedió un lamentable accidente. Una grúa de carga mal fijada se derrumbó sobre un grupo de trabajadores encabezado por *mijnheer* Gallway, capitán del puerto. Ha habido que lamentar tres muertes, entre ellas la de *mijnheer* Gallway, que deja viuda e hija, la célebre violinista Rose Gallway, que recientemente ha dado varios conciertos en esta su ciudad natal.»

¡El padre de Rose había muerto en un accidente! Lilly se quedó pasmada. ¿Cómo habrían vivido aquella tragedia Rose y su madre? Cuando ella perdió a Peter, sintió que le habían arrancado el alma del cuerpo...

—Tuvo que ser una época terrible para ella —dijo secamente, obligándose a no pensar en su infierno personal.

—No hay nada peor que perder a un ser querido. —A juzgar por el profundo surco que se le formó entre las cejas, Verheugen también parecía haber pasado por esa experiencia traumática–. Da la impresión de que no conocía ese dato.

–Así es, no lo sabía. Ni tampoco el director de la escuela donde Rose Gallway estudió.

–Tenga en cuenta que el accidente sucedió hace mucho, pues el periódico es de 1902. Además tuvo lugar en otro país... ¿Cómo iba él a saberlo?

–Tiene usted razón. Que yo sepa, aún no ha venido a investigar a Sumatra.

Lilly observó el artículo durante un rato y lamentó no saber neerlandés.

–Aquí también pone que, por las mismas fechas, Rose Gallway dio unos cuantos conciertos en Sumatra –señaló Verheugen–. Quizá encontremos algo en las ediciones de los días anteriores.

Volvieron a hojear los periódicos y, en poco rato, el dentista encontró once artículos más en los que Rose era citada. Como estaban encuadernados en orden inverso al cronológico, Lilly los fue revisando de atrás hacia delante.

Las fotos de los dos primeros eran especialmente bonitas. En una aparecía Rose entre el gobernador y otros señores en frac y levita sonriendo con timidez a la cámara. La otra había sido tomada en la terraza trasera de la mansión del gobernador y mostraba un paisaje borroso apenas iluminado por la luna. A pesar de la mala calidad de la foto, se intuía que las vistas eran impresionantes.

Lilly observaba las fotos con detenimiento mientras Verheugen le traducía los artículos. Fue así como se enteró de que Rose había tocado en la recepción anual que el gobernador celebraba con los dueños de las plantaciones. ¿Cómo sería la recepción? ¿De qué colores irían vestidos los invitados? Para Lilly fue como volver a la infancia, cuando lo normal era tener un televisor en blanco y negro.

Los siguientes artículos estaban plagados de elogios a sus conciertos y también a su belleza. Era evidente que todo Padang se había rendido a sus pies.

De pronto, un aspaviento proveniente de su lado hizo que Verheugen levantara la vista.

—¡De modo que así era él! —exclamó Lilly sin quitarle ojo a la foto de la pareja que aparecía en mitad de la nota de prensa. Al pie de la misma, se citaba el nombre del caballero que posaba junto a Rose.

—¿A quién se refiere? —preguntó Verheugen.

—Este señor de aquí es Paul Havenden. Lord Paul Havenden.

Lilly observó con disgusto que el rostro del caballero salía cortado. Ese hombre era el amante de Rose, el que la había dejado embarazada. Rápidamente tomó nota del artículo para luego hacer una copia. Aunque no se viera bien del todo a Havenden, se alegró de haber encontrado la fotografía.

—Ah, el padre de la niña perdida —dijo Verheugen visiblemente indignado—. Más que escribirle una carta, como hizo Rose, ¡yo le hubiera leído la cartilla!

—Tal vez haya una explicación para su comportamiento.

El dentista negó con la cabeza.

—Lo dudo. Dejó preñada a su amante y luego se hizo el loco. Menuda pieza...

Pese a las deficiencias de la foto, Lilly observó que el joven inglés tenía un rostro bien proporcionado. Y sus hermosos ojos le recordaron un poco a los de Gabriel. ¿Tendría razón el doctor respecto a Paul Havenden? ¿Habría actuado aquel de forma intencionada? ¿Era posible que se hubiera olvidado de Rose al llegar a Inglaterra? ¿O más bien se había topado con obligaciones de las que no había podido zafarse?

—Antes de juzgarlo deberíamos conocer toda la historia —dijo Lilly, aún entusiasmada por el hallazgo. Gabriel no se lo va a creer, pensó.

Hasta entrada la tarde siguieron rebuscando entre esos viejos papeles. Dieron con más reseñas sobre las actuaciones de Rose y con una nota de sociedad en la que se hablaba del vestuario que utilizó en su interpretación el día del funeral de su padre.

En cambio, en los registros parroquiales no hallaron rastro del apellido Gallway.

¿Qué esperabas?, ¿descubrirlo todo el primer día?, se dijo para sus adentros. Date por satisfecha con haber encontrado una foto de ella con su amante. ¡Gabriel se va a poner como loco!, volvió a decirse.

Era muy probable que los holandeses se llevaran consigo mucha documentación cuando abandonaron la isla. Para seguir el rastro de la hija de Rose Gallway quizá sería más provechosa una visita a Ámsterdam. Si aún conservaban documentos de esa época, a buen seguro tendrían un museo de historia colonial.

—Sentimos que no haya encontrado lo que buscaba —dijo la directora adjunta del museo cuando ordenó retirar los documentos.

—No crea, algo hemos encontrado —repuso Lilly con una sonrisa—. Le agradezco mucho que nos haya dejado ver los periódicos.

—Si quiere consultar más documentos de la época del protectorado holandés no deje de visitar la residencia de fin de semana del antiguo gobernador.

—¿Residencia de fin de semana? —se sorprendió Lilly. Pero enseguida cayó en la cuenta: por fuerza tenía que ser la casa de la terraza que salía en el artículo. La casa donde tocó Rose Gallway.

—Bueno, seguramente en aquella época no la llamaban así, pero no se me ocurre un término más preciso para referirme a ella. Aunque el gobernador tenía su sede en Padang, poseía también una casa de campo donde celebraba las recepciones. A pesar de los terremotos, todavía se mantiene en pie. Pero lleva muchos años en venta y me temo que, si no aparece pronto un comprador, acabarán echándola abajo.

—¿Se puede hacer algo así?

—Por desgracia, sí. Aquí también tenemos una especie de instituto de conservación del patrimonio, pero cuando los edificios empiezan a deteriorarse suelen ser derribados.

—¿Y no valdría la pena convertirlo en museo? —dijo Verheugen, poniendo en palabras los pensamientos de Lilly.

313

—Puede, pero para eso hacen falta fondos. Además, algunas personas siguen sin ver con buenos ojos la época colonial. El Gobierno da prioridad a la investigación y la divulgación de la cultura *minangkabau*. —Casi lo decía con pena, a pesar de ser ella misma una *minangkabau*.

—¿Y qué vamos a encontrarnos en la residencia de fin de semana? —preguntó Lilly—, ¿un montón de trastos puestos de cualquier manera?

—Más o menos. En el edificio aún quedan muchas cajas por abrir. Hay un guarda que se encarga de vigilar la propiedad. Si le dicen que van de mi parte, seguro que les dejará entrar.

—Muchas gracias, es usted muy amable —dijo Lilly, procurando no sonreír como alguien que planea robarle la porcelana a una abuelita. ¡La casa donde Rose dio un concierto! ¡La casa donde quizá conociera a Paul Havenden! ¿Estarían aún esas paredes impregnadas de su espíritu? Aunque en esas cajas no hubiera más que trastos viejos la visita merecía la pena, de eso estaba segura.

—¿Y bien? ¿Tiene previsto visitar la casa del gobernador? —preguntó Verheugen nada más salir del museo. Entretanto ya había anochecido y el aire se había vuelto más húmedo.

—Desde luego. Puede que hasta dé con la terraza que sale en la foto del periódico.

—Por supuesto. Siempre que el guarda o un techo derruido no se lo impidan...

—Ahora necesito encontrar a alguien que me lleve.

—A ese alguien lo tiene usted delante —afirmó el dentista.

—¿De verdad? ¿No le he robado ya bastante tiempo?

—No considero que me lo esté robando, más bien me lo está haciendo pasar en grande. Podemos ir y echar un vistazo. Y si la mala conciencia no la deja tranquila, siempre puede invitarme hoy a cenar. ¿Qué me dice?

—Por mí, estupendo, pero tendrá que elegir usted el lugar. No conozco ningún sitio. —Lilly se acordó de Gabriel y deseó con todas sus fuerzas poder cenar con él a su vuelta.

—Cerca de su hotel hay un restaurante estupendo donde sirven *rendang*. O, si lo prefiere, un *makanan padang* completo.

—¿Qué es eso?

—Es una especie de degustación. Te ponen un montón de cuencos con distintos tipos de carne, verdura y arroz. Eliges lo que quieras y luego solo pagas lo que has comido.

—Suena interesante.

—Y lo es, pero en algunos locales sale un poco caro. Con el *rendang,* en cambio, nunca se falla. Es un *curry* de ternera muy picante que se sirve con arroz. Espero que tenga un estómago a prueba de bombas.

—Eso no es problema —repuso Lilly, a quien no le asustaba la comida picante. Una vez había estado en un restaurante hindú o tailandés con Peter y había soportado el picante mejor que él.

—Bien, pues entonces propongo recogerla en una hora, y así me compensa por las molestias y por la peste a papel viejo que me ha hecho respirar.

A juzgar por la cantidad de gente que había en el local sugerido por Verheugen, debía de ser bueno de verdad. El único inconveniente era que no quedaba ninguna mesa libre, por lo que tuvieron que ponerse a la cola.

—Con un poco de suerte estaremos sentados en un santiamén —dijo el dentista, y en ese momento Lilly deseó tener un poco de su confianza. Para él nada parecía ser un problema. Si había que esperar, él llenaba el tiempo con bromas y observaciones.

De hecho, Lilly se dio cuenta de que empezaba a contagiarse un poco de su espíritu. Si en Alemania hubiera entrado en un restaurante así de lleno, se habría dado la vuelta de inmediato. Sin embargo, ahora, ni se le había pasado por la cabeza la idea de desistir de comer en aquel lugar. Lejos de eso, se dejaba imbuir de los aromas, los sonidos, las voces…, y también de los colores, pues muchos de los nativos que había en el local iban vestidos con los tradicionales y llamativos *sarongs;* otros clientes, en cambio, vestían con camisa y pantalón blancos, y las mujeres cubrían su pelo con pañuelos de colores.

Tras media hora esperando de pie, consiguieron una mesa.

—Créame, la espera ha valido la pena —dijo Verheugen mientras se sentaban en los cojines que había dispuestos sobre dos esteras de ratán, situadas una enfrente de la otra. En medio había una mesa baja con bellas incrustaciones. El camarero apareció al momento con las cartas, enfundadas en gruesas tapas de cuero. Los menús estaban en malayo y en neerlandés, y si bien el nombre de algún plato se suponía que lo habían traducido al inglés, resultaba igualmente incomprensible para Lilly.

—¿Qué es esto de aquí? —preguntó señalando un renglón de la carta.

—Ah, eso es café de gato.

—¿Café de gato?

—Hay una especie de gato llamada civeta indonesia que solo se alimenta de los granos de café más maduros. Con sus excrementos se hace un café muy preciado. Una tacita vale tanto como un banquete entero.

—No estoy muy segura de querer probar un café que sale de... —Lilly hizo un aspaviento que hizo reír a Verheugen.

—¡Pero si es una exquisitez! En la isla es muy apreciado, y los cafeteros de todo el mundo pagan lo que sea por esos granos.

—Cuidadosamente seleccionados por la civeta indonesia...

—Será mejor que se limite al *tuak*.

—Mientras no salga de un animal...

—No, el *tuak* es algo así como el hermano pequeño del *arak*. Se extrae de la flor de la palma de azúcar, y no tiene mucho alcohol.

—Suena aceptable.

—¡Y lo es! Yo pediré lo mismo. —Con el rabillo del ojo vio que pasaba el camarero y lo llamó.

Mientras Verheugen pedía, Lilly lo observó admirada.

—No tengo ni idea de malayo, pero me ha parecido que lo habla muy bien.

—Cuando alguien tiene una relación tan estrecha como yo con este país, lo primero que quiere es poder hablar con los nativos sin que recuerden las historias que sus abuelos les contaron de los holandeses. Lo cierto es que algunas de ellas no nos dejan en muy buen lugar. –Lilly lo miró expectante y Verheugen prosiguió–: Indonesia tiene una historia muy accidentada. Quizá haya oído hablar de la dominación colonial y de la VOC.

–¿Se refiere a la Compañía Neerlandesa de las Indias Orientales?

–Efectivamente. Era una asociación holandesa de comerciantes y marinos mercantes. Se trata de un tema muy complejo, y también algo sangriento. Algunos gobernadores de Sumatra y de Bali fueron tan crueles que la casa real tuvo que intervenir para pedir moderación a los mandatarios de la VOC. Cuando esta se disolvió en 1799, el clima de tensión se suavizó y la violencia fue a menos. Sin embargo, cada vez se levantaron más voces en contra del colonialismo. En los años veinte surgió un movimiento independentista contrario a los holandeses. Durante la Segunda Guerra Mundial, Indonesia fue invadida por Japón por un breve lapso de tiempo, a partir del cual Holanda perdió definitivamente la colonia.

–Con todo lo que usted sabe bien podría ser historiador.

–Puede que me ponga a ello cuando me retire. O quizá me dedique a recorrer el país para después poner negro sobre blanco mi experiencia en un libro de viajes. Aunque si algún día llegara a hacerlo, creo que sería difícil que volviera a Holanda.

Solo con lo que había visto hasta el momento de Sumatra, Lilly creyó comprenderlo.

A lo largo de la velada conversaron sobre muchos temas, pero de ninguno de ellos hablaba Verheugen con tanta pasión como de Sumatra. Daba la impresión de que su relación con ese país trascendía el mero amor por sus paisajes y sus gentes. Debía de existir un vínculo personal, pensó de pronto Lilly, y entonces se le ocurrió que tal vez el dentista había realizado aquel viaje para encontrarse con una mujer. No era una idea descabellada, al fin y al cabo era un hombre atractivo, y además tenía un fantástico sentido del humor... A partir de ese momento, y a pesar de decirse a sí misma que ese no era asunto suyo, Lilly no

317

pudo evitar fantasear con esa mujer con la que quizá Verheugen iba a reunirse. ¿Sería una bella nativa como la madre de Rose?, aventuró; inconscientemente había atribuido desde el principio la célebre belleza de Rose a su madre.

—Espero que la comida no fuera muy picante —dijo el dentista cuando salieron del restaurante, mientras la brisa nocturna los envolvía. Aunque seguía haciendo calor, ella se estremeció un poco. Siempre le pasaba cuando salía de un sitio donde hacía calor—. Algunos turistas tienen problemas con el picante, sobre todo la primera vez que lo prueban.

Lilly se encogió de hombros. Aún le ardían un poco los labios, pero se sentía de maravilla.

—Me encanta la comida picante —repuso—. Nunca me ha sentado mal. En cambio, a Peter...

—¿Su marido?

Lilly bajó la cabeza. Su buen humor se vio amenazado de repente por un nubarrón negro.

—Sí, lo fue. Murió hace unos años.

—Lo siento mucho. Creo que sé cómo se siente: yo también he sufrido grandes pérdidas a lo largo de mi vida. Pero desde que conocí este país creo que me siento cada vez mejor. Y dado que usted también está aquí, puedo predecir que volverá siendo otra, lo cual será una suerte para quien la esté esperando.

Más tarde, tendida en la cama bajo el aire acondicionado y protegida de los insectos por una mosquitera, Lilly dio muchas vueltas a esas palabras. Al mismo tiempo, una sospecha la inquietaba. Verheugen se mostraba demasiado amable... ¿Y si no existía aquella mujer con la que había estado fantaseando en el restaurante? ¿No se estaría haciendo con ella unas ilusiones que jamás podría ver cumplidas? De repente se sintió algo mareada. Para ella Verheugen no era más que un loco encantador, y que estuviera siempre dispuesto a ayudarle le hacía sentirse un poco incómoda, pero también le encantaba. Lo que no podía era imaginárselo como su pareja: no estaba segura de que Gabriel llegara a jugar ese papel en su vida, pero Verheugen desde luego que no. Aunque tal vez se estaba precipitando... Lilly se regañó por ser tan estrecha de miras. ¿Era incapaz de comprender que aún había gente en el mundo dispuesta a prestar ayuda desinteresadamente? Por si acaso, no dejes que se haga ilusiones, se dijo. El holandés es un encanto y sería una pena que mi amistad con él se malograra. Basta con que le dejes las cosas claras en caso de que intente algo.

Al final cerró los ojos e intentó mirarse por dentro. ¿Estaría ya en marcha esa transformación de la que le había hablado Verheugen? ¿Notaría el cambio al volver a casa de Ellen?

No, de hecho ya había empezado a notarlo. Mientras sus pensamientos viajaban hasta Londres en busca de Gabriel, se dejó vencer por el sueño.

24

Con el instrumento apretado contra el pecho, Helen se puso en cuclillas sobre la hierba y miró impasible la punta de sus zapatos. Desde el momento en que la tierra había empezado a temblar, todo había sucedido muy rápido. Las señoras habían salido corriendo como gallinas asustadas y su madre la había agarrado del brazo y la había arrastrado hacia fuera. En cuanto salieron de la casa los temblores se hicieron más violentos. La piedra se resquebrajó y varios ladrillos se desmoronaron sobre el césped del jardín.

—¡Échate al suelo! —exclamó Ivy tumbándose a su lado. La niña la imitó, pero mantuvo agarrado el violín, pues no quería que le pasara nada.

La tierra tembló con furia inusitada bajo ellas durante un instante que pareció eterno. Luego se detuvo y se hizo un silencio sepulcral como nunca Helen había escuchado antes. Hasta los monos, cuyos gritos se oían a cualquier hora del día desde la ciudad, guardaron silencio. El susurro del mar había cesado, como si la tierra se hubiera tragado toda esa agua. Antje Zwaneweeg solía decir que en los terremotos se abren profundas grietas en el suelo que se tragan todo lo que hay a su alrededor.

Y ahora Helen estaba tendida sobre él. ¿Sería ese el castigo por haber traicionado a la desconocida? ¡Al final iba a ser de verdad un hada de cuento! Pero ¿cómo podía ser tan vengativa, después de haberle hecho un regalo tan bonito?

—¡Helen! ¡Ivy! —exclamó la voz de su padre—. ¡Gracias a Dios que estáis bien!

Ivy Carter, que había estado todo el tiempo callada como su hija, se levantó del suelo.

—¡James! ¡Por fin has llegado!

El padre de Helen abrazó a su mujer y la besó.

—Lo siento, no he podido venir antes, en la ciudad se han derrumbado muchas casas. Ha habido un montón de muertos.

—¡Dios mío, qué horror! ¿Algún conocido nuestro?

—No lo sé, pero he oído que entre las víctimas hay sobre todo holandeses y nativos. En cuanto he podido, he venido a ver cómo estabais.

Luego se inclinó hacia Helen.

—¿Estás bien, pequeña?

La niña asintió, pero no alzó la vista sino que siguió mirando tercamente sus zapatos sin dejar de aferrarse al estuche del violín. Aunque no podía verlo, Helen supo que su padre estaba intercambiando miradas de sorpresa con su madre, que era capaz de comunicarse con su esposo sin necesidad de decir palabra.

—¿De dónde has sacado ese estuche? —preguntó finalmente James Carter alargando las manos.

—Es inútil, no va a dártelo —dijo Ivy.

—¿Tan importante es para ti? —preguntó su padre, comprensivo, y Helen asintió.

—Ha sufrido un *shock* por el terremoto —añadió su madre—. Y poco antes... Poco antes tocó para todas nosotras el violín que guarda en ese estuche.

Su padre miró a Helen un momento y luego le tomó suavemente la barbilla. Tras contemplar unos minutos sus ojos color ámbar le dijo:

—¿Así que ahora tienes un violín?

—Sí —repuso Helen antes de echarse a llorar.

—¿Por qué lloras? —El pulgar de su padre secó sus mejillas.

—Tengo miedo de que me lo quitéis —confesó al fin.

—¿Por qué íbamos a quitártelo?, ¿acaso hay algún motivo para hacerlo?

La niña se esperaba la pregunta:

—No. Es mío. No lo he robado.

—¿Y de dónde lo has sacado?, ¿lo encontraste en el desván?

Habría sido fácil contestar con un sí a la última pregunta de su padre, pero Helen estaba segura de que era una estrategia. Como Ivy, él también sabía que en el desván no había ningún violín.

—¿No vas a decirme de dónde lo has sacado?

—No puedo.

—¿Por qué no? —insistió su padre enarcando las cejas.

—Prometí no hacerlo.

James suspiró. No se enfadaba fácilmente, pero no podía soportar que le ocultaran nada.

¿Podía contarle la verdad o volvería a suceder algo terrible?, se preguntó Helen.

—¿A quién se lo prometiste? —insistió él con cierto tono amenazante.

—No puedo decirlo. —Miró a su padre, suplicante—. Por favor, papá, no me obligues a decírtelo.

Su padre miró a su madre.

—Sabe tocarlo —le dijo ella—. Bajó de su cuarto con él y tocó para nosotras.

—Quizá *miss* Hadeland...

—No lo creo, con lo entusiasta que es del piano... Parece que nuestra hija ha elegido otro instrumento —dijo acariciando suavemente la cabeza de la niña—. Hay cosas que no se pueden evitar.

Helen no sabía qué había querido decir su madre, pero tampoco le importó demasiado. En ese momento solo deseaba que no le quitaran su violín. A pesar del terremoto; a pesar de que quizá lo había provocado ella con su traición.

—¿Puedo verlo?

Helen apretó los labios. Una vez más las lágrimas brotaron de sus ojos. Sus endebles bracitos se aferraron al violín como garfios.

—No me lo quitarás, ¿verdad?

—Te doy mi palabra. Solo quiero echarle un vistazo.

Confió en su padre, así que relajó los brazos y le entregó el estuche. Cuando él abrió el cierre, se produjo un chasquido que a Helen le resultó ensordecedor, y cuando tocó el violín con los dedos se estremeció como si la hubiera tocado a ella.

—Qué violín más bonito —musitó mientras le daba la vuelta con cuidado. Al ver la rosa se puso pálido como un cadáver—. Ivy...

No alcanzó a decir más que el nombre de su mujer. Cuando, acto seguido, le enseñó el violín, esta se tapó la boca con la mano. Entonces se hablaron con la mirada, como siempre que querían que Helen no los oyera. Ella estaba segura de que ambos se preguntaban si lo había robado. Mientras se armaba de valor para hacer frente a esa acusación, oyó a su padre decirle en voz alta a su madre:

—Tienes razón, hay cosas que no se pueden mantener ocultas eternamente.

Tras intercambiar más miradas mudas, dejó el violín en su estuche.

—¿Cómo has aprendido a tocar el violín?

—Sola. —Obviamente, eso no era del todo cierto, pero no quería volver a traicionar a su amiga.

—Eres una niña muy especial, Helen.

Su padre cerró el estuche y se lo devolvió.

—¿Y qué va a pasar ahora con el violín? —preguntó Helen, tentada de salir corriendo con el instrumento.

—Podrás quedártelo mientras nadie lo reclame —respondió James tras pensarlo un instante—. Has de comprender por qué te he preguntado si el violín era robado; seguramente ahora mismo su dueño estará buscándolo desesperado. ¿No crees?

Helen asintió con una sonrisa, pues sabía bien que la desconocida no lo reclamaría.

Aunque su madre siguió preguntándole por la procedencia del violín, ella nunca se lo dijo. Convencida como estaba de que el terremoto había sido una advertencia, temía que si desvelaba del todo su secreto sucediera algo aún peor, y eso era lo último que quería.

El terremoto causó un gran desbarajuste, pero cuando las cosas volvieron a la normalidad se reanudaron las clases de música con *miss* Hadeland, quien en un primer momento no se mostró partidaria de que Helen cambiara el piano por el violín.

—¡El violín es un instrumento de gitanos! —le espetó a Ivy Carter—. Para una joven dama que aspira a ser respetada en sociedad, el piano es mucho más indicado.

—Pero si usted misma ha dicho que Helen no hacía ningún progreso significativo... Puede que se haya aburrido de tocarlo o que... —Antes de que *miss* Hadeland pusiera el grito en el cielo, Ivy la mandó callar con la mano—. O que sencillamente el piano no sea su instrumento. Si la oyera tocar el violín, seguro que cambiaría de opinión.

Helen, que había seguido la conversación sentada en una silla junto a la puerta, se levantó como si hubiera recibido una orden secreta de su madre. Entonces sacó el instrumento de su estuche con delicadeza, rogando en silencio que no volviera a producirse ningún terremoto. Al fin y al cabo, era lo que la desconocida quería: que aprendiese a tocarlo.

Nada más posar el arco sobre las cuerdas, *miss* Hadeland torció el gesto.

—¿Qué manera es esa de agarrar el violín? ¡Se toca erguida!

—Déjela a ella sola —dijo Ivy, y aunque su voz era suave, yacía en ella una amenaza tácita a la profesora para que dejara de importunar a la niña. Una vez amonestada, *miss* Hadeland se mordió la lengua y permaneció inmóvil en la silla, convencida de que la cría no sería capaz de sacar una sola nota del violín.

Helen, empeñada en demostrarle a toda costa que sabía tocar, agarró con firmeza el arco.

Mientras los primeros acordes se extendían por la habitación, comprobó con el rabillo del ojo que el gesto de *miss* Hadeland había cambiado radicalmente. Su mirada arrogante dio paso a una de asombro, y su boca se abrió como si estuviera presenciando un milagro. Eso le dio a Helen suficiente confianza como para entregarse a la melodía y dejar que fuera su corazón el que marcara el ritmo.

Cuando terminó, se sintió como liberada de la fuerza de la gravedad. Jadeante, bajó el violín. El sudor refrescaba su cuerpo, y su mente estaba completamente despejada, como si una bocanada de aire fresco hubiera entrado por la ventana.

Durante un par de minutos no se oyó una mosca. Ivy Carter miraba expectante tanto a su hija como a la profesora. Helen, en cambio, solo miraba a *miss* Hadeland, cuya expresión no acababa de gustarle.

—¿Y bien, *miss* Hadeland? —peguntó ansiosa Helen. En su opinión había tocado bien, y estaba segura de que a su amiga secreta le habría gustado. Pero la profesora de música se había quedado embobada mirando el violín que colgaba de su mano.

—Perdón... —dijo al fin—. Ha sido una hermosa interpretación.

—Entonces, ¿cree que vale la pena que dé clases?

—Sin duda —repuso *miss* Hadeland sin ocultar ya su entusiasmo—. Obviamente aún tiene mucho que aprender, sobre todo tendrá que depurar ese... extraño estilo con el que toca, pero es evidente que está más dotada para el violín que para el piano. No todo el mundo puede dominar ese arte.

—Bien, pues entonces siga con sus clases —se apresuró a decir Ivy Carter—. Nosotros le subirremos un poco el sueldo, y espero que usted consiga que Helen adquiera más dominio sobre el instrumento.

Miss Hadeland asintió, y sus ojos se posaron de nuevo en el violín, que ahora reposaba en el lecho de terciopelo que le brindaba su estuche. Helen creyó ver en ellos un brillo de codicia, pero enseguida la profesora volvió en sí.

—Muchas gracias, señora Carter, haré todo lo que esté en mi mano. Puede que acabe de llegar al mundo una niña prodigio.

Helen no creía que su talento fuera prodigioso. Tocar el violín le resultaba mucho más fácil que reproducir esas complicadas melodías al piano, pero ello era debido sin duda a las enseñanzas de la desconocida, esa mujer sin nombre a la que no había vuelto a ver. *Miss* Hadeland no tenía nada que ver con ella: lejos de hacerle regalitos, le aplicaba una férrea disciplina consistente en repetir los acordes que se le resistían hasta no sentir los dedos de tanto apretar las cuerdas.

Cuanto más severa se mostraba *miss* Hadeland, más se acordaba Helen de su amiga y de lo fácil y divertido que le resultaba aprender a tocar con ella. En cuanto tenía un momento, corría a la verja del jardín y se asomaba con la esperanza de encontrarla, pero nunca estaba allí. ¿Le habría pasado algo durante el terremoto? Pero luego se decía que no, que lo que pasaba era que su amiga se había enfadado con ella por haberles enseñado el violín a todos. Quería explicarle que no había tenido más remedio que hacerlo, pero no había vuelto a verla.

De vez en cuando, su madre entraba en la sala de música para comprobar por sí misma los avances de su hija. Entonces *miss* Hadeland se relajaba un poco e intentaba no ser tan dura con los errores de Helen. En cualquier caso, Ivy siempre se quedaba encantada al oírla tocar.

—Dice que aprendió sola —le susurró un día a la profesora, creyendo que su hija no podía oírlas, pero la pequeña tenía un oído finísimo.

—Quizá sea cierto —repuso *miss* Hadeland—. Muchos virtuosos del violín fueron autodidactas. Tal y como toca, es posible que haya desarrollado su propia técnica. Lo que me gustaría saber es de dónde lo sacó.

—Se niega en redondo a decírnoslo. Lo hemos intentado todo —contestó su madre—. Aunque hace unas cuantas semanas me habló de una desconocida que se encontró en la entrada. Puede que se lo diera esa mujer. Sería una vagabunda que no sabría qué hacer con él.

—Entonces quizá sea robado.

Tal vez su madre no viera el brillo de avaricia en los ojos de la profesora de música, pero Helen sí, de modo que apretó el instrumento contra su pecho y juró en voz baja protegerlo de sus garras.

—No, no lo creo. En todo caso, si así fuera, el robo se habría producido lejos de aquí. James ha preguntado a todo el mundo en la ciudad y nadie parece echarlo de menos. Aunque después del terremoto aún reina el desconcierto en el vecindario, si a alguien le hubieran robado un violín estoy segura de que nos habríamos enterado.

Vio que *miss* Hadeland reflexionaba sobre las palabras que acababa de escuchar, y Helen sintió inmediatamente el impulso de estrechar el violín entre sus brazos. Jamás permitiría que lo tocaran otras manos que no fueran las suyas, pensó sin dejar de mirar con desconfianza a su profesora.

25

—¿Conduce usted o yo? —preguntó Verheugen señalando el todoterreno. Parecía un excedente del ejército: la pintura de camuflaje estaba desconchada por algunas partes y tenía marcas de óxido en el maletero y en las puertas. Lilly estuvo a punto de decir que en Alemania ese cachivache no superaría la inspección técnica, pero, ya que el dentista se había encargado amablemente de alquilarlo, no quiso criticar su elección.

—Seguro que usted se apañará mejor que yo con un coche así.

—Si lo que quiere es saber si ya he conducido uno de estos, la respuesta es sí. Pero no crea, estos trastos son más fáciles de manejar de lo que parece. ¡A la vuelta conduce usted!

Acto seguido se sentó en el asiento del conductor. Lilly observó una vez más el coche con cierto escepticismo. Pero, si su acompañante parecía tan seguro, ¿por qué iba a desconfiar ella?

—Al menos el motor está en buen estado —bromeó Verheugen después de pasarse un buen rato intentando arrancarlo—. ¡Suba, prometo no conducir como el taxista de Padang!

Ella le hizo caso y se pusieron en marcha.

Cuando minutos después se encontraron inmersos en el tráfico, Lilly se alegró de no ser ella quien conducía. Mientras que algunos coches los adelantaban a toda velocidad, otros se les cruzaban por delante ignorándolos. Por no hablar de los peatones, que, sin pensárselo dos veces, irrumpían en la calzada y caminaban tan tranquilos entre los coches. De pronto sonaba un bocinazo seguido de varios gritos y maldiciones, pero en cuanto el temerario terminaba de cruzar todo seguía su curso como si tal cosa.

Al final llegaron a las afueras de Padang, donde las casas eran mucho más humildes. Al contrario que en el centro, la mayoría de ellas estaban construidas sobre pilotes, al modo tradicional indonesio. También vieron un par de casas con tejados de medialuna, pero predominaba claramente el otro tipo de edificación.

Tras recorrer en dirección norte un trecho de una avenida con mucho tráfico, Verheugen dobló por un camino de tierra.

—¿Está seguro de que es por aquí? —preguntó Lilly a gritos para imponerse al ensordecedor ruido del motor.

—Sí, ayer por la noche estuve consultando un mapa. Quizá tengamos que atravesar algunos matorrales, pero el camino debería ser transitable. Fue utilizado al menos hasta los años cincuenta; luego la residencia del gobernador cayó en el olvido. Tras el fin del régimen colonial, nadie mostró mucho interés por investigar la historia de los antiguos gobernantes. Había demasiados puntos oscuros en ella y se consideró que era mejor intentar olvidar. Como por ejemplo la masacre de Rawagede, en Java.

—¿Qué sucedió?

—Los holandeses quisieron recuperar por la fuerza sus posesiones. Y de ahí la masacre. El ejército holandés mató a cuatrocientos treinta y un nativos. Desde luego no es algo que facilite que a uno lo quieran. Con el paso de los años, la época colonial ha vuelto a suscitar cierto interés, como prueba la parte del museo que visitamos. Pero aún queda mucho por hacer.

Durante el trayecto, Lilly se percató de que algunas sombras se movían de vez en cuando entre los árboles. En Sumatra hay numerosas especies de monos, pero los animales que ella creía divisar desaparecían tan rápido entre la maleza que no podía identificarlos como tales.

A la media hora asomó entre las palmeras un tejado rojo algo deslucido y, poco después, una pared blanca muy sucia.

Verheugen aparcó el todoterreno delante de la entrada. No daba la impresión de que el guarda empleara mucho tiempo en cuidar la finca, pero al menos no había dejado que la hierba cubriera el portón de entrada al jardín.

Cuando apagó el motor del coche y desapareció el ruido, un extraño silencio se hizo en el lugar, solo interrumpido por los esporádicos trinos de los pájaros.

Lilly observó fascinada el ornamentado portón de hierro forjado, con los goznes descolgados y cerrado por una cadena. Poco quedaba del lujo de épocas pasadas. Los altos postes de ladrillo estaban cubiertos de musgo, y como sin duda nadie se ocupaba del jardín, la maleza había crecido de tal modo que tapaba toda la verja. El camino que conducía a la residencia aún se distinguía, pero entre sus adoquines prosperaban todo tipo de hierbajos. Los bordes del camino ya no eran líneas rectas sino más bien oleajes verdes, y las largas ramas de los árboles colgaban hasta el suelo.

—Deprimente, ¿verdad? Usted ha visto la foto, antes esto parecía un jardín inglés. En cambio, ahora apenas se distingue de la jungla.

Como la cadena no estaba asegurada con candado, el dentista tiró de ella y abrió una hoja del portón. El estridente chirrido asustó a los pájaros, que salieron volando de entre la espesura. Algo crujió en el suelo, como si algún bicho reptara por la alta maleza.

No había ni rastro del guarda.

—¿Y si hoy libra?

—Tanto mejor, así no nos molestará —repuso el dentista mientras echaba un vistazo alrededor.

Dadas las pésimas medidas de seguridad, Lilly se sorprendió de que la casa no estuviera completamente esquilmada. Era obvio que dentro no había muebles utilizables, pero la piedra con que estaba construida tenía su valor, así que bien podría haber sido revendida.

De pronto, cuando se estaban acercando a la casa, el guarda apareció de entre la vegetación vociferando. Verheugen se apresuró a decirle algo en su lengua que suavizó de inmediato su cara de pocos amigos.

—¿Va a dejarnos echar un vistazo? —preguntó Lilly una vez la conversación se dio por terminada y el guarda empezó a subir por la escalinata que llevaba a la entrada de la casa.

—Quería saber qué demonios hacíamos aquí. Afortunadamente, en cuanto le he dado el nombre de nuestra amiga del museo se ha calmado un poco. Va a abrirnos la puerta, pero no espere una visita guiada.

—Tampoco lo necesitamos, ¿no?

—Lo único que vamos a necesitar ahí dentro es un poco de suerte para encontrar lo que buscamos y un par de buenos oídos.

—¿Los oídos para qué?

—Viendo cómo está todo, no me fío de los suelos... Podrían hundirse en cualquier momento.

—Techos que se derrumban y suelos que se hunden... La única manera segura de entrar aquí va a ser levitando.

—Dígame cómo e intentaré seguirla —bromeó entre risas Verheugen.

El guarda abrió la enorme puerta que en otra época habían cruzado los distinguidos invitados del gobernador. Un olor a humedad, tierra y hojas podridas les dio la bienvenida. Como las ventanas estaban tapiadas con unos tablones mal clavados, una luz difusa caía sobre el entarimado, apenas reconocible bajo una gruesa capa de mugre. Sin embargo, podía verse cuál era el recorrido que solía hacer el guarda: un camino trillado en el que el parqué incluso brillaba y que llevaba directamente a una puertecita, tras la que Lilly supuso que habría un baño.

Pero ellos tomaron otro camino. El guarda le había dicho a Verheugen que las cajas con los documentos estaban en la biblioteca, situada en la parte trasera del edificio.

Tras cruzar el recibidor, en el que la luz dejaba entrever una amplia escalinata, llegaron al salón de baile, cuyo antiguo esplendor se intuía solo vagamente. Lilly recordó las fotos del periódico e imaginó la engalanada audiencia para la que Rose había tocado. Todas esas damas con sus vestidos de seda, sus prendedores y sus plumas en el pelo. En 1902 aún no había nacido el charlestón, así que las señoras todavía llevarían corsé. Y los hombres, con su marquesota y su frac, charlarían animadamente o intentarían hacer negocios sin quitar el ojo de encima a la competencia.

Y en medio de todo aquel lujo estaría Rose. Lilly volvió a preguntarse si sería allí donde conoció a Paul Havenden... Lo más probable era que el gobernador lo hubiera invitado a la recepción y que él, al llegar la hora del concierto, la viera aparecer con sus rizos y su peculiar violín. ¿Se habrían enamorado allí mismo?

Intentó asomarse a la ventana en busca de la terraza, pero los tablones le impidieron ver el exterior.

—Creo que ya sé dónde está la biblioteca —dijo de pronto Verheugen. Al parecer, mientras ella había estado curioseando embebida en sus pensamientos, él había localizado el lugar donde se encontraban las cajas—. Acompáñeme.

Lilly apartó la mirada de los altos ventanales y de los artesonados del techo del salón de baile y lo siguió.

Como siempre que visitaba trasteros o casas antiguas, la anticuaria que llevaba dentro se activó. Pero allí no había nada que fisgar. En ese lugar nadie había dejado olvidado un valioso armario de marquetería ni había un secreter con los cajones repletos de viejas cartas de amor. Esa casa había dejado de acoger vida hacía mucho, y donde antes había muebles, cuadros y alfombras, ahora solo había manchas y sombras.

Y sin embargo..., esa casa tenía algo especial. Algunas casas antiguas, abandonadas a su suerte y al deterioro, rezuman tristeza, como si se mostraran frustradas por haber caído en el olvido. En cambio, esa casa parecía desprender calidez. Quizá solo fueran imaginaciones suyas, pero era como si se alegrara de recibir la visita de unos extraños y así volver a ser importante como antaño, cuando aún vivía su antiguo dueño.

—Eso de ahí tiene que ser la biblioteca. —Verheugen señaló una puerta de dos batientes que en tiempos debió de ser blanca. Detrás había una sala que, por su tamaño, bien podría haber albergado otro salón de baile.

Costaba mucho creer que esa estancia hubiera sido en el pasado un refugio de cultura, educación y entretenimiento. Ya no había estanterías, sino un montón de cajas esparcidas por el suelo. El aire era pegajoso y olía a húmedo, y no hubiera sido extraño que una enorme araña tropical les hubiera salido al paso.

—¡Madre mía! —exclamó Lilly al ver todo aquel desorden de libros y papeles. El cartón de las cajas había pagado su tributo a la humedad y había empezado a abrirse por los lados en forma de bocas desfiguradas. Solo era cuestión de tiempo que las cajas cedieran y su contenido se desparramara por el suelo.

—Es una pena que nadie se interese por esta casa —dijo Verheugen—. Cuando vuelva a mi país voy a intentar convencer a un par de amigos con dinero de que compren el edificio.

—¿Cree que el Gobierno lo permitiría sin más?

—Seguro que sí. Y si lo comprara una fundación sería aún mejor. Por otro lado, también podría montarse un hotel de lujo. ¡Resulta increíble que nadie vea las posibilidades que ofrece este lugar!

—La gente de aquí seguro que tiene otras cosas que hacer antes que cuidar de la residencia de fin de semana de su antiguo opresor. E incluso si no lo ven de esa manera, probablemente haya problemas más apremiantes.

—Tiene usted mucha razón. Veamos qué tesoros oculta este caos.

—De acuerdo. Le propongo que usted empiece por la derecha y yo por la izquierda. De ese modo acabaremos juntándonos.

El dentista asintió y se pusieron manos a la obra.

Lilly miró con escepticismo la primera caja.

Contenía facturas de los años cuarenta. Ahora ya no servían para nada; estaban pagadas u olvidadas, y las empresas que las emitieron ya no existían. El fondo de esa caja le reservaba una desagradable sorpresa: una formación de moho que le hizo sacar rápidamente la mano. La siguiente caja no tenía un aspecto mucho más halagüeño. En su interior encontró viejos cuadernos escolares con nombres en las tapas que resultaban ilegibles, albaranes y más facturas; en el fondo había un par de libros de texto en neerlandés, que seguramente le interesarían a alguien pero que carecían de valor.

—¿Ha encontrado algo? —dijo dirigiéndose a Verheugen.

—No, solo basura. Todo lo que he revisado podría echarse a la hoguera sin problemas. ¿Y usted?

—Lo mismo. ¿No sabrá de alguien a quien le interesen unos libros de texto antiguos en estado de putrefacción?

—No, y permítame sugerirle que los dejemos donde están.

—Buena idea. —Iba ya a ponerse con la tercera caja cuando, apartando un montón de facturas sueltas, se topó con un cuaderno de cuero marrón—. No puede ser... —musitó tan bajito que el dentista ni siquiera la oyó.

Con cuidado, sacó el álbum de fotos de la pila. Era de cuero repujado y pesaba un quintal, lo cual no era de extrañar, pues contenía un montón de fotografías impresas en cartón y finas placas de plomo. Lo abrió con actitud respetuosa... Ahí estaba el gobernador con su familia. Junto a su mujer y su hija había todo un séquito de sirvientes: doncellas con cofia y delantal almidonados, un mayordomo de mirada severa, una cocinera y, a juzgar por la indumentaria, dos lacayos y dos mozos de cuadra. Llamaba la atención que todo el servicio era nativo, y no parecían descontentos.

Las siguientes fotos eran de la casa y de las vistas que ofrecían los ventanales. Desde luego aparecían la terraza y el jardín, que presentaba una extraña mezcla de flora local y jardinería holandesa. Lilly sonrió al ver que incluso había un parterre con hermosos tulipanes.

Después venía una serie de fotos menos interesantes. Era evidente que no era un álbum familiar, sino más bien documentación fotográfica sobre la historia del edificio. Había instantáneas de la visita de un sultán y de otros mandatarios (con los que sin duda el gobernador habría compartido sus cigarros de canela), de distintos actos oficiales e incluso de un abeto descomunal, traído seguramente para celebrar unas Navidades.

Giró una página y se encontró con una fotografía que le produjo un cosquilleo en la boca del estómago. Sin lugar a ninguna duda, la mujer que había en el centro era Rose Gallway.

La imagen se parecía mucho a la que había visto en el periódico. Al parecer, el gobernador había querido quedarse con una copia.

Rose volvía a aparecer algunas páginas más allá, ahora entre dos personas, que seguramente se habían empeñado en posar junto a ella. El resto de las fotos correspondían a recepciones, menos una en la que aparecía la familia al completo, en esta ocasión con el marido de la hija del gobernador y su retoño.

Al pasar las hojas notó algo demasiado grueso como para ser una placa fotográfica. Con cuidado, levantó la fina hoja de papel de seda y descubrió un cuadernito negro. Resultaba evidente que no formaba parte del álbum, pero con el tiempo y el peso de los papeles apilados había quedado perfectamente integrado en él. Con suma cautela, lo despegó y lo abrió. Milagrosamente, había sobrevivido a la humedad protegido por dos placas fotográficas, así que el papel estaba en buen estado, y la tinta, salvo en algún lugar, apenas se había corrido, por lo que podía leerse sin problemas.

Estaba escrito en inglés, y Lilly casi se quedó sin aliento cuando descubrió quién era su autora.

Este es el diario de Rose Gallway.

Le ardieron las córneas al leer aquella frase en la primera página. ¡Rose Gallway tenía un diario! ¿Qué secretos escondería? ¿Y cómo había ido a parar ahí? ¿Qué hacía almacenado entre todos esos legajos de la época colonial?

Miró con el rabillo del ojo a Verheugen, que acababa de abrir otra caja. Iba a enseñarle el cuadernito, pero algo la detuvo. Quizá fuera un poco ingrato por su parte, pero antes de enseñarle su hallazgo quería leerlo en la intimidad. Tenía ganas de estar a solas con la mujer a quien había pertenecido su violín.

Además, no sabía cómo iba a reaccionar él cuando le dijera que pensaba llevárselo. Con independencia del estado en que se encontrara, ese cuaderno era un archivo documental y, por tanto, pertenecía al patrimonio nacional, por lo que aquello bien podría considerarse un robo. Sin embargo, ese diario era demasiado importante para ella como para dejarlo abandonado en aquella casa en ruinas. ¡Y además sería una auténtica sensación en la *Music School* de Gabriel!

Como el dentista estaba enfrascado en una caja, Lilly se decidió a guardarse el cuaderno bajo la camiseta. Ya veré lo que hago con él, se dijo. Primero voy a leerlo.

—¿Ha encontrado algo, Lilly? —oyó de pronto sobre su cabeza. Lilly casi se murió del susto. ¿La abría pillado guardándose el diario?

—Yo diría que sí —repuso vacilante echando mano del álbum. El cuaderno absorbió rápidamente la temperatura de su cuerpo, así que cuando se levantó y se dirigió al otro lado de la estancia ya apenas lo notaba.

—¿Le importará a alguien si me lo llevo? —preguntó mientras le daba el álbum a Verheugen, quien le respondió con un silbido de asombro.

—¡Si esto no es un hallazgo, que venga Dios y lo vea! Me sorprende que nadie hasta ahora haya reparado en él. Sin duda es un importante documento histórico.

Con eso, la pregunta de Lilly quedaba respondida.

—Entonces será mejor que lo deje donde estaba.

—Yo en su lugar es lo que haría. Aunque también podemos llevarlo al museo y pedir que nos hagan unas copias.

—Y usted, ¿ha encontrado algo?

—Sí, pero ignoro si tiene algún interés. Casi todo son facturas y libros de cuentas. Aunque también hay una buena colección de periódicos y revistas que el gobernador debió de dejarse aquí.

—Seguro que a la gente del museo le gustará saberlo.

—Desde luego. Pero deberíamos seguir buscando. Tal vez aún encontremos un registro parroquial o cualquier otra cosa. Puede que hasta se hayan dejado olvidadas unas cuantas cartas de amor de lo más tórrido —dijo Verheugen guiñándole un ojo—. Le agradezco mucho que me haya dejado formar parte de esta búsqueda. Es lo más emocionante que me ha pasado en años.

—¿En serio? —preguntó Lilly un poco extrañada—. Pero si usted ha viajado por todo el mundo...

—Así es, pero nunca me había visto involucrado en una investigación. Es una delicia poder descubrir parte de la historia de mi país. Ha de saber que Sumatra sigue suscitando mucho interés en Holanda, incluso hay varios museos dedicados al respecto. Una vez estuve en uno, pero no tiene nada que ver con esto. ¡Aquí estoy tocando con mis propias manos un pedazo de historia! —dijo señalando la caja—. Me lo estoy pasando bomba... No sabe lo que me alegro de haberla abordado en el aeropuerto.

¿Hablaba en serio? Era evidente que estaba disfrutando de lo lindo revolviendo entre esas cajas, pero su euforia era un poco exagerada.

Deja de imaginarte cosas, pensó Lilly. Él es así.

—Yo también me alegro de haberlo conocido —repuso brindándole una sonrisa—. Sin usted no creo que hubiera llegado tan lejos.

—¡Pues yo creo que sí! —aseveró Verheugen, visiblemente complacido de que Lilly supiera apreciar sus esfuerzos—. Pero sigamos buscando antes de que anochezca. No creo que aquí haya luz eléctrica, y el guarda querrá irse a casa.

Lilly asintió sonriente y volvió a la faena. Ahora la impaciencia se le había agarrado al estómago. Ya le daba un poco igual lo que pudiera encontrar... Esa misma noche podría leer qué pecados había querido expiar Rose en su diario.

26

Durante el mes que siguió al terremoto, la vida en Padang se fue normalizando poco a poco. El mar volvió a rugir y el viento a silbar, y a la ciudad llegaron de nuevo, desde las montañas, los gritos de los monos. Sus habitantes habían retirado los escombros y enterrado a sus muertos. A algunos no lograron identificarlos, así que los inhumaron bajo una cruz sin lápida con la esperanza de que algún ser querido, o al menos un conocido, los reclamara.

Helen practicaba con tenacidad y no le quitaba el ojo de encima al violín. Incluso a la hora de comer, estudiar o rezar lo llevaba consigo. En cuanto tenía un momento libre, echaba mano del instrumento y tocaba las canciones que *miss* Hadeland no le dejaba interpretar: melodías simples que a ella le parecían hermosas. A veces notaba que su madre la miraba con preocupación, pero nunca le decía nada al respecto.

Un día, Ivy Carter irrumpió en la sala de música. La acompañaba una señora que a Helen le pareció la persona más vieja que había visto jamás. Llevaba recogido el cabello, blanco como la nieve, en un moño, e iba enfundada en un vestido negro que la hacía parecer aún más delgada de lo que estaba. Su rostro era anguloso, como si la vida hubiera consumido las redondeces de su cara, y la nariz le sobresalía como el pico de un pájaro.

—Helen, te presento a la señora Faraday —dijo su madre—. Ha venido a Padang para oír tocar a las alumnas de *mejuffrouw* Dalebreek. Le han hablado tanto de ti que se ha acercado a conocerte.

La mujer taladró a Helen con la mirada. Ella no se atrevía a apartar la vista, pero tampoco era capaz de mantenerla, así que se concentró en la gema engastada en oro que la anciana lucía en el cuello de su vestido.

—Señora Faraday, para mí es todo un honor... —empezó a decir *miss* Hadeland, pero la vieja, que seguía sin quitar ojo de la niña, le mandó callar con un ademán.

La anciana se acercó a Helen, que seguía con la mirada fija en el broche.

—¿Qué edad tienes, niña? —preguntó con una voz cortante que recordaba a un violín desafinado. Su huesuda mano se aproximó a la barbilla de la niña y poco después los fríos dedos tocaron su piel.

—Ocho años, *madam* —respondió Helen lo más educadamente que sabía, pues no quería desairar a esa vieja con cara de pájaro. Aunque no coincidía con la imagen que tenía de una bruja, pues esa anciana era mucho más pulcra, prefirió ser precavida. Nunca se sabía...

—Ocho años. La edad idónea. Más tarde, los dedos ya están formados y resulta imposible domarlos. —Aunque hablada de los dedos, seguía mirándola fijamente a la cara, lo que resultaba de lo más intimidante. Tras una breve pausa dijo—: Tócanos algo. La pieza más difícil que conozcas.

Helen no necesitó pensárselo mucho. Sacó el violín de su soporte y se lo caló bajo la barbilla. Entonces reparó en que la mirada de la anciana se desplazaba hacia el instrumento. Los ojos le brillaban de una forma extraña, pero la pequeña prefirió concentrarse en su interpretación.

Al rato, la señora Faraday levantó la mano para ordenarle que parara.

—Tocas muy bien, niña. Y tu violín suena fantásticamente. ¿De dónde lo has sacado?

—Se lo regaló una amiga —se apresuró a contestar su madre por ella.

La anciana ni se inmutó.

—Me recuerdas mucho a una niña a la que di clases. Ella también tenía un gran talento, y tocaba muy parecido a ti. Resulta evidente que alguien ha intentado «corregir» tu estilo natural...

—dijo lanzándole una mirada asesina a *miss* Hadeland para luego fijar de nuevo la vista en Helen, esta vez sin reproches, aunque sin mostrar demasiada amabilidad–. Sí, esa niña fue una de mis mejores alumnas. No era demasiado obediente, pero lo tenía todo para llegar a ser una de las más grandes. Por desgracia, su carrera se truncó en cuanto olvidó todo lo que yo le había enseñado. Pero ahora no voy a permitir que un talento así se eche a perder...

Sin saber muy bien por qué, a Helen se le aceleró el corazón al oír sus palabras. ¿Qué habría querido decir con ellas?

—¿Qué te parecería ir a Inglaterra a aprender a tocar el violín como Dios manda? Dirijo una escuela de música en Londres y estaría dispuesta a admitirte en ella. Tocas muy bien, pero estoy segura de que aún tienes mucho en tu interior que ofrecer. No sé cuánto tiempo me queda en este mundo, tal vez este sea mi último viaje. No puedo decirte qué pasará más adelante, pero te aseguro que una oportunidad así no se te volverá a presentar. ¿Qué me dices?

La niña no sabía qué responder. Al ver que se frotaba las manos indecisa, su madre tomó la iniciativa:

—Me temo que Helen no es consciente del inmenso honor que...

—Hable con su hija —le espetó la señora Faraday–. Y si no logra decidirse, hágalo usted por ella. Tenga presente que la niña podría llegar a ser una de las mejores violinistas del mundo... Con la debida instrucción, claro está.

—Hablaré con ella —repuso Ivy Carter mientras su hija miraba a *miss* Hadeland, que había estado todo el tiempo como abstraída, con la mirada fija en el violín. Solo cuando la señora Faraday se despidió pareció volver a la vida para acompañarla a la puerta junto con Ivy.

Helen prefirió quedarse en la sala de música. Mientras le pasaba un paño al violín y lo guardaba en su estuche se preguntó qué habría querido decir la anciana. ¿Tenía que irse a Inglaterra para aprender a tocar el violín? ¿Acaso allí se tocaba de una manera diferente?

El resto del día fue incapaz de pensar con claridad. Se había quedado subyugada por esa anciana. A falta de algo mejor que hacer, salió a pasear al jardín. Sus pasos la acercaron a la verja, donde deseó con todas sus fuerzas encontrarse con la desconocida. ¡Seguro que ella sabría explicarle el significado de las palabras de la señora Faraday! Estuvo un buen rato apostada allí, y vio pasar a varias mujeres, pero ninguna de ellas era la que esperaba encontrar. Al final, decepcionada y entre suspiros, decidió sentarse a la sombra de un árbol. ¿Qué debía hacer?

Miró hacia la casa, donde su madre seguía hablando con *miss* Hadeland. ¿Se estaría oponiendo su profesora a que fuera a Inglaterra? Inglaterra... Sonaba tan lejana como fría. Desde luego, Londres no sería tan cálido y soleado como su amada Padang, pero lo cierto era que viajar allí podría ser toda una aventura.

Por la noche, Helen ya casi no podía soportar la incertidumbre. El miedo a que su madre pudiera tomar una decisión por ella no le dejó probar bocado en la cena. Inquieta, se removía en la silla mientras su madre hablaba con su padre como si ella no estuviera allí. Obviamente salió a colación la visita de la señora Faraday, pero Ivy se limitó a decirle a su marido que Helen había tocado muy bien y que quería hablar con él más tarde. Al final la mandaron a su cuarto, lo que para ella fue un alivio. Así podría hablar con su violín, como todas las noches. Tenía que contarle lo del viaje a Londres...

Puso el estuche sobre la cama y abrió la tapa. Un instante después retrocedió espantada.

¡El violín había desaparecido!

Helen lloró durante horas sin que su madre pudiera hacer nada para consolarla. Ajena a todo lo que sucedía a su alrededor, la niña se condolía por su violín como si fuera un ser humano. Ivy Carter, que no soportaba verla sufrir de aquella manera, solo deseaba que James regresara con alguna noticia del instrumento, aunque fuera una simple pista sobre su paradero. Y es que, en cuanto se había enterado de su desaparición, le había pedido a su marido que fuera a la casa de *miss* Hadeland para ver si ella sabía algo.

En el fondo, Ivy se negaba a creer que la profesora de música hubiera robado el violín. Pero ¿quién, si no, iba a haberlo hecho?, ¿la vieja señora Faraday? No, eso era imposible, apenas había estado un momento en casa.

Las lágrimas de Helen cesaron, pero no porque estuviera menos triste, sino porque sus ojos se habían quedado secos. Al llanto le siguió una extraña rigidez que su madre no pudo mitigar ni siquiera con *scones* y leche con azúcar. Con los labios azulados y los ojos hinchados, la niña se quedó mirando inexpresivamente al techo de su cuarto hasta que los párpados se le cerraron y se quedó dormida. Pero ni siquiera entonces encontró la tranquilidad, pues empezaron a acecharle terribles sueños. La desconocida se le aparecía con el rostro lívido y negras ojeras para echarle en cara que no hubiera sabido cuidar del violín. Una y otra vez le lanzaba el mismo reproche, mientras su rostro se iba volviendo más y más aterrador.

Al cabo de un rato, se despertó chillando y, tras unos instantes de terror, comprobó aliviada que no había nadie más en su cuarto. La puerta estaba solo entornada y un tenue rayo de luz entraba por la ranura. Abajo se oían voces. Una de ellas era la de su padre, que había vuelto de su infructuosa búsqueda.

—He buscado a la tal Hadeland por toda la ciudad —le dijo a Ivy—. Ha dejado su habitación esta misma tarde y ha desaparecido. He estado hablando con su casera y la mujer no daba crédito.

—¿Le has dicho que ha robado el violín de nuestra hija?

—Le he dicho que al menos todo indica que ha sido ella. Ha quedado en avisarme si la vuelve a ver.

¿Le habría robado el violín la profesora de música? Recordó sus miradas de codicia y Helen sintió una opresión en el pecho. *Miss* Hadeland se había mostrado muy severa con ella, pero le costaba creer que hubiera sido capaz de arrebatarle lo que más quería en este mundo.

Abatida, volvió a la cama arrastrando los pies. Ahora no solo le ardían los ojos sino todo el cuerpo. ¿Qué pasaría si no recuperaba el violín? ¿Podría volver a tocar? ¿Y quién iba a enseñarle?, ¿la anciana de la mirada gélida? Se deslizó tiritando entre las sábanas e intentó recapacitar sobre lo que había pasado. Yo no tengo la culpa, se dijo. No la vi acercarse al estuche...

Cuando a la mañana siguiente Ivy Carter entró en el cuarto de su hija, la encontró ardiendo de fiebre y casi inconsciente. Asustada por su estado, llamó a su marido.

–Debe de haber sido de tanto llorar. Ha sufrido una crisis nerviosa –dijo antes de salir corriendo en busca del médico.

A este no le contaron la historia completa, se limitaron a decirle que había llorado mucho por haber perdido algo muy personal.

–Puede que sean fiebres nerviosas –constató el médico mientras le tomaba el pulso a Helen–. El corazón le late con fuerza, y no encuentro otro motivo para su enfermedad. Voy a darle unos polvos para la fiebre, y también le recomiendo que le ponga compresas de agua fría. Y si es posible, reemplacen lo que la pequeña ha perdido, pues parece ser muy importante para ella.

Una vez se hubo ido el doctor, James Carter empezó a dar vueltas por el comedor como un león enjaulado. Al fin bajó su esposa.

–¿Cómo está? –preguntó a la abatida madre.

–No mejora. No soy capaz de despertarla para que se tome los polvos. Ni siquiera las compresas de agua fría le hacen abrir los ojos. Luego volveré a intentarlo.

–Maldita mujer –masculló Carter, rojo de ira–. ¡Pero cómo se le ocurre!

–Estoy segura de que la Policía encontrará a *miss* Hadeland.

—¡No me refiero a ella! —le espetó su marido—. ¡Sabes muy bien de quién hablo! No tenía ningún derecho a ver a la niña. No después de todo lo que pasó. ¡Y luego el violín! ¿Por qué se pondría a buscar a Helen? ¿Y cómo demonios la encontró? ¿Planearía arrebatárnosla, después de todo lo que hemos hecho por ella?

—No creo que pretendiera eso. De ser así habría dado otros pasos. Solo Dios sabe por qué le hizo ese regalo.

—Obligó a Helen a prometer que no diría nada. ¡A saber lo que le habrá contado!

—Dudo mucho que le dijera algo que pudiera cuestionar nuestra autoridad. Tarde o temprano, Helen se habría acabado rebelando.

—¿Y qué me dices de esa fiebre?

—Me cuesta creer que se deba a que la haya visto. Lo que ocurre es que la niña idolatraba a ese violín, lo quería como a una persona.

—¡Eso es una locura! —gruñó Carter rabioso, aunque las lágrimas que hacían brillar sus ojos eran más bien de dolor—. ¡No se debe amar así a un objeto!

—¿Sabes lo que dijo la señora Faraday? —preguntó Ivy sin esperar respuesta alguna—. Que era igual que ella. Que tenía el mismo talento. ¿No crees que sería una lástima que ese talento se echara a perder?

—No estoy seguro, Ivy —dijo James un poco más tranquilo—. Si la apartamos de todo ese circo, si impedimos que su fama crezca, quizá a la larga le ahorremos muchos pesares.

—Pero estaremos privando al mundo de algo grande. Puede que la señora Faraday tenga el corazón de piedra, pero me da la impresión de que sabe lo que se hace.

—Entonces piensas que debemos mandarla a Inglaterra.

A esas alturas, a ninguno de los dos se le escapaba que esa opción llevaba aparejada una consecuencia oculta: mandándola a Inglaterra impedirían que esa mujer volviera a verla.

—En un primer momento podría ir yo con ella —propuso—. Así me aseguraría de que se adapta bien a su nueva vida.

–¿Y cuánto tiempo crees que tardaría en descubrir la verdad? Por lo que dices, la señora Faraday ya estuvo a punto de hacerlo, y no quiero ni pensar lo que pasaría si se lo cuenta todo... La pobre criatura no sabría a qué atenerse.

–No son más que suposiciones –lo tranquilizó Ivy–. Nunca obtendrá pruebas que lo demuestren. *Mijnheer* Van Swieten nos dio su palabra de honor, y él es todo un caballero.

–Ivy, no quiero perder a mi pequeña –dijo James estrechando en sus brazos a su mujer.

–Eso no va a pasar. Un día nuestra hija será una mujer muy famosa; el mundo entero pondrá sus ojos en ella. No podemos dejar escapar esta oportunidad, con independencia de lo que haya sucedido en el pasado. Además, mandando a Helen a Inglaterra evitaremos que intente volver a verla.

James sopesó todos esos argumentos y acabó asintiendo.

–De acuerdo. Quizá sea lo mejor. Pero antes debería comprarle otro violín. Me temo que a estas alturas la dichosa *miss* Hadeland ya habrá sacado un buen dinero por el instrumento.

Ivy lo besó en los labios con ternura.

–Estoy segura de que conseguirás un violín fantástico. Puede que así logremos animar un poco a Helen.

Mientras tanto, su hija siguió soñando, y no precisamente con venganzas y acusaciones. Soñó con un jardín cubierto por la niebla. Aquí y allá, el blanco velo se veía manchado por intensas salpicaduras de color procedentes de las flores de los rododendros, los magnolios y los franchipanes, así como de alguna exuberante orquídea.

Por más que miraba a su alrededor, no alcanzaba a ver el principio ni el final del jardín. Era como si la hubieran metido ahí dentro sin darle ninguna indicación de hacia dónde ir. Tímida, dio un paso adelante y, entonces, cayó en la cuenta de que llevaba puesto su vestido blanco de los domingos.

¿Estaría muerta? Nunca había visto a un muerto, pero sabía por sus amigas que cuando alguien fallecía lo vestían con sus mejores galas antes de enterrarlo. Seguramente a los ángeles no les gustaba dejar entrar en el cielo a la gente con mal aspecto. Pero si realmente estaba muerta, ¿por qué no había venido ningún ángel a recibirla?

—Ah, estás aquí —dijo de pronto una suave voz.

Al darse la vuelta, Helen vio a la desconocida. Llevaba el mismo vestido que la primera vez que se encontró con ella. Seguía estando muy guapa, pero ahora se veía mucho más pálida que entonces. La desconocida le tendió la mano y dijo:

—¿Me acompañas?

En un primer momento, Helen se asustó un poco y no supo si echar a correr. Pero ¿hacia dónde? Todo era jardín. Así que agarró la mano de la desconocida y se adentró con ella en la niebla. Enseguida llegaron a un banco de piedra blanca.

—Lo siento mucho —dijo Helen antes de que se sentaran. Aunque la desconocida no parecía enfada, no quería volver a vivir lo que en los anteriores sueños—. No sé quién se llevó el violín. Cuando por la noche fui a abrir el estuche ya no estaba.

—No es culpa tuya —repuso la desconocida a media voz—. La persona que te robó no tardará en ser descubierta y seguro que recibirá su merecido.

—¿Y tú cómo lo sabes?

—Porque siempre sucede así. Si haces algo malo, has de saber que tarde o temprano saldrá a la luz. Procura no hacer nada malo, Helen.

La niña asintió con vehemencia, sin poder ocultar el gran alivio que sentía al ver que su amiga no le guardaba ningún rencor.

—¿Qué hacemos aquí? —preguntó sin dejar de mirar alrededor. La niebla aún no se había retirado, seguía instalada entre los arbustos como una barrera de algodón.

—Me gustaría que me prometieras algo —dijo la desconocida.

—¿De qué se trata?

—Recuperarás tu violín, pero has de prometerme que harás todo lo que esté en tu mano para llegar a ser una famosa violinista. ¿Me lo prometes?

—¡Claro que sí! —exclamó Helen, presa del júbilo.

—Lo recuperarás, dalo por hecho. Ahora he de irme.

—¿Volveremos a vernos? Mamá está pensando en mandarme a Inglaterra con la señora Faraday...

—No sé si volveremos a vernos. Pero no olvides tu promesa: toca lo mejor que puedas.

—¡Eso haré! —repuso la pequeña antes de que la mujer se levantara y desapareciera lentamente entre la niebla.

—¡Adiós, Helen! —dijo antes de esfumarse del todo.

La niña permaneció un rato más sentada en el banco con la mirada clavada en el lugar donde la mujer había desaparecido. Aún no podía creerse la paz que había reinado entre ellas. ¿De verdad iba a recuperar su violín? Antes de que pudiera levantarse para intentar salir del jardín, la oscuridad la envolvió y siguió durmiendo sin soñar.

Tres días después, unos leñadores encontraron a Imela Hadeland en un terraplén, medio sepultada bajo un caballo. Ni el animal ni ella habían sobrevivido a la caída.

Movida por el deseo de abandonar la ciudad cuanto antes, se había adentrado en la jungla por un camino que ni siquiera los nativos osaban transitar. Que hubiera optado por un caballo ya resultaba bastante chocante, pues nunca había destacado por ser una buena amazona. Podría haber intentado huir en barco o en diligencia, quizá así lo hubiera logrado. Pero el miedo a que dieran con ella y la detuvieran por ladrona pudo más que el sentido común.

El motivo del robo había sido la codicia, de eso estaban seguros los padres de Helen. Al parecer, Imela Hadeland pasaba por graves dificultades económicas, que pretendía aliviar con la venta del violín. Y sin duda había planeado la fechoría: decidió dejar el estuche en su sitio para ganar algo de tiempo, pues sabía que, hasta que la niña no lo abriera no echarían a faltar el instrumento.

Que encontraran a su profesora de música con el cuello roto conmocionó a Helen. Obviamente no se lo dijeron así, sino que

se limitaron a contarle que *miss* Hadeland había tenido un accidente en el que había perdido la vida. Sin embargo, más tarde,
cuando sus padres empezaron a hablar del asunto en el salón
creyendo que la niña ya dormía, ella pudo escuchar los detalles
de la muerte.

El robo del violín ni siquiera llegó a hacerse público, pues
volvió a manos de Helen antes de que sus padres tuvieran
tiempo de tramitar la denuncia. Lo habían encontrado intacto,
cerca del cadáver. Cuando la pequeña se despertó a la mañana
siguiente, lo vio apoyado en una silla junto a su cama, como si
se tratara de una aparición. Y a partir de ese momento la enfermedad de la niña desapareció. La fiebre bajó de golpe y, en
apenas unas horas, Helen ya estaba correteando como siempre.
Y, sobre todo, tocando su violín. Se puso a ello de forma obse-
siva, como si quisiera recuperar todas las horas perdidas en un
solo día. Le había hecho una promesa a la desconocida y por
nada del mundo la incumpliría.

Pasados unos días, sus padres la llamaron al salón y le pre-
guntaron si quería ir a Inglaterra a estudiar en la escuela de música de la señora Faraday. Ella se mostró entusiasmada. Desde
que se había planteado esa posibilidad había estado leyendo historias sobre Londres, la ciudad de sus abuelos, y ahora se moría
de ganas por verla con sus propios ojos. Que su madre quisiera
ir con ella facilitó aún más su decisión. A su padre, en cambio,
no podría verlo en una larga temporada, lo cual la entristecía
profundamente, pero enseguida se consoló recordando lo que
le había dicho la desconocida: mientras se mantuviera fiel a su
promesa, todo iría bien y no tendría de qué preocuparse.

27

Ya entrada la tarde, en la habitación del hotel, con las emociones vividas durante el día todavía a flor de piel, Lilly sacó el diario de Rose del bolso. Lo había guardado ahí mientras salían de casa del gobernador, aprovechando un momento en que Verheugen se había ausentado de su lado para ir a decirle al guarda que ya se marchaban.

Finalmente había convencido al dentista de que también condujera él en el viaje de vuelta a Padang, y se pasó todo el trayecto inmersa en sus pensamientos. ¿Debía escribir ese mismo día a Ellen y a Gabriel o era mejor comunicarles las novedades a su regreso? Tras un tira y afloja consigo misma decidió guardarse aquel bombazo para Londres; de ese modo tendría tiempo para examinar en primicia su hallazgo.

Al llegar a Padang, Verheugen se había ofrecido a llevarla al hotel y después pasar por el museo para entregarles el álbum y pedir que le hicieran copias de las fotos. Lilly no había podido negarse, pues tenía demasiadas ganas de llegar a su habitación. Cuando se separaron, el dentista le informó de que aquella noche tenía que ir al aeropuerto a recoger a alguien.

Ahora, después de darse una ducha reparadora y de comer un poco de fruta que una camarera del hotel le había traído a la habitación, Lilly se moría de ganas de echarle un vistazo al cuaderno. Al otro lado de su ventana se extendía una grandiosa puesta de sol sobre Padang. El naranja, el rojo y el violeta se mezclaban en el cielo formando un impresionante fresco, mientras que abajo, en la ciudad, los edificios brillaban bajo su luz y los ruidos de la calle se iban transformando lentamente. Aunque el tráfico persistía, con esos pitidos ensordecedores a los que

349

Lilly ya casi se había acostumbrado, empezó a oír también retazos de una música lejana. ¿Habría esa noche en la ciudad un teatro de sombras o un concierto?

Ellen la habría animado a salir a verlo con sus propios ojos, pero esa velada la tenía reservada para Rose Gallway.

Emocionada, pasó el dedo por la tapa del cuaderno. Luego se lo llevó a la cama, desde donde podía ver, de fondo, el hermoso ocaso.

—Está bien, Rose, cuéntame...

Diario de Rose Gallway

Tal vez sea un poco tarde para empezar un diario, pero necesito poner en orden mis pensamientos.

Aunque me cuesta trabajo escribir, quiero que quede algo de mí. Algo que perdure en el tiempo y permita entender a mis descendientes por qué hice lo que hice.

Desde que el doctor me comunicó su diagnóstico y soy consciente del poco tiempo que me queda solo un pensamiento ocupa mi mente: reparar los errores que cometí en su día.

Me lo he estado reprochando todos estos años. Puede que fuera un gesto noble evitar el escándalo. De hecho, seguro que mijnheer Van Swieten, allá donde se encuentre, aún me está agradecido. Pero el precio que he pagado por ello ha sido el vacío. Sí, el vacío... Y la soledad. Y la pérdida de mi don. Y la decadencia. Y la poca confianza que me quedaba en el ser humano... Y la indiferencia total hacia los hombres.

Sin embargo, ha aparecido un hombre en mi vida que me ha dado nuevas esperanzas. Él es todo lo contrario a aquellos que solo ven en mí a una mujer hermosa cuya imagen despierta sus más bajos instintos.

Cooper Swanson es el hombre menos atractivo que conozco. Y precisamente por eso es digno de mi confianza. No habla más de lo necesario, pero escucha tanto y tan bien que me da la impresión de que su mente absorbe cada detalle como una esponja.

Está dispuesto a hacer que se cumpla mi deseo, por más que sea harto difícil. Van Swieten lleva tres años muerto. ¿Habrá dejado documentos de los trámites realizados en su momento? Lo dudo, pues se hizo todo lo posible por no dejar rastro.

Pero será mejor que empiece por el principio. Por esa encrucijada que apareció de pronto en mi vida y ante la que yo, sin saberlo, tomé el sendero equivocado.

Después de que mi padre muriera en el accidente del puerto, mi vida y la de mi madre cambiaron por completo. Yo me preparé para retomar mi gira sin saber si realmente sería capaz de volver a tocar, y mi madre, por su parte, inició los preparativos para marcharse a Magek, su aldea natal. Como solo disponía de la casa por un par de meses más, pues un nuevo capitán del puerto aguardaba para sustituir a mi padre, mandó un mensajero a su pueblo para comunicarle a la anciana que vino a visitarla que había decidido volver al hogar y ocupar su lugar en el clan.

Cuando nos despedimos lloré con amargura. Durante mis viajes siempre me había reconfortado saber que ella estaba allí, en la casita del puerto. Ahora, si quería ir a verla, tendría que viajar hasta el corazón de la jungla, algo del todo imposible con la apretada agenda que Carmichael me había confeccionado.

Nos despedimos un día antes de que mi barco zarpara, pues de la aldea mandaron un carro de bueyes para recogerla.

En ese último momento me instó de nuevo a que escuchara siempre al corazón cuando tuviera que tomar una decisión; al mío y no al de otros. Y yo, sin saber aún el estado en que ya me encontraba, le prometí que así lo haría. Luego, entre lágrimas, la vi adentrarse en la jungla montada en aquel carro.

Al día siguiente, llena de dolor y de nostalgia, de desgana e inconsciencia, subía al MS Flora, el barco que nos llevaría a la India.

Ya durante el viaje empecé a sentirme rara. Mi estado de ánimo oscilaba como el barco entre las olas. A veces arriba, a veces abajo. Tan pronto me parecía que mi doncella Mai era la mejor persona del mundo como al rato abominaba de ella y salía corriendo cuando venía a peinarme. Imagino lo que le diría de mí a Carmichael. Para ella no era más que una loca furiosa. ¿Y Carmichael? No, seguro que él no estaba de acuerdo. Él ya había trabajado con otros artistas y sabía lo extravagantes que podemos llegar a ser. En mi caso, atribuía mi estado a los acontecimientos. Así que cuando me ponía a dar gritos como una posesa, él callaba, y cuando me liaba a tortas con Mai, se quitaba de en medio.

Yo misma era consciente de que algo estaba sucediendo en mi interior, algo que me dominaba como si fuera una marioneta y que hacía de mí un ser intratable. De lo contrario, jamás me habría comportado de aquella manera tan despreciable.

A nuestra llegada a Delhi, tras un viaje de muchas millas por tierra, me encontraba fatal. Se me hincharon las piernas como si tuviera hidropesía y el menor esfuerzo me hacía sudar a chorros. A eso se añadieron las náuseas.

Al principio traté de ocultarlo. Me dije a mí misma que la culpa la tenían la mala comida del barco y el viaje posterior. En cualquier caso, no quería que Carmichael se enterarse de lo que me pasaba, ya que entonces empezaría con sus reproches. De todas formas no me permitiría dejar así como así la gira: con tal de no suspender un concierto era capaz de apuntalarme para que no me desmayara y meterme el violín bajo el brazo.

De modo que en Delhi fui en secreto a ver a un médico inglés. La noticia que me dio aquel doctor me impactó tan profundamente que, de un día para otro, me privó de la facultad de tocar como antes. Fue como si de pronto algo en mí rechazara la música, esa que tantas satisfacciones me había dado hasta entonces.

Ya en los ensayos previos al concierto noté que me habían abandonado las imágenes. Hasta donde yo recordaba, mi música siempre había estado estrechamente ligada a ellas: cada melodía suscitaba en mí una imagen diferente, que se iba transformando al mismo ritmo que la música. También me di cuenta de que sentía sobre mí un peso nuevo. Hasta entonces, al tocar, era como si me liberara de la gravedad del mundo; ni siquiera era consciente de estar subida en un escenario. Ahora, en cambio, no podía evitar que una fuerza invencible me empujara hacia abajo, hacia la tierra. Ni siquiera cuando había tocado delante de la tumba de mi padre me había sentido tan pesada.

La ausencia de las imágenes y la pérdida de la sensación de ingravidez hacían que mi mano se sintiera insegura. De repente temía no estar a *la altura de la música. Y sentía miedo, mucho miedo. Miedo, sobre todo, a no poder seguir ocultando por más tiempo lo que me estaba pasando. Y aquello era un círculo vicioso, pues el miedo me volvía aún más insegura. Y no encontraba entonces otra forma de protegerme que a través de la crueldad, que utilizaba constantemente como un escudo y un arma con los que mantener a la gente alejada de mí.*

Todavía recuerdo bien el momento en que ya no pude seguir ocultando mi secreto. Fue el día en que tomé conciencia de que mi pasión por la música se había extinguido.

—¡El concierto ha sido un desastre! —me increpó Carmichael, dando vueltas a mi alrededor en la habitación del hotel—. ¿Se puede saber qué te ha pasado? ¡Has tocado como si tuvieras la cabeza en otra parte! ¡Ándate con cuidado! ¡Un descuido más y tu carrera se irá al traste!

Preferí no decir nada. Me quedé mirando al vacío con el atril delante. El recuerdo del infausto concierto resonaba en mis oídos como el espantoso sonido que hace una cuerda al romperse. Una y otra vez escuchaba en mi cabeza los pasajes en los que los dedos me habían fallado, en los que la mano me había temblado sobre el arco.

¡Me había perdido en mitad del concierto! Y la confusión había sido tal que incluso el público lo había percibido. ¡Nunca antes me había pasado algo así!

Y nunca antes me había sentido tan insignificante como en ese momento. De pronto me asaltaron todos los sentimientos que había escondido bajo el disfraz de mi intempestivo temperamento: la tristeza por mi padre, la nostalgia de mi madre y la lacerante necesidad de estar con Paul. Paul... Desde nuestra pecaminosa noche en la plantación cada día esperaba noticias suyas. Noticias que, en el fondo, sabía bien que era imposible que recibiera, pues ¿cómo iba a saber él que ahora estaba en Delhi? Aun así, yo me aferraba a esa ilusión. Incluso había dejado recado en el hotel donde me hospedaba de que me avisaran si se presentaba en la recepción preguntando por mí, a pesar de que seguramente él estaría todavía camino de Inglaterra.

Pero había algo más que agravaba mi penoso estado de permanente incertidumbre. Unas odiosas voces surgieron en mi mente, voces que me susurraban que él me había utilizado, que solo había querido satisfacer sus más bajos instintos y que ahora yo era un trofeo más en su galería de conquistas.

A pesar de su insistencia, me negué a creerlas.

¡Cómo iba a haberme engañado el hombre que con tanta dulzura me había acariciado la espalda, que con tanta pasión había besado mi piel y mis labios!

No, era imposible. Tal vez Paul estaba sometido a estrictas obligaciones sociales y en el último momento le habían fallado las fuerzas para romper su compromiso... Pero no era un mentiroso.

Carmichael, ajeno a la tormenta de sentimientos que estaba experimentando en mi interior, seguía con su letanía de reproches, insistiendo en que iba a echarlo todo a perder si no volvía en mí. Y entonces, de pronto, reaccioné de forma terca e inesperada, respiré profundamente y dije:

—Estoy embarazada.

De la impresión, Carmichael tuvo que apoyarse en el marco de la puerta. Nunca olvidaré su cara; ni un puñetazo en el vientre habría sido tan efectivo para hacerlo callar.

—¿Qué has dicho? —preguntó incrédulo.

—Que estoy embarazada —repuse con firmeza.

Soltó un bufido similar al sonido que hace un globo cuando se desinfla de golpe.

—¡Alabado sea Dios! Ha sido ese inglés, ¿verdad? ¡Como vuelva a verlo le parto el cuello! ¿Cuándo sucedió?, ¿la noche en que te estuve esperando y no venías?

—¡Eso no es asunto tuyo! —le espeté.

Carmichael resoplaba como un toro en el ruedo.

—¿Sabes lo que eso significa?

—Que voy a tener un niño.

—¡Que has tirado por la borda toda tu carrera, maldita sea! —Y dio tal golpe con la palma de la mano en la cómoda que había junto a la puerta que me hizo estremecer—. ¿Qué crees que dirán los promotores cuando vean subirse al escenario a una embarazada? ¿Y el público? Si estuvieras casada sería otra cosa, pero así...

Lo miré desafiante. Lo que decía era cierto, pero en esos momentos me sentía superior a él, y además experimentaba una malévola satisfacción viendo cómo perdía los papeles.

Por supuesto que era malo para mi carrera, pues un ángel solo puede interpretar su papel permaneciendo puro y dando la impresión de vivir solo del sol y del agua, como las flores; las pasiones y los placeres de la carne no van con él.

—Tendrás que abortar. Hay mujeres que se dedican a hacer esas cosas con discreción...

Sus palabras me azotaron como un látigo. ¡Tendría que haber previsto que un hombre como él respondería a mi ataque!

—¿Te has vuelto loco? —dije aturdida.

El diagnóstico del médico me había dejado anonadada, pero lo último en lo que pensé fue en deshacerme del bebé. Era el hijo de Paul, la pequeña lady o el pequeño lord Havenden. Y también era la garantía de que iba a recuperarlo.

—No aquí, eso está claro —prosiguió Carmichael ignorando mi respuesta—. Viajaremos a Inglaterra. Y allí nos desharemos del niño.

—No —repuse con frialdad—. Podría costarme la vida. Y además sería un asesinato.

La tercera razón para no hacerlo, que esperaba convertirme en lady Havenden gracias a él, preferí guardármela, pues sin duda Carmichael se habría burlado de mí, y ya tenía bastante con soportar las maldicientes voces de mi cabeza.

Me miró preocupado.

—¿Es que no lo entiendes, Rose? ¡Esto puede convertirse en un escándalo descomunal! ¡Un hijo ilegítimo! ¡Nadie te dejará tocar sin estar casada!

—Lo mantendremos en secreto —propuse—. Tendré que dejar los escenarios durante unos meses, pero...

—¿Y cómo le explicamos al público lo de tu hijo?

—¿Quién es el público para que tenga que rendirle cuentas? —gruñí. Solo con recordar los rostros de la gente que había asistido a mi fallida actuación, mirándome como si hubiera invocado al mismo diablo, se me revolvía el estómago.

—¡Eres una figura pública, el blanco de todas las miradas! No puedes desaparecer durante meses hasta dar a luz. ¡Tenemos compromisos firmados!

–No veo qué hay de malo en un semestre sabático. Llevamos dos años de gira. Mi público sabrá entenderlo.

Carmichael volvió a resoplar.

–Y mientras, una nueva estrella ocupará tu lugar en los afectos del público… No, no voy a permitir que eso suceda.

–¡He dicho que no voy a abortar! –se alzó estridente mi voz–. Si muero, aún sacarás menos de mí… ¡Entonces sí que no volveré a tocar! Tendré el niño y mi madre se encargará de él durante las giras. Es mi última palabra.

Carmichael apretó los dientes. Estaba furioso. ¡Tanto mejor, así se largaría! Conocía sus reacciones cuando se enfadaba. Solía girar sobre sus talones y salir por la puerta. Y eso fue lo que hizo. Dio tal portazo que se me encogió el alma.

Esa misma noche me senté en el escritorio y le escribí una carta a Paul. Le conté lo que pasaba con la esperanza de que, al saberlo, volvería conmigo.

En el siguiente concierto no cometí errores. Cada nota entró en su momento y nadie pudo objetar nada. Pero seguía sin ver la música, y sentía que el sonido de mi violín carecía de alma.

Esta vez Carmichael no vino a espetarme sus reproches. Llevábamos una semana entera comunicándonos por medio de Mai, quien, por cierto, cada vez me tenía menos simpatía y me respetaba menos, probablemente porque Carmichael le había contado lo mío.

Seguí tocando, concierto tras concierto, pero en cada uno de ellos mi interpretación perdía un trocito de alma. En mi fuero interno algo me decía que todo volvería a ir bien cuando Paul estuviera al fin a mi lado. Un par de veces creí divisarlo entre el público; entonces mi música mejoraba, y aunque seguía sin poder ver imágenes en mi mente la melodía parecía recuperar el aliento.

Pero luego, al comprobar que me había equivocado y que no era él, me sumía en la desesperación y tenía la sensación de que había malgastado mi preciosa energía. Cuando los conciertos finalizaban, huía de mis admiradores, y si aun así me encontraba de pronto rodeada por ellos mantenía una brevísima conversación de compromiso y aprovechaba la primera oportunidad para desaparecer.

«Parece que la cosa funciona», se vio obligado a admitir Carmichael al entrar en mi camerino tras dos semanas de mutismo. Y lo cierto era que seguía sin cometer errores, pero mi interpretación se había vuelto tan plana y fría como una losa de mármol. Semana tras semana, lugar tras lugar, esperé alguna señal de Paul. Me decía a mí misma que, si me quería, vendría a mi lado, que si de verdad me amaba cruzaría el océano a toda prisa para verme. Y cuando al fin apareció, obviamente en un sueño, se esfumó tan pronto como vino y me dejó llorando desconsoladamente durante horas.

Llegó el día en que mi estado ya no se pudo ocultar. Mi abultado vientre se marcaba en el vestido, por más que ya solo usaba los más holgados que tenía. Era ridículo pensar que podría engañar a alguien. La desesperación se adueñaba de mí al mirarme en el espejo. Lo que en otras mujeres era motivo de una inmensa alegría, yo lo vivía con un horrible miedo, que aumentaba día a día. Me consolaba repitiéndome que todo se arreglaría en cuanto viniera Paul y, como había prometido, me hiciera su esposa.

Carmichael apretaba los dientes cada vez más a menudo, pues empezaba a ser demasiado tarde para intentar abortar. Me decía que cuidar del bebé sería una pesadilla, pero yo me mantenía firme e insistía en que debía vivir… Al fin y al cabo, era mi hijo, mío y de Paul.

Un día, mi agente llegó con una solución. Hasta ese momento yo ni siquiera había pensado dónde iba a tenerlo. La casa de mi madre ya no era una opción, pues ahora vivía en la jungla, en Magek, un lugar del que guardaba un vago recuerdo de infancia y en el que me esperaban unas obligaciones que no estaba dispuesta a afrontar. Además, ¿cómo iba a encontrarme Paul en esa aldea perdida?

Carmichael se brindó a ayudarme sin que tuviera que pedírselo. Yo había pensado que, al no serle ya útil, se desentendería de mí, pero estuvo moviendo hilos, y finalmente dio con alguien dispuesto a acogerme. Cuando me dijo de quién se trataba, no pude evitar llevarme la mano a la boca en un gesto de sorpresa.

Una semana después me presenté en casa de Piet Van Swieten muerta de la vergüenza. Pero enseguida me tranquilicé, pues lo que creí ver en el brillo de sus ojos no fue censura sino compasión, como si fuera su hija quien hubiera dado ese paso en falso y no yo. Quizá hasta entonces me había visto como un ángel, una criatura etérea y sobrenatural ajena a los placeres de la carne... Y ahora tenía que admitir que era un ser humano como los demás, débil y concupiscente.

No me reprochó nada. Se limitó a ofrecerme unas dependencias contiguas a su mansión, que él llamaba «la casa de invitados». Ese mismo día me mudé allí con Mai y mi equipaje, que se limitaba a una sencilla maleta.

Permanecí en aquel lugar durante cuatro largos meses. Día tras día me sentaba a esperar junto a la ventana. Mi único consuelo era contemplar el maravilloso jardín, que pronto conocí hasta en sus más pequeños detalles y en todas sus variantes, pues a veces lo contemplaba también de noche, especialmente en la temporada de lluvias. Mi único contacto con el mundo exterior eran Carmichael y Mai. La servidumbre tenía órdenes de no acercarse, y el señor de la casa tampoco se dejaba ver. Fue entonces cuando empecé a sospechar que había caído en desgracia para él y que su ofrecimiento de protección, más que un gesto de sincera compasión, lo era de hipócrita caridad cristiana.

Sin embargo, la casa de invitados de Wellkom llegó a ser para mí un lugar de paz y sosiego. El espléndido jardín me reconfortaba el alma, dándome las fuerzas y la confianza necesarias para creer que saldría adelante con mi hijo y que, a pesar del oprobio, enderezaría mi vida.

Pero mi confianza se desvaneció rápidamente. Cerca ya de la fecha en que salía de cuentas, empecé a llorar durante todo el día y a desear con todas mis fuerzas que lo que llevaba en el vientre saliera de una dichosa vez... Sí, incluso llegué a arrepentirme de no haber abortado.

Viendo mi desesperación, Carmichael se sintió obligado a buscar una solución sin siquiera preguntarme.

—Van Swieten se ha ofrecido a mediar para dar al niño en adopción a una respetable familia de Padang —me dijo un día—. Ellos lo criarían, y así tú podrías dedicarte por entero a tu carrera.

Sus palabras cortaron mi respiración como un viento gélido. Y sin embargo no mostré sorpresa.

–¿Hay alguna carta para mí? –me limité a decir como si no hubiera oído sus palabras o como si estuviera enajenada.

En realidad, estaba tratando de tomar una decisión.

–No –dijo sin aspavientos Carmichael, aunque dejando entrever un atisbo de piedad–, no hay nada para ti.

Mi agente me repitió la oferta del gobernador por lo menos tres veces más, hasta que una mañana llegué a la convicción de que Paul no aparecería. Había tenido casi nueve meses para venir a visitarme. Incluso aunque no hubiera recibido mi carta era tiempo más que suficiente para haber regresado en mi busca. O al menos para escribirme diciéndome que todo iba bien. Por un momento barajé la idea de mandar un mensajero al dueño de la plantación para preguntarle si finalmente había cerrado el trato con Paul. Pero ¿qué pasaría si entonces me enteraba de que en breve visitaría su nueva propiedad en compañía de su encantadora esposa?

Fue entonces cuando acepté que Carmichael le dijera al gobernador que daba mi consentimiento.

El parto fue una de las experiencias más espantosas que jamás he vivido. Estuve tumbada durante horas sufriendo unos dolores terribles y rogando a Dios que me liberara de una vez de aquel suplicio. Mirando hacia atrás, casi me alegro de que la memoria haya borrado gran parte de los detalles de ese episodio. Solo recuerdo con claridad el gran alivio que experimenté cuando expulsé de mí a la criatura. La partera, una nativa que obviamente no estaba al tanto del arreglo, me puso en los brazos a esa criaturita gritona, pero me la quitó en cuanto el médico le susurró algo que no alcancé a escuchar.

Ese instante, aunque fugaz, fue suficiente. Pude ver su cara, esa carita que aún no guardaba parecido con nadie de mi familia pero que me pareció preciosa. Y también vi que era una niña. ¡Había tenido una niñita!

Pero ya era tarde para echarse atrás. Aquel bebé había sido prometido a una familia, y el parto me había dejado tan débil que no pude rebelarme.

Se la llevaron, y lo único que me quedó fue el recuerdo del nacimiento y una semana de profunda enajenación y lágrimas que me quebró el corazón y me dejó marcada para siempre.

Tras unas semanas de reposo, regresé a los escenarios. A pesar de que mi larga ausencia causó un gran alboroto, prácticamente de un día para otro mi público supo perdonarme y me recibió con los brazos abiertos. En realidad, debería haber disfrutado de volver a ser una artista aclamada... Pero no era capaz de apreciar los aplausos, pues en el fondo estaba convencida de que no los merecía.

A Carmichael todo aquello parecía darle igual y siguió consiguiéndome conciertos contra viento y marea. Aunque las salas cada vez eran más pequeñas y el interés del público también menguaba poco a poco al menos seguía tocando. Pero lo hacía sin alma... La verdad era que tocaba solo para silenciar mi mala conciencia. Después de cada actuación me miraba al espejo y solo veía un rostro vacío. Y más tarde, por la noche, me acosaba siempre la misma pesadilla: el rostro manchado de sangre de mi hijita se me aparecía para reprocharme que la hubiera vendido.

Por la mañana volvía a ponerme la máscara, y tanto me acostumbré a vivir con ella que a veces incluso parecía que había vuelto la antigua Rose, esa que solo vivía para la música. Pero era solo un engaño. Un engaño que tal vez funcionaba con los demás pero no así conmigo misma. Bastaba que empezara a tocar para darme cuenta de que seguían sin aparecer aquellas imágenes que en las épocas gloriosas me acompañaban siempre que interpretaba una pieza.

Dos años más tarde conocí a Johan de Vries, un acaudalado terrateniente que poseía una plantación a las afueras de Padang. Había acudido a uno de mis conciertos y, aunque mis mejillas habían palidecido y el brillo de mis ojos se había apagado, llamó tímidamente a la puerta de mi camerino para ofrecerme un ramo de rosas rojas.

En ese momento, en el que él apenas se atrevía a mirarme, supe que podía ser mi salvación.

No voy a llamarlo amor. Lo que despertaba en mí nada tenía que ver con lo que sentía por Paul…, eso que él parecía haber arrojado al mar despectivamente para que lo devoraran los tiburones.

Al contrario que con Paul, Johan y yo nos conocimos poco a poco: rosas en el camerino, conversaciones breves, cartas, paseos… Él se esforzaba casi con devoción por satisfacer cada uno de mis deseos, y yo aceptaba gustosa sus atenciones. Como la pasión no me nublaba la vista pude ver que él era mi oportunidad de restaurar mi honor.

Cuando un día se arrodilló ante mí y me pidió la mano yo le contesté que sí casi sin pensármelo. A Carmichael no le hizo mucha gracia, pues suponía mi retirada definitiva de los escenarios, pero resolví nuestras diferencias con una generosa suma. Y lo mismo hice con Mai, a quien ya no iba a necesitar.

Una boda por todo lo alto habría podido causar un gran revuelo, así que le pedí a Johan que fuera una ceremonia sencilla, con un banquete privado al que asistieran solo los más allegados. Quería retirarme sin armar jaleo; no quería que el mundo viniera a recordarme lo que una vez había sido. La boda, por petición expresa mía, ni siquiera se anunció en la gaceta. En su devoción, Johan consintió a todo lo que yo propuse.

Apenas guardo recuerdos de nuestra noche de bodas, como tampoco de otras tantas noches de nuestra vida marital. Él no era un amante torpe, sino todo lo contrario; era delicado, se desvivía por mí, no era nada brusco y nunca me hizo daño. Pero era como si toda esa entrega chocara contra una losa. Yo me limitaba a dejar que se me echara encima… Aunque he de admitir que, cuando cerraba los ojos y pensaba en Paul, la cosa era más que soportable.

No tardé en quedarme embarazada, noticia que la familia de mi marido recibió con júbilo. Yo hice como si me alegrara aún más y soporté las molestias con dignidad. Resultaba más fácil sin un público esperándome ni un agente que me atosigara a cada instante. Seguí tocando el violín de vez en cuando, pero solo movida por la idea de que tal vez el niño que llevaba en mi vientre tuviera talento para la música, y porque pensé que un poco de mi arte le haría bien.

También ese parto fue doloroso y complicado, pero apenas me quejé, pues sabía que el bebé que alumbraría vendría a ocupar el lugar de mi primogénita. Cuando terminó, la comadrona puso en mis brazos un niño tan guapo como su desconocida hermanita.

Esta vez, sin embargo, tardé bastante más en recuperarme. Contraje fiebre puerperal y estuve varios días en cama presa del delirio. No tengo ni idea de lo que pude llegar a decir en mi enajenación. En el peor de los casos puede que llamara a gritos a Paul… Lo que sí sé es que cuando desperté, mi primer pensamiento fue para él, pero por fortuna fui capaz de darme cuenta a tiempo de que quien estaba inclinado sobre mi cama, consumido por los nervios y la preocupación, era Johan.

—¡Has vuelto! —dijo aliviado mientras me acariciaba el pelo y me besaba—. Pensé que también iba a perderte a ti.

Obviamente no meditó sus palabras, pues me hizo sospechar de inmediato.

—¿Qué le ha pasado a nuestro hijo? —pregunté con un hilo de voz mientras el miedo me atenazaba las entrañas.

Entonces reparó en su error. Primero se mordió el labio, pero enseguida comprendió que no servía de nada mentir.

—Nuestro hijo… Ha muerto —profirió antes de estrecharme en sus brazos.

Si ya tenía el alma herida por la pérdida de mi hija, esas palabras terminaron de destrozarla. Luego me enteré de que mi niño había nacido con una malformación cardíaca, seguramente heredada de la familia paterna, pues dos hermanas de Johan habían muerto por problemas de corazón.

Me sobrevino una extraña debilidad. Al principio lo atribuyeron a la lógica melancolía de una madre afligida. Pero cuando un día me caí por las escaleras y Johan llamó al médico, este se sentó frente a mí con gesto serio y me dijo:

—Mevrouw De Vries, me temo que no tengo buenas noticias para usted. La fiebre puerperal ha causado graves daños en su corazón. A partir de ahora tendrá que cuidarse mucho, si no…

Las palabras se le secaron en la garganta, pero aun así supe lo que quería decirme. O me cuidaba o moriría. ¡A mis veintinueve años!

Una vez se hubo despedido del médico, Johan se acercó mí y me abrazó en silencio. Noté todo el amor que había en ese abrazo, toda la desesperación contenida en sus lágrimas… Pero no sentí nada.

Desde el primer momento supe que lo que había dañado mi corazón no había sido la fiebre puerperal sino la pérdida de mis dos hijos. Y decidí aferrarme a una determinación: antes de morir y afrontar la condena eterna quería al menos volver a ver a mi hija.

13 de febrero de 1910
Ha llegado el día. Hoy voy a ver al detective. Estoy muy nerviosa. El médico me advirtió de que evitara las situaciones de tensión, pues mi débil corazón no puede soportarlas y en cualquier momento mi maltrecha aorta podría reventar. Pero me niego a creer que Dios pueda ser tan cruel como para quitarme la vida antes de saber dónde está mi hija. Sin duda he pecado, pero ¿acaso no merecemos todos el perdón?

Ese mismo día...
Casi no puedo describir lo que sentía antes de hablar con el detective. El corazón me latía de tal manera que apenas me dejaba aliento para respirar. A duras penas podía dar un solo paso, y el cuerpo me temblaba de arriba abajo. La gente con la que me cruzaba por la calle no paraba de preguntarme si me encontraba bien, pero me los quitaba de encima diciéndoles que solo era un golpe de calor, lo cual no les resultaba extraño dado mi aspecto de inglesita (la prometida de Paul no hacía otra cosa que quejarse del calor). Finalmente logré llegar al edificio donde Cooper Swanson tenía su despacho. Ese hombre carece por completo de atractivo y, además, arrastra un pasado bastante dudoso. Los rumores que corren sobre él afirman que sirvió en la Armada inglesa en la India y que fue expulsado por matar a un camarada en una riña. Otra versión asegura que perteneció a una banda de ladrones chinos que se dedicaba a desvalijar villas inglesas en ese mismo lugar. La verdad es que me daba lo mismo si alguno de estos rumores era cierto o si incluso lo eran los dos. Lo único que quería era saber si podía darme alguna respuesta a la pregunta que le había formulado semanas atrás.
Me recibió con una mirada de preocupación, probablemente por el tono violáceo que adquieren mis labios cuando realizo un gran esfuerzo.
—Su encargo ha resultado ser un gran reto, señora De Vries —comenzó a decir recostándose en el viejo sillón de cuero de su escritorio—. Pero tengo buenas noticias para usted.

Después, dejó sobre la mesa una delgada carpetita negra. Yo, tími-
damente, la abrí. Llevaba tantos días esperando ese momento que había
tenido tiempo de sobra para predisponerme a afrontar lo desconocido. Sin
embargo, no estaba preparada para lo que apareció ante mis ojos.

La placa fotográfica mostraba a una niña de unos ocho años que era
mi vivo retrato a esa edad. Fue tal la impresión que apenas pude respirar
durante algunos segundos. ¡No había duda de que era la misma niña que
hacía mucho había estrechado contra mi pecho!

—Tuve que sobornar a un par de tipos, pero es evidente que fue un
dinero bien gastado —dijo Swanson con la satisfacción del que ha cumplido
con su tarea—. La niña fue adoptada por James e Ivy Carter, una familia
muy reputada en Padang. Encontrará su dirección anotaba bajo la foto.
Si desea algo más de mí, no tiene más que decirlo. La confidencialidad
está garantizada.

Al principio me pregunté qué había querido decir. Luego se me hizo
la luz.

15 de febrero de 1910

¡Me cuesta creerlo! ¡La niña tiene los ojos color ámbar! El detective
estaba en lo cierto: es ella. E incluso he podido hablarle. Ignoro cómo era
yo de niña, pero esa pequeña es tan abierta, tan compasiva... Todos
estos años me he estado preguntando cómo sería: me preguntaba si se
parecería a mí o a su padre. Y ahora al fin la he visto.

Apenas quedan en ella rasgos de mis ancestros; la forma de sus ojos
es igual a la del padre, y también es blanca de tez. Nadie podría notar que
corre sangre minangkabau por sus venas. Pero tiene el color de los ojos
de mi madre. Ah, mi madre... No la he visto desde que la dejé en aquel
carro camino de la aldea. Si la conociera, si conociera a la pequeña, es-
taría orgullosísima de que fuera su nieta, como yo lo estoy de que sea mi
hija, a pesar del horrible pecado que cometí contra ella...

En toda mi vida no he creído en ningún dios, pero ahora quisiera
agradecer con toda mi alma a quien corresponda que me haya otorgado
la gracia de verla y de hablar con ella... Aunque sea justamente ahora
que mi pobre corazón me acaba de avisar de su terrible fragilidad.

27 de marzo de 1910

Tras un mes enferma y muy débil, tanto que a punto he estado de perder la confianza en cumplir mi promesa, he podido al fin volver a verla.

Mientras mi corazón luchaba por seguir latiendo, imaginaba a mi pequeña tras los barrotes de esa verja. No, no era una cárcel lo que veía, sino las puertas del cielo, un cielo que me está vedado. Y sin embargo, doy las gracias por poder al menos asomarme a él.

Ese mismo día…

Mi pequeña Helen ya tiene el violín consigo, de modo que ahora es como si yo estuviera con ella día y noche para cuidarla. Hemos acordado vernos con regularidad y así poder enseñarle a tocar.

¡Cómo me gustaría llevármela conmigo! Pero no puedo hacerlo, pues solo serviría para infligirle a mi hija un sufrimiento innecesario. En un par de meses se quedaría huérfana y debería volver de nuevo con los Carter, que de todos modos seguramente son los más capacitados para cuidarla.

En todo caso, hay dos cosas que debo hacer antes de cerrar los ojos para siempre.

La primera ya está hecha: le he escrito una carta a Paul.

Con el tiempo, mi rencor hacia él ha desaparecido. Incluso creo haber llegado a entender que entonces no pudo hacer otra cosa. Me niego a aceptar que actuara por maldad. Seguro que nada más poner pie en suelo inglés tuvo que hacer frente a unas obligaciones que no le dieron opción.

Le he pedido a Carmichael, con quien, a pesar de haber dado por zanjada nuestra relación profesional, he mantenido un contacto esporádico a lo largo de los años, que le haga llegar en mi nombre este último mensaje. Paul debe saber qué ha sido de su hija. Quizá los años le hayan hecho cambiar y ahora esté dispuesto a asumir su responsabilidad. Y si no fuera así, al menos me queda el consuelo de dejarla en las mejores manos, pues los Carter son una familia ejemplar y, además, muy bien situada.

La segunda cosa que debo hacer me dispongo a cumplirla ahora, sentada al escritorio: escribir a mi madre, a la que hace tanto que no veo.

Ocultarle mi embarazo y no haberla invitado a mi boda son dos pe-cados que cargo pesadamente sobre mi conciencia. Y también no haber ido a verla a la aldea. Puse tanto empeño en evitar que el Adat cayera sobre mí, que olvidé que no era una anciana severa quien allí me esperaba sino mi madre, esa madre que siempre me ha querido y que quizá me habría ayudado a elegir mejor en la vida...

28

Cuando Lilly se despertó ya era casi mediodía. La tenue luz que entraba por la ventana la hizo pestañear, aturdida. Después de unos minutos fue consciente de que se había pasado la noche en blanco leyendo el diario de Rose Gallway. Se había quedado dormida encima del cuaderno, y le había dejado una marca en la cara. Sin embargo, había dormido como hacía tiempo. ¡Menuda historia! Gabriel iba a alucinar cuando tuviera el cuaderno entre las manos. ¡Y ahora ella tenía una pista! Rose Gallway había desaparecido de golpe porque dejó de llamarse así para pasar a ser Rose de Vries. Tras ese descubrimiento, tal vez podría encontrar más documentación. Además, se había casado con el dueño de una plantación, así que muy probablemente alguien tendría constancia de su fallecimiento.

Como ya había perdido la mitad del día, se apresuró a meterse en la ducha y decidió que, después, lo primero que haría sería llamar a Verheugen para contarle lo del diario.

Pero no llegó a hacerlo, pues abajo, en la recepción, le esperaba una nota suya.

Seguro que está hecha polvo después del viajecito de ayer, pero me encantaría que asistiera a una pequeña fiesta esta noche. La persona de la que le hablé ha venido al fin y me gustaría mucho presentársela. Atentamente, D. V.

Su chica ha vuelto, pensó Lilly, y una sonrisa se esbozó en su rostro. A ella también le apetecía conocerla.

Al final, la honestidad se había acabado imponiendo al egoísmo, así que Lilly se dirigió con el cuaderno a una especie de locutorio que había cerca del hotel e hizo fotocopias del diario. Después fue al museo y se lo entregó a la directora adjunta, que lo miró con asombro.

—Se trata de un documento muy valioso, es posible que la Faraday School of Music contacte con usted para intentar comprarlo.

Iza Navis sonrió amablemente y se lo devolvió.

—Hágalo llegar a esa escuela con mis mejores deseos. Me llena de orgullo que una hija de esta tierra haya dejado una huella tan profunda en Inglaterra. Quién sabe, puede que de esto surja alguna cooperación.

—Es usted muy generosa, muchas gracias —repuso Lilly, abrumada. Y de pronto tuvo una idea—: ¿Podría echar un vistazo a los periódicos y al registro de defunciones de entre 1909 y 1915? El diario me ha dado una nueva pista para mi investigación.

—Por supuesto, ahora mismo pido que le saquen los documentos —respondió Iza Navis acompañándola a la sala de lectura.

La enorme pila de papeles que le trajo el asistente desanimó un poco a Lilly, pero enseguida sacó fuerzas de flaqueza. Tenía la sensación de que faltaba una pieza en el puzle que componía el misterio de Rose, y era muy posible que estuviera entre esas páginas.

Mientras las hojeaba, le vino Helen a la cabeza. ¿Habría llegado a enterarse de quién era realmente su madre? En el diario no constaba que Rose se lo hubiera dicho. Lilly se imaginó la profunda confusión que habría provocado en la niña una noticia así.

Aunque no podía entender esos artículos en neerlandés, finalmente se topó con una foto que hablaba por sí misma y no requería mayor explicación. *Aardbeving,* rezaba el titular. Tal vez significara terremoto, pues la foto mostraba casas derrumbadas y grúas de carga volcadas y la gente mirando horrorizada ese mar de ruinas.

Lilly buscó la fecha y acabó encontrándola: 6 de junio de 1910. Pocos meses después de que Rose encontrara a Helen.

De pronto sintió una rara inquietud y recorrió apresuradamente todas esas palabras extrañas, algunas muy parecidas a las alemanas. Ni un nombre. Siguió pasando páginas febrilmente, en busca de esquelas o algo parecido. Había algunas, pero ninguna pertenecía a Rose de Vries. Al final vio un listado de nombres.

¡La lista de las víctimas!

Lilly vio un terrible hormigueo en el estómago. Casi con miedo, fue pasando el dedo por todos esos nombres. La mayoría eran de nativos y de holandeses, aunque también figuraba algún inglés.

—¡Oh, Dios! —se le escapó antes de que pudiera taparse la boca.

Ahí estaba: «Rose de Vries, esposa de Johan de Vries».

Impactada, se dejó caer en el respaldo de la silla. ¡Rose perdió la vida en ese terremoto! ¿Iría de camino a ver a su hija? ¿Sería Helen el último pensamiento que pasó por su mente antes de quedar sepultada bajo un montón de escombros? Sus ojos se llenaron de lágrimas. No solo lloraba por el trágico final de Rose sino por toda su vida. ¿Cómo se podía tener tanta mala suerte?

Sin embargo, cuando sus lágrimas se secaron, experimentó un gran alivio, y también un sentimiento cercano a la alegría. Gabriel había vuelto a ocupar su mente. Se quedaría pasmado cuando supiera que había resuelto el misterio de la relación entre Rose Gallway y Helen Carter. Solo con pensar en la sonrisa que pondría y en el brillo de sus ojos se puso contentísima. ¡Cuánto lo echaba de menos! Casi más que a Ellen.

Unas páginas más adelante encontró la esquela de Rose. Puede que su marido accediera a no anunciar su boda en la prensa, pero no había podido resistirse a publicar su triste pérdida, y con una elegancia que dejaba a las claras lo mucho que la quería. ¿Llegaría a enterarse de que el corazón de Rose pertenecía a otro hombre?

Tras sacar copias de todos aquellos documentos, Lilly abandonó el museo. Su melancólica sonrisa, al verse bañada por los rayos del sol, que ahora asomaba entre las nubes, se tornó en una de alegría. Tal vez Rose pueda ahora descansar en paz, pensó. Y por lo que a ella se refería, aunque no llegara nunca a saber por qué el violín había llegado a sus manos al menos se sentía reconfortada por haber descubierto la historia de su primera dueña.

Por la tarde, Lilly se presentó en la dirección que le había dado Verheugen. No podía evitar sentirse un poco incómoda. En todo ese tiempo no había logrado librarse de la sensación de que él estaba interesado en ella. ¿Y si esa nota no era más que una excusa? Tonterías, se dijo a sí misma. Un hombre así de extrovertido no necesita ese tipo de argucias.

Las risas de los asistentes se oían desde fuera, lo que la cohibió un poco más, pues no estaba segura de que aquella gente estuviera avisada de su asistencia a la fiesta. ¿Cómo iba a explicarle a quien le abriera la puerta que venía de parte de Verheugen? Al final, sin embargo, fue él quien acudió a recibirla.

—¿Qué, ha dormido bien? —le dijo con una amplia sonrisa mientras la invitaba a entrar—. Cuando pregunté por usted en el hotel me dijeron que había colgado el cartel de «no molestar». Y como soy un optimista empedernido, no quise creer que se encontraba mal, sino que solo estaba cansada.

—Y lo estaba —dijo Lilly, devolviéndole la sonrisa mientras se abrían paso entre otros invitados—. Ayer pasé la noche en vela leyendo un documento.

—Espero que haya sacado algo en claro.

—Ya lo creo. Y además hoy he estado en el museo y he hecho un gran descubrimiento. Luego si quiere se lo cuento.

—Le tomo la palabra —repuso el dentista—. Pero antes déjeme presentarle a alguien.

Verheugen se separó de ella y se acercó a un grupo de hombres. Habló con uno de ellos un momento y luego regresó con él; era un moreno apuesto y musculoso de pelo rizado y ojos oscuros.

—Este es Setiawan, mi pareja. Setiawan, esta es Lilly Kaiser, la nueva amiga de la que te hablé.

Lilly se quedó tan sorprendida que no pudo evitar arquear las cejas, aunque por suerte reaccionó a tiempo para que su gesto no se malinterpretara.

—¡Encantada de conocerle!

—El gusto es mío.

—Setiawan trabaja para una importante empresa informática e imparte seminarios en el extranjero. —Verheugen sonrió orgulloso mientras su novio asentía tímidamente.

—Un trabajo muy interesante, aunque lo cierto es que lo mío no son los ordenadores. Algún día tendré que reciclarme. Hasta ahora no he necesitado poner uno en la tienda.

—Si se decide, le ayudaré encantado —dijo Setiawan—. Pero ahora vayamos a comer algo.

—Setiawan es *minangkabau* —le explicó Verheugen a Lilly poco después de la cena, y acto seguido sonrió a su novio, que acababa de darse la vuelta para mirarlo con cara de querer librarse de los hombres con los que estaba charlando—. Lo conocí hace diez años, durante unas vacaciones. Fue un auténtico flechazo.

—Qué suerte tuvo —comentó Lilly un poco nostálgica—. No es fácil encontrar a alguien que te guste y además ser correspondido.

—¿Usted no lo ha encontrado?

—Sí, tal vez —vaciló Lilly—. Pero en cierto modo..., aún sigo pensando mucho en mi marido, así que no estoy tan abierta a una nueva relación como quisiera.

—Que comience una nueva relación no quiere decir que tenga que olvidar a su marido. Seguro que él vería con buenos ojos que volviera a tener pareja.

—Lo sé, pero...

—Haga siempre lo que le dicte su corazón. Mírenos a nosotros... Durante un tiempo mantuvimos en secreto nuestra relación por miedo a lo que pudiera decir su familia. Y después, sin embargo, me acogieron con los brazos abiertos. En Aceh hay extremistas que promulgan que la homosexualidad debe ser perseguida, pero en gran parte del país es aceptada, lo cual es todo un alivio. Lo que quiero decir es que a veces las cosas nos dan más miedo del que deberían. Así que vaya a ver a su nuevo chico e inténtelo; puede que se sorprenda de lo fácil que resulta.

Lilly asintió y se quedó pensativa por unos instantes.

—Setiawan viene de visitar a su hermana, que vive con su madre y el resto de la familia. Si tiene tiempo y le apetece, quizá podamos llevarla allí y podrá ver de cerca las casas matriarcales.

—Sería estupendo. Pero por desgracia solo dispongo de dos días.

—No hay problema. Yo mismo la traeré de vuelta. ¡Merece mucho la pena ver esas aldeas!

Lilly se mostró entusiasmada.

—Un amigo de Inglaterra descubrió que Rose Gallway era medio *minangkabau*. Por lo tanto su hija lo fue al menos un cuarto.

Aún no podía creerse que Helen fuera hija de Rose y que esta hubiera llegado a encontrarla.

—Pues entonces es posible que ambas tuvieran derecho a una herencia —señaló Verheugen—, ya que la propiedad se hereda por línea materna. Si tuvieran descendientes...

—Desgraciadamente no —repuso Lilly con cierta melancolía—. Helen murió junto a su familia cuando atacaron el barco en el que viajaban.

—Una verdadera lástima —respondió apenado Verheugen—. ¿Sabe al menos de qué pueblo eran? Sería un brillante colofón a su viaje visitar la aldea de la madre de Rose.

—Sí, sé que el pueblo se llama Magek.

—¡No me diga! —exclamó él—. ¡Setiawan es de Magek! ¡Su hermana, su madre y su abuela viven allí! Puede que en el pueblo conozcan a esas dos mujeres.

Lilly recibió aquella noticia con gran sorpresa, pero meneó la cabeza.

–Lo dudo. Rose no se atuvo al Adat. Nunca quiso ocupar el lugar de sus predecesoras. –Pero podrían conocer a Adit, recapacitó enseguida. Ella sí que regresó a la aldea. Quizá sus parientes puedan contarme algo sobre ella.

–Magek está a un día de viaje, así que habrá que darse prisa –prosiguió el dentista–. ¿Tiene algo mejor que hacer mañana?

–La verdad es que no.

–¿Se anima entonces a conocer el pueblo?

–¿Y qué dirá su pareja?

–Estará encantado de poder enseñarle todo aquello. Y su familia de volver a verlo tan pronto. El trabajo solo le permite ir allí un par de veces al año como mucho.

–No quisiera ser una molestia. Debería preguntarle primero a Setiawan.

–No hace falta. Sé lo que me va a decir –respondió Verheugen con una sonrisa–. Que será un placer para él enseñarle su pueblo. Y que allí será muy bienvenida.

Esa noche, la ilusión y los nervios no le dejaron pegar ojo. Los recuerdos de la velada se intercalaban con los hallazgos que había hecho sobre Rose Gallway y Helen Carter. Lilly no podía dar crédito a lo mucho que había descubierto en tan poco tiempo.

Al alba se levantó y se sentó junto a la ventana para ver cómo la ciudad despertaba lentamente a la vida. ¿Qué le esperaría en la jungla? ¿Habría allí un «jardín a la luz de la luna»?

Cuando Verheugen y Setiawan aparecieron delante del hotel con su coche, llevaba dos horas sentada en el vestíbulo releyendo la copia del diario, que en realidad, como tenía también el original, no necesitaba.

–Esto es para usted, es el diario –le dijo a Verheugen dándole las hojas. La noche anterior, en la fiesta, Lilly ya había tenido la oportunidad de disculparse por su comportamiento, pero quiso insistir–: Como ya le dije, me siento un poco avergonzada por habérmelo llevado a escondidas de casa del gobernador, pero..., en fin, por suerte todo ha acabado bien. También hay una copia del artículo sobre el terremoto.

—Supongo que necesitará que se lo traduzca —sugirió él, sin darle importancia al asunto del cuaderno.

—Sería muy amable por su parte. Aunque no tiene por qué hacerlo si va a resultarle un engorro.

Mientras hablaba, Lilly recordó que aún no había tenido noticias del historiador amigo de Enrico, el hombre que estaba intentando buscar un código secreto en la partitura. Si hubiera descubierto algo, seguro que Ellen le habría escrito. ¿Qué secreto ocultaría la partitura, si es que realmente ocultaba algo?

—¿Engorro? —Verheugen se echó a reír—. Como si no me conociera... Pues claro que no será un engorro. Al contrario, será un placer. —Acto seguido le guiñó un ojo y añadió—: Al principio me tomó por un chiflado, ¿verdad?

Con una sonrisa pícara, Lilly se apartó un mechón de pelo de la cara y lo dejó prendido detrás de la oreja.

—Un poco sí. Pero he de confesarle que ha sido una inmensa suerte conocerlo.

Poco después ya estaban en camino, atravesando la jungla. Las carreteras se conservaban en buen estado, aunque a veces había tramos de terreno pedregoso en los que el coche iba dando brincos. Tras unas cuantas horas de viaje llegaron a Magek, que se encontraba en el corazón de las montañas, justo detrás de uno de los picos más altos del país, el Gunung Singgalang.

El pueblo, en mitad de la jungla, parecía sacado de un cuento. Las casas, grandes y con el tejado de cuerno de búfalo, se erigían entre el verde cada una del color correspondiente a los distintos clanes.

Lilly observó cautivada las construcciones y también la vegetación, que allí era especialmente exuberante y a buen seguro hubiera hecho las delicias de cualquier botánico.

Setiawan fue recibido por todo lo alto por su familia; parecía que no lo hubieran visto en años.

—La reputación de un hombre *minangkabau* crece entre los suyos cuando pasa mucho tiempo en el *rantau,* es decir, en el extranjero. Setiawan es muy popular aquí, y a buen seguro algún día le nombrarán *datuk* y pasará a ser el portavoz de la familia. Hoy en día es su tío quien ostenta ese título.

—¿Y él quiere ocupar ese cargo?

—¡Por supuesto! Ser *datuk* supone defender los intereses del clan puertas afuera. Para los hombres es un gran honor al que ni siquiera un reputado informático puede resistirse. Además, no interferirá lo más mínimo en su trabajo.

Después de que todos los parientes le dieran una calurosa bienvenida a Setiawan y luego a Verheugen, le llegó el turno a Lilly. Algunas de esas mujeres hablaban muy bien inglés y, según le dijeron, incluso lo habían estudiado. Cómo había sido aquello cien años atrás era algo que Lilly no podía saber, pero empezaba a sospechar que los miedos de Rose hacia los *minangkabau* eran infundados. A juzgar por cómo era aquella gente, la unidad familiar la habría acogido y habría podido vivir en paz allí con su hijita.

Finalmente, Lilly fue presentada a la matriarca, una anciana llamada Indah. Como el resto de las mujeres, vestía unos ropajes muy vistosos. Y por ser un día especial, llevaba un tocado en la cabeza que recordaba a los tejados de las casas, aunque era menos picudo y estaba cubierto por una tela muy delicada. La anciana le preguntó con vivo interés por el motivo de su viaje, a lo que Lilly respondió que estaba siguiendo el rastro de dos mujeres cuyos orígenes se remontaban a ese pueblo. Le habló de Rose y de Helen, pero enseguida se dio cuenta de que esa gente no sabía nada de ellas.

—¿Podría preguntarle si conoció a una mujer llamada Adit? Era la madre de Rose, y al parecer volvió a la aldea.

Setiawan, que oficiaba de intérprete, asintió y le hizo la pregunta a la anciana. Esta sonrió y dijo algo.

—Según parece, Indah la conoció. Dice que cuando ella nació la madre Adit era quien gobernaba en el pueblo. Entonces ya era una mujer de unos ochenta años.

Las mejillas de Lilly se iluminaron.

—¡Qué maravilla! ¿Puede preguntarle cómo era Adit y por qué volvió al pueblo?

Lilly supo entonces que fue una matriarca muy estricta pero muy buena. Al parecer, se había hecho mucho de rogar antes de ocupar su cargo, pero, una vez lo asumió, lo hizo con gran escrupulosidad y consiguió que aumentara la riqueza de su clan.

—Se dice que viajó a Londres en busca de su nieta —tradujo Setiawan—. Y que incluso la encontró, pero la joven, como ella misma en su día, se negó a regresar a la aldea. Sin embargo, más adelante, Adit recibió cartas de la nieta en las que le prometía venir aquí, a su lado. Pero por desgracia no pudo ser, ya que ella y su familia murieron durante la guerra.

Eso conectaba con la información que Gabriel tenía de Helen Carter. Ahora se completaba el círculo. La violinista, que vivía en Londres, había querido ir a Sumatra para encontrarse con su abuela, lo cual evidenciaba que Helen llegó a saber que Rose era su madre.

Un poco más tarde, Lilly subió tres terrazas por encima del jardín y recordó la melodía de *El jardín a la luz de la luna*. Si finalmente Rose era quien había compuesto esa pieza, sin duda había tenido en mente ese lugar.

El jardín que se extendía ante ella no era obra de la mano del hombre como el de la residencia del gobernador. Allí había sido la naturaleza por sí sola la que había logrado una sutil y perfecta armonía: contaba con árboles, arbustos, flores y hierba, y se podían ver en él todos los colores imaginables. Ni un jardín sacado de un cuento de hadas podría competir con su belleza.

¿Cuántas veces habría contemplado Rose aquella maravilla? ¿Cuántas veces habría caminado entre esas flores? ¡Qué pena que Adit estuviera muerta y no pudiera contarle a Lilly cosas de su hija! En ese instante, y sin saber muy bien por qué, se sintió extrañamente cercana a Rose.

Tal vez luego pueda subir aquí de nuevo y ver el jardín a la luz de la luna, pensó mientras hacía un par de fotos para enseñarle a Ellen lo hermoso que era.

Iba ya de camino a la aldea cuando Verheugen y Setiawan salieron a su encuentro.

—¡La estábamos buscando! —exclamó el dentista haciéndole señas con la mano.

—Quería ver el jardín desde arriba. Una vista espectacular. Lástima que no pueda verlo a la luz de la luna.

—Prometo mandarle una foto. Aunque quizá un día pueda regresar y contemplarlo con toda la calma del mundo. —Verheugen sonrió animadamente—. Pero ahora tenemos que volver. A Indah le daría algo si usted se marchara sin comer como Dios manda.

29

Los días que siguieron al accidente se esfumaron entre las brumas del delirio. De vez en cuando, Helen tenía un momento de lucidez en el que se daba cuenta de que estaba en el hospital y de que sentía un inmenso dolor. Pero luego volvía a perder la conciencia y se veía arrastrada al proceloso reino de los sueños. Veía una aldea ante sí, una aldea en la que nunca había estado, y, arañando el cielo, unos extraños tejados picudos que recordaban a los cuernos de los búfalos.

Después de tres semanas en estado crepuscular, su mente empezó a aclararse y comenzó de nuevo a sentir su cuerpo. Ahora los médicos le hablaban, e intentaban que respondiera. Al principio le costó horrores hablar, pues era como si la lengua no quisiera obedecerla. Cuando los médicos se dieron cuenta, le explicaron que era por el opio que le habían administrado para aliviar el dolor de las fracturas.

Cuando despertó, lo último que Helen recordaba eran los faros del autobús precipitándose hacia ella... Y también un terrible pitido, la más horrible estridencia que jamás había escuchado. Después una confusa alternancia de luces y de sombras, de calores y de fríos, de silencios y de ruidos. Cuando al fin la vista se le aclaró, lo primero que vio fue una viga de metal que había sobre ella. Pero su mente estaba aún demasiado débil como para saber dónde se encontraba, aunque no tardó en entenderlo, y también notó que no podía mover una mano.

Cuando la enfermera advirtió que estaba despierta fue corriendo a por el médico de guardia, un hombre con unos amigables ojos azules y el pelo cano.

—¡Mi violín, doctor! ¿Sabe si le ha pasado algo? —Esa fue la primera pregunta que Helen le hizo.

Una sonrisa asomó en el rostro de aquel médico, que se presentó como el doctor Fraser.

—Al parecer ya se encuentra lo bastante bien como para pensar en la música, ¿no?

A Helen no se le escapó que su mirada desprendía compasión. Está destrozado, pensó. Y aunque justo antes del accidente había odiado al instrumento con todas sus fuerzas, la sola idea de que esa maravilla hubiera podido romperse le produjo una opresión en el pecho. ¿O eran sus costillas rotas? No, el dolor venía de más adentro.

—Por su violín no se preocupe. Milagrosamente, solo ha sufrido un par de rasguños y se le han roto algunas cuerdas. Alguien lo recogió en el lugar del accidente y lo envió al hospital. A pesar de los tiempos que corren, aún hay gente buena en este mundo.

A Helen se le saltaron las lágrimas. El violín estaba bien. Aunque el accidente había puesto en peligro su carrera, podría volver a tocarlo.

Sin embargo, sus ansias por tocar se apagaron pronto, pues en cuanto le quitaron la escayola de la mano Helen notó enseguida que algo no iba bien. No sentía el pulgar, ni el índice ni el dedo corazón. Al principio asumió que era por los narcóticos, pero cuando se lo dijo al doctor Fraser y vio su cara de asombro empezó a sospechar.

Un par de días después, el médico apareció en su habitación con una radiografía. La sola visión del gesto grave del doctor le produjo calambres en el estómago. Hasta entonces no había cobrado forma el terrible presentimiento, pero ahora...

Tras dar un profundo suspiro, Fraser se sentó frente a su cama. Durante unos instantes no dijo nada. Parecía evaluar el estado de su paciente, como queriendo probar si era lo bastante fuerte como para recibir la noticia que debía darle.

—Parece que también quedaron dañados algunos nervios —comenzó vacilante—. No me gusta aventurar pronósticos, pero me temo...

—No podré volver a tocar, ¿verdad? —Su voz le raspó la garganta como si fuera de cristal.

Fraser volvió a suspirar. Helen vio lo mucho que el médico deseaba poder decirle otra cosa.

—Quizá... —comenzó el doctor, y se detuvo para buscar las palabras adecuadas—. Puede que algún día vuelva a moverla. A veces los nervios se unen de nuevo y sanan. Si ejercita su mano es posible que suceda.

Las palabras de esa anciana que decía ser su abuela regresaron a los oídos de Helen. La imagen de su rostro reapareció. Tras su encuentro en el camerino, Helen había echado de malas maneras a la vieja y luego había salido a la calle completamente desorientada...

—*Eres la hija de Rose* —*dijo la anciana ante la atenta mirada de Helen.*

—*Se equivoca* —*repuso Helen, aturdida*—. *Mi madre se llama Ivy Carter.*

La anciana negó con la cabeza y luego se colocó el pañuelo que la cubría.

—*No, Ivy Carter te adoptó. Tu madre se desentendió de ti para poder dedicarse a la música.*

¿Qué estaba diciendo esa vieja? Helen sintió una extraña opresión en la boca del estómago. Nunca había puesto en duda que Ivy fuera su madre. Y ahora esa mujer afirmaba que su madre era una desconocida.

—*Mira, ¿has visto a esta mujer alguna vez?* —*Con las manos temblorosas, la anciana se sacó una placa fotográfica del refajo. La imagen estaba manchada y la placa algo oxidada, pero se reconocía perfectamente a la mujer que aparecía en ella.*

Helen se quedó sin aliento. ¡Era la mujer que hablaba con ella en la verja! La que le había regalado el violín. Desde el terremoto no había vuelto a verla.

—Esta mujer se llamaba Rose, Rose Gallway. Seguramente el nombre no te diga nada...

—¡Se equivoca!, ¡la conozco! —exclamó Helen, sorprendida—. ¡Hace veinte años era la mejor violinista solista del mundo!

Una sonrisa amarga asomó en el rostro de la anciana.

—Eres hija de Rose —dijo al fin—. Siento tanto no haber estado allí para ayudar a criarte...

—¿Usted?

—Yo soy Adit, la madre de Rose. Tras la muerte de mi marido volví al pueblo para hacerme cargo de la herencia. La herencia de mis antepasados. Supe lo de Rose, pero ya era demasiado tarde. —La anciana suspiró profundamente y acarició la foto con amor—. Tenía la esperanza de que viniera a verme, de que acudiría a mí en caso de necesidad. Pero al parecer era demasiado orgullosa para hacerlo. Solo más tarde me enteré de lo que había pasado. Helen se casó y, tiempo después, murió en un terremoto. Pero antes tuvo una hija que fue criada por unos extraños.

Helen meneó incrédula la cabeza. ¡No, todo eso no tenía nada que ver con ella! Esa vieja no decía más que disparates. Tal vez solo quería dinero.

—No me crees —constató la anciana—. No contaba con que lo hicieras. Pero soy vieja y pronto moriré. No tuve más hijas que Rose. Y ahora depende de ti que nuestro linaje se extinga o perdure.

¿Linaje?¿Nieta? A Helen le daba vueltas la cabeza. ¿Qué significaba todo aquello? Su madre seguía siendo...

De pronto tenía de nuevo ante sí el rostro de la desconocida. Ojos de color ámbar, ligeramente rasgados; el mentón marcado, los labios carnosos... Los años habían empañado su recuerdo, pero la foto avivó la imagen que de ella guardaba en su interior. ¡Qué mujer tan hermosa!

—¡Váyase! —exclamó Helen, sin darse cuenta de que su voz resonaba histérica por toda la estancia—. ¡Déjeme en paz!

Con una sonrisa melancólica, la anciana se dio la vuelta y se marchó...

Tras un largo suspiro, Helen regresó al presente. Y entonces la amargura se cernió sobre su corazón, sentía una profunda desolación. Quizá el accidente había sido un castigo del destino, el castigo por no haber creído a su abuela.

¿Quedaba ahora otra opción que la de volver a sus raíces? Ya no podía seguir llevando la glamurosa vida de una artista. Estaba segura de que con el tiempo podría tocar de nuevo, pero, eso sí, solo para amenizar veladas en las que los asistentes acabarían hablando por lo bajo del trágico destino de la malograda Helen Carter... Solo con pensarlo, se le revolvían las tripas.

Apesadumbrada, buscó con la mirada el estuche de su violín, pero las lágrimas empañaron su imagen. ¿Me habrá maldecido mi propia abuela?, se preguntó antes de alargar su mano menos dañada hacia el estuche. Mientras intentaba abrir los cierres, una capa de sudor cubrió su piel, haciendo que el camisón se le pegara al vientre y a la espalda... No había manera. Podía haber llamado a la enfermera, pero quería demostrar algo con esa acción; a sí misma y a la anciana que había puesto patas arriba su vida.

Cuando al fin consiguió abrir la tapa, se sintió más débil que nunca. Las costillas le dolían al respirar, y la mano, medio entumecida, se quedó completamente muerta. Pero al final consiguió agarrar el violín por el mástil y sacarlo de su estuche. Lo acunó en sus brazos y lo cubrió de besos como si se tratara de un niño. La sola idea de no poder volver a tocarlo le resultaba insoportable, pero aun así logró dominar la tristeza y el dolor. Lo conseguiré, se dijo. Solo es cuestión de tiempo.

Unas semanas después, Helen recibió el alta, pero no para irse a casa sino a un sanatorio en Suiza donde recuperarse del trauma del accidente. Tras conocer el diagnóstico del médico, y superado el *shock* inicial, su agente se había asegurado de que la noticia no se hiciera pública hasta que no fuera seguro que el estado de su mano no cambiaría.

Helen se llevó el violín al sanatorio, donde, por azar, descubrió que había una partitura oculta bajo el forro del estuche. Se trataba de una pieza absolutamente insólita, probablemente compuesta por su madre.

Con la partitura en las manos, contemplaba el jardín del hospital. ¿Qué jardín tendría en mente al escribir esas notas? ¿Sería ella de veras la compositora?

Su estancia en el sanatorio no le devolvió la facultad de tocar el violín, pero sus ganas de vivir se renovaron. Una y otra vez repasaba la conversación mantenida con la anciana, y a fuerza de remover ese recuerdo cristalizó un deseo: averiguar algo más sobre su madre.

Los interrogantes eran tantos que bien podrían haberla desanimado, pero poco a poco fue creciendo en su interior una fuerza hasta entonces desconocida. ¡No pensaba rendirse!

Tenía que empezar de nuevo. Quizá abandonar Londres no fuera tan mala opción.

He de volver a casa, pensó. Sumatra me apartará del mundanal ruido. Es mi patria, y también la de mi madre. Y la de mis antepasados. En cuanto me sea posible, volveré allí.

30

El sol primaveral calentaba la piel de Lilly mientras recorría el camino de gravilla que llevaba a la casa de Ellen. Aunque ese calor no tenía nada que ver con el que había sentido en Sumatra, no estaba nada mal para los estándares europeos.

Cuando llegó buscó en vano al jardinero. Pensó en él porque, al fijarse en los setos de flores que bordeaban el camino, vio que las campanillas y los azafranes ya sobresalían un poco. ¿Estaría enfermo o simplemente no la había oído?

Al ver el coche de Ellen aparcado delante de la puerta dedujo que su amiga había llegado a casa un poco antes que ella. Se había abstenido de decirle la hora exacta de su regreso para que no saliera del trabajo antes de tiempo, pero al parecer tenía un sexto sentido.

—¡Pero si es nuestra trotamundos!

Lilly se llevó un buen susto al ver aparecer a Ellen a su lado tan de repente. Llevaba puestos unos guantes de jardinería y sostenía unas ramas de abedul, que probablemente había arrancado para adornar un ramo de flores.

Las dos mujeres se abrazaron cariñosamente.

—¡Qué alegría verte! ¡No sabes lo que te he echado de menos esta semana!

—¡Y yo a ti! ¡Ni te imaginas la de cosas que he averiguado!

—Vamos dentro y me cuentas. ¡No puedo esperar ni un segundo más!

En el cuarto de estar, con té y galletas, Lilly le contó con todo detalle sus vivencias en Indonesia, y también lo que había descubierto sobre Rose y Helen. El diario y las fotocopias estaban sobre la mesa y desprendían una extraña energía, como si ardieran en deseos de llegar a manos de Gabriel y así retornar de alguna forma a Rose y a Helen, por más que en la *Music School* ya no fueran más que sombras del pasado.

—Así que eran madre e hija... —Ellen meneó la cabeza sin dar crédito—. No alcanzo a entender cómo una madre puede ser capaz de entregar a su hija.

—Eran otros tiempos —adujo Lilly, a pesar de que a ella tampoco se le pasaría por la cabeza hacer algo así—. La única manera de evitar el escándalo habría sido irse a Magek con su madre. Pero Rose tuvo miedo a perder su independencia. Y pagó un precio muy alto por ello.

Ellen se tomó un momento para reflexionar.

—¿Sabes lo que te digo? Que estoy encantada de vivir en estos tiempos. Al menos ahora las mujeres no tenemos que elegir entre nuestra familia y nuestra carrera.

—Tienes mucha razón —coincidió con ella Lilly, y no pudo evitar sumirse en sus pensamientos. ¿Qué habría hecho Rose en mi lugar? ¿Se habría vuelto a enamorar si Paul hubiera muerto? Pero Paul no murió sino que la plantó, y a pesar de lo que dejó escrito, hasta el final de su vida mantuvo la esperanza de volver a verlo. Yo, en cambio, he perdido a Peter para siempre. Rose no pudo abrir su corazón de nuevo, pero yo sí...

—Después de todo, puede que el terremoto le ahorrara un largo período de sufrimiento —dijo consternada Ellen con la copia de la esquela en la mano—. No es de extrañar que los historiadores se encontraran perdidos y acabaran dándola por desaparecida. Sin saber que se había casado y había cambiado su nombre...

—Esa fue la clave. Y di con ella gracias a la ayuda que me prestó ese holandés loco. Al principio pensé que le gustaba, pero qué va... Él ya había encontrado a su amor. —Lilly se tomó un momento para poner en orden sus pensamientos y preguntó—: ¿Hemos recibido alguna carta de Italia?

—Desgraciadamente no. El mismo día que te fuiste le escribí un correo a Enrico, pero me contestó que su amigo aún no había dado señales de vida. Una cosa así lleva su tiempo.

—Sí, probablemente. O puede que no haya nada que descifrar en esa partitura.

—Tal vez. Quizá no es tan necesario que siga buscando, ¿no te parece?

—La verdad es que el misterio de la relación entre Rose y Helen está resuelto. Ahora solo quedaría descubrir la razón por la que el violín llegó a mis manos. Y dudo de que la partitura vaya ayudarme a ese respecto.

—Seguramente no, a no ser que una de esas dos mujeres pudiera ver el futuro. —Ellen hizo una breve pausa y luego se rio entre dientes—. ¿Y bien?

—¿Y bien qué? —preguntó Lilly a pesar de saber perfectamente a qué se refería.

—A Gabriel le gustaría saber todo esto, ¿no crees?

—¡Y tanto! —repuso Lilly con una sonrisa.

—Pues entonces deberías poner fin a su tortura. ¿No ibais a salir a cenar?

—Sí, eso queríamos. —Entonces Lilly se dio cuenta de que, con la excitación de contarle a Ellen todo lo que le había pasado en Padang, se había olvidado de decirle que Gabriel había ido a verla al aeropuerto—. Lo que no sabes es que vino a verme.

—¿A Padang?

—No. Bueno, en cierto modo sí, ya que he estado pensando en él todo el tiempo. Pero no, fue aquí, en el aeropuerto. Se presentó poco antes de que saliera mi vuelo. Lo había llamado, pero lo último que me esperaba era que apareciera allí. Y sin embargo lo hizo... Me dio una carta en la que Rose le pedía a Paul Havenden que se hiciera cargo de su hija. La verdad es que esa carta me dio la pista que me permitiría después desenredar la madeja.

—Y te lo has tenido callado hasta ahora. ¡Debería darte vergüenza! —Ellen sonrió de oreja a oreja—. ¿Sabes lo que eso significa?

—¿Qué Havenden la dejó en la estacada?

—No me refiero a eso, sino a Gabriel. ¿Crees que habría hecho algo así si no estuviera loco por ti? Y pensar que estabas preocupada por su exmujer...

—Ya... —reconoció Lilly con la cabeza gacha. Pero enseguida alzó la vista y sonrió—. Ahora ya sé que le gusto.

—Pues ya estás tardando en llamarlo. ¡Vamos, mueve el trasero!

—No hace falta que me pinches.

Lilly se levantó y fue corriendo a la mesita del teléfono. Ellen no pudo evitar darle un último consejo:

—¡Llévalo al restaurante donde cenamos con las niñas! ¡Y ponte el vestido verde! ¡Cuando te vea le dará un síncope!

Nerviosa, Lilly miró por la ventana. Ya eran las siete y media. Habría sido mejor llamar un taxi. Pero al sugerírselo a Gabriel, este se había negado en redondo.

—¡Si piensas que voy a dejar que un desconocido lleve a mi dama es que estás mal de la cabeza!

Lilly no pudo evitar soltar una carcajada.

—No es la primera vez que me subo al coche de un desconocido, no creo que pase nada porque uno más me acerque al restaurante.

—No lo dudo, pero me privaría del placer de pasar unos minutos más contigo. Y no estoy dispuesto a consentirlo.

¿Qué demonios le estaría privando ahora de ese placer? ¿Dónde se había metido? Tras comprobar por enésima vez que no tenía ni un pelo fuera de su sitio y que el vestido le sentaba bien, oyó el ruido de un motor. Cuando se asomó a la ventana vio que unos faros iluminaban la penumbra. ¡Era él!

Rápidamente agarró su bolso y, con el corazón a cien, salió corriendo en dirección al salón. Allí se encontró a Dean y a Ellen sentados en el sofá, viendo la televisión. A Lilly se le escapó una sonrisa. ¿Llegará el día en que sea yo quien esté sentada con Gabriel y seamos felices haciendo algo tan cotidiano?

—¡Ya ha llegado Gabriel! ¡Me voy! —dijo tomando su abrigo.

—¡Pasadlo bien! —dijo Dean mientras Ellen se levantaba para acompañarla a la puerta.

Fuera, el coche se detuvo y, tal y como habían convenido, sonó el claxon. A juzgar por la expresión del rostro de Lilly, parecía que vinieran a buscarla para su fiesta de graduación; o que fuera Cenicienta y su príncipe hubiera llegado para llevársela con él.

—¡Ni se te ocurra hablar solo de trabajo! ¿Me has oído? —exclamó Ellen por detrás. Pero Lilly ya no escuchaba. En cuanto salió por la puerta, solo tuvo ojos para Gabriel, que se bajó del coche y la recibió con un beso.

—¡Aún no me creo que de verdad vayamos a cenar juntos! —bromeó sujetándole la puerta.

—¡Pues claro! ¿Qué te habías creído? —repuso ella, sonriendo, mientras se abrochaba el cinturón.

—Voy a pisar el acelerador. No vaya a ser que te lo pienses dos veces...

—Por eso no te preocupes —contestó Lilly entre risitas—. Además, no solo he sido yo la que ha saboteado esta cena.

—Está bien, admito mi parte de culpa. Pero ahora disfrutemos de la velada, que nos lo tenemos merecido, ¿no te parece?

Durante el trayecto, Lilly le contó todo lo que había averiguado de Rose. Solo cuando vio a Gabriel sonreír se dio cuenta de que no había parado de hablar ni para respirar.

—Se nota que le has echado ganas a la investigación —dijo él aprovechando aquella pausa.

Lilly notó que la sangre le subía a las mejillas. Estando Gabriel cerca, ¿quién quería que la investigación llegara a su fin? Ella no, desde luego.

—Por supuesto. —Y no es lo único que me apasiona, se dijo para sus adentros, mirándolo de reojo. Las luces de los coches que venían de frente iluminaban su perfil en la oscuridad. ¡Qué guapo era! De pronto, Lilly sintió un deseo ardiente, una palpitación por todo el cuerpo. Hacía mucho que no sentía algo así. Casi no le apetecía ni cenar, solo tenía hambre de él... De pronto comprendió que tenía que calmarse. Mejor vamos paso a paso, se dijo.

En esta ocasión, el restaurante estaba prácticamente lleno, y el camarero, como si intuyera lo que había entre ellos, los colocó en una mesita para dos con vistas al Támesis, sobre el cual reinaba una perfecta luna llena.

Después de intercambiar largas miradas y de que el camarero les tomara nota, Gabriel dijo:

—Estás preciosa con ese vestido. Qué bien que hayas vuelto...

—Gracias. ¿No habrás estado preocupado? —Lilly sonrió insegura y acarició el vestido por debajo de la mesa. Estaba claro que le había traído buena suerte. Y además a Gabriel le gustaba.

—Un poco sí. Quería que volvieras entera, ¿sabes? Pero es evidente que, además de haber resuelto el enigma de Rose, el viaje te ha sentado fenomenal, o al menos eso me parece a mí.

—Tienes razón, aunque he de admitir que me sentí algo insegura.

—¿Insegura?, ¿tú?

—Sí, todo era tan nuevo y tan extraño...

—Es lo que tiene ir a lugares exóticos.

—No me refiero al país o a la ciudad. Lo extraño era estar allí sola. Llevo años atrincherada, como si tuviera miedo del mundo. —Tras una breve pausa, prosiguió—: Quisiera contarte algo. Y quiero contártelo justo a ti porque has tenido mucho que ver con mi decisión de dar un paso adelante.

Entre temblores, Lilly respiró profundamente. Y de pronto sintió que algo se rompía dentro de ella, igual que le sucedía al fiel Enrique en el cuento de *El príncipe sapo*, cuando se liberaba al fin de los aros de hierro que oprimían su corazón.

Luego, con una extraña serenidad, las palabras salieron de su boca por sí solas:

—Poco antes de morir, Peter volvió en sí. Fue apenas un momento, pues el tumor ya hacía tiempo que le había arrebatado la facultad de hablar y se encontraba en tal estado de decadencia que ni siquiera estaba segura de que notara mi presencia. Sin embargo, en ese instante estaba completamente lúcido. Entonces alargó su mano hacia mí, me acarició la cara y, con una claridad que hacía tiempo que había perdido, me dijo: «Te quiero».

Yo me eché a llorar y le di un beso. Por un segundo pensé que había sucedido un milagro. Con la promesa de volver a vernos al día siguiente, me despedí de él sintiéndome en cierto modo... aliviada. Me sentía más ligera que cualquier otro día de las semanas anteriores. A la mañana siguiente me llamaron del hospital para decirme que Peter se había quedado dormido plácidamente...

Tuvo que hacer una pausa, pues de pronto se agolparon en su mente todas las imágenes que, reprimidas desde hacía tanto tiempo, habían quedado escondidas en su interior.

—Su muerte me dejó hundida —agregó—. Pero al menos supe que me quería. Igual que supe, cuando te vi por primera vez, pero sobre todo más tarde, cuando empecé a conocerte mejor, que tú serías capaz de liberarme del dolor que me oprimía.

Se hizo un silencio que duró minutos. Lilly se secó las lágrimas de las mejillas y miró a Gabriel, a quien también le brillaban los ojos. La miraba fijamente, y por su gesto se podía adivinar que sus palabras lo habían conmovido.

—Yo también quiero que sepas algo —dijo él tras ese silencio cargado de significado—. No solo Peter te quiso. Yo también te amo. Y aunque hoy sea nuestra primera cita tengo la sospecha de que entre nosotros...

No pudo seguir hablando, pues Lilly se levantó y se abalanzó sobre él. Era consciente de que acababan de convertirse en el blanco de todas las miradas pero le tomó la cara entre las manos y lo besó.

—Yo también te amo, Gabriel. Y sí, yo también creo que puede llegar a haber algo entre nosotros.

Horas más tarde, Lilly estaba mirando al techo en el dormitorio de Gabriel y sonriendo por lo que el destino le había deparado. Aún no podía creer que le hubiera pasado a ella. Y, sin embargo, ahí estaba Gabriel, a su lado, llenando el silencio del cuarto con su plácida respiración. A Lilly todavía le ardía el cuerpo después de los besos y las caricias, después de aquellos movimientos que ambos habían consumado con una complicidad y una lujuria que ella creía olvidadas para siempre. ¡Cuánto había echado de menos el sexo! ¡Y qué placer tener tan cerca a Gabriel, tan pegado a su cuerpo que ni siquiera una pluma podría deslizarse entre los dos! Es él, se dijo. Es mi hombre, ahora lo sé.

Quizá Peter le había echado una mano desde el cielo. Hasta entonces nunca había creído en el más allá ni en los ángeles, pero ahora se sentía tentada de hacerlo. Fuera como fuese, no iba a dejar que Gabriel se le escapara. A pesar de que su tiempo en Londres se estaba acabando y de que tenía que volver a casa. Seguro que habría alguna manera de estar juntos. Berlín no era el único lugar del mundo donde vender antigüedades.

A la mañana siguiente, se sentía como en una nube. Y fue así, como desde una nube, que contestó a la llamada telefónica de Sunny. Esta le dijo que las imágenes la estaban esperando en la tienda, bien guardaditas.

—Mañana regreso a casa —le dijo a Ellen esa misma tarde—. Ya tengo las imágenes. Y presiento que estoy muy cerca de descubrir el misterio del violín de una vez por todas.

Su amiga la estrechó entre sus brazos.

—Espero que tu madre o quien sea reconozca al hombre del vídeo. Ahora todo depende de él.

—Lo encontraré, puedes estar segura. ¡Y cuando lo haga te llamaré enseguida para contártelo!

—No te olvides de decírselo a Gabriel. Aunque es posible que esté haciendo guardia en el aeropuerto para convencerte de que te quedes.

—Pienso volver —dijo Lilly entre risas—. Y él también irá a verme a Berlín. O al menos eso espero.

Como no podía ser de otra manera, Ellen quiso saber hasta el último detalle de la velada con Gabriel. Lilly no se lo contó todo, pero tampoco hacían falta muchas palabras para darse cuenta de que en ese momento era una de las mujeres más felices de todo Londres. Y menos para unos ojos entrenados como los de Ellen.

—¡Ya era hora! Siempre supe que un día volverías a dejar entrar a alguien en tu corazón. Y este es el hombre indicado, Lilly, puedes creerme.

Y Lilly la creyó con toda su alma.

Cuando a la mañana siguiente el avión aterrizó en Berlín-Tegel, Lilly no sintió mariposas en el estómago como al llegar a Padang, sino el placentero bienestar de encontrarse de nuevo en casa.

Durante su ausencia, las montañas de nieve de las aceras se habían convertido en barro, pero su pequeña tienda estaba tal y como la había dejado. Por supuesto, los trastos invendibles seguían allí, en el mismo sitio, pero también era evidente que Sunny había logrado deshacerse de algunas piezas. Al entrar, mientras la campanilla de la puerta seguía tintineando, se encontró a la estudiante tras el mostrador, rodeada por un montón de libros y fotocopias.

—¡Lilly! —dijo sorprendida—. ¡Pero si ya estás aquí!

—Pues sí, aquí estoy —repuso ella—. Después de hablar contigo por teléfono tuve claro que no había tiempo que perder. Me gustaría enseñarle el vídeo a mi madre hoy mismo.

A Lilly no se le escapó el asombro de Sunny.

—Tienes muy buen aspecto. ¿Has estado tomando el sol en el parque?

—No. He estado en Indonesia —dijo como quien habla del tiempo—. ¿Dónde está el DVD? —Durante el vuelo, Lilly se había propuesto no perder más tiempo del necesario en Berlín. Probablemente su madre pondría el grito en el cielo al verla entrar de improviso por la puerta, pero algo la impulsaba a enseñarle cuanto antes las imágenes.

—¡Indonesia! ¿De verdad? Pero ¿no estabas en Londres? —preguntó Sunny mientras hurgaba en el cajón y sacaba el DVD, que había guardado en un sobre.

—Sí, pero también he estado en Cremona y en Padang.

—¡Qué pasada! —exclamó Sunny entregándole el sobre—. ¡Ya mismo me lo estás contando!

—Más tarde, cuando nos sentemos a cenar tranquilos. ¡Ahora he de ir a ver a mi madre!

Lilly guardó el DVD en el bolso y, antes de que Sunny pudiera decir nada, salió por la puerta camino de la estación.

Tras dos horas y pico de viaje, llegó a Hamburg-Eppendorf. La calle donde vivían sus padres estaba formada por una hilera de casas prácticamente iguales, salvo por el color de los tejados.

El taxista, que a diferencia de lo que solían hacer sus colegas de Londres no había abierto la boca en todo el trayecto, le ayudó a sacar la maleta, cobró la carrera y se largó.

Por un momento, Lilly se vio transportada a su infancia, que había transcurrido en esa casa. Luego abrió la cancela del jardín y entró. Entonces se dio cuenta de lo tranquilo que estaba todo aquello. Normalmente se encontraba a su padre haciendo chapuzas en el pequeño jardín, sobre todo cuando hacía buen tiempo, como era el caso. Pero allí no había nadie. La casa incluso tenía aspecto de estar abandonada.

—¿Mamá? —preguntó preocupada al llegar al pasillo. Había llamado a la puerta, pero como nadie había acudido a abrir, había decidido usar sus llaves. Un mal augurio se le agarró al estómago. Sus padres no estaban todo el día escuchando música o viendo la televisión, así que lo normal era que alguno de los dos hubiera oído la puerta. Además, su madre siempre había tenido la extraña capacidad de presentir cuándo estaba a punto de recibir una visita de su hija.

Cuando Lilly entró en el salón, se llevó un susto de campeonato. Su madre estaba tumbada en el sofá, con la cara roja como un tomate y los ojos cerrados. Se agarraba la tripa y parecía estar sufriendo unos dolores terribles.

—¡Mamá!

Echó a correr hacia ella. Cuando le puso su fría mano en la frente notó que tenía mucha fiebre. Finalmente, Jennifer Nicklaus abrió un poco los ojos.

—Lilly... —Su voz sonaba áspera, y tenía los labios agrietados.

—¿Qué te pasa, mamá? ¿Dónde está papá?

—Ha salido —jadeó con una mueca de dolor.

—¿Qué te pasa? —preguntó de nuevo Lilly, intentando no caer presa del pánico. Qué más daba lo que fuera... Necesitaban una ambulancia. Pero sería mejor si supiera qué síntomas tenía su madre.

—La tripa —dijo Jennifer con un hilo de voz—. ¡Me duele horrores!

Lilly no precisaba más información: rápidamente sacó el móvil y marcó el número de emergencias. Una vez hubo colgado, fue a la cocina a por un termómetro, un cuenco de agua fría y un paño limpio, que su madre guardaba en el mismo cajón de siempre. Tras humedecerlo, volvió junto a su madre.

—¿Se puede saber qué haces aquí sola, mamá? —le preguntó, y mientras le enfriaba la frente miró nerviosa su reloj. Entonces se dio cuenta de que aún tenía la hora de Inglaterra. Ya ajustaría el reloj más tarde, cuando su madre estuviera en el hospital—. ¿Desde cuándo estás así?

—Unos dos días. Al principio pensé que era una indigestión, pero luego los dolores fueron a más.

—¿Y por qué no has llamado al médico? ¿Dónde está papá?

—Ha ido a una regata con unos amigos del club de vela.

—¿Y cuando se fue ya te dolía?

Lilly estaba casi segura de que no había dicho nada por no estropearle el viaje.

—No. Me empezó hace dos días.

—¿Y cuánto tiempo va a estar fuera? —Lilly sabía que su padre se iba a poner de los nervios en cuanto se enterara de que su mujer se había puesto mala y no le había avisado.

—Una semana.

—¡Una semana! —exclamó Lilly, alarmada—. ¿Y por qué no has llamado a nadie?

¿Le habría dejado un mensaje en el contestador de casa?

Antes de que Jennifer Nicklaus pudiera contestar, llegó la ambulancia.

En la sala de espera del hospital apenas había gente a esas horas. La mayoría eran pacientes que habían llegado en ambulancia y sus acompañantes. Como aún era horario de consulta, la cosa estaba tranquila. El jaleo empezaba al caer la noche.

Nerviosa, Lilly se fue a la esquina donde estaba la máquina de café. Al menos allí no podía verla la enfermera, que ya le había rogado un par de veces que tuviera paciencia.

El grato recuerdo de Sumatra se había esfumado de su mente. Ahora se alegraba de haber hecho caso a su intuición y haber ido directamente a Hamburgo. Aunque no creía en la percepción extrasensorial, estaba segura de que su instinto le había impulsado a ir allí lo antes posible, aunque hubiera sido con la excusa de enseñarle cuanto antes el vídeo a su madre.

—¿Señora Kaiser?

Lilly se volvió y se llevó un buen susto al ver el rostro de la enfermera pegado al suyo.

—Sí. Dígame —dijo un poco aturdida.

—El doctor Rottenburg quiere hablar con usted.

Al oír esas palabras, Lilly se espabiló de inmediato. Rápidamente tomó el bolso, pero como estaba abierto se le cayó el monedero al suelo. Lo recogió con las manos temblorosas y después ni siquiera se molestó en volver a guardarlo, así que siguió a la enfermera con el monedero en la mano.

El olor a hospital y la visión de los enfermos que estaban en las habitaciones de urgencias con las puertas abiertas hicieron que se le revolviera un poco el estómago.

La enfermera se detuvo delante de una puerta blanca como la leche y le indicó que entrara.

—¡Qué bien, veo que está dispuesta a pagar en efectivo! —bromeó el doctor Rottenburg al verla entrar con el monedero en la mano.

Lilly, que no entendió la broma, lo miró confundida. Guio entonces sus ojos hacia donde apuntaba la mirada del doctor y, al ver el monedero, se puso colorada.

—Discúlpeme, es que...

—No se preocupe, en realidad no contaba con que fuera a pagarme, por suerte su madre tiene seguro.

El médico le hizo un gesto para que se sentara y echó mano del historial clínico.

—Espero que no le haya molestado mi burda broma. Cuando uno lleva veinte horas de guardia es muy difícil ser gracioso. Lo primero que quiero decirle es que su madre ha salido bien parada de esta.

Lilly dio gracias a Dios de que Sunny fuera una chica tan cumplidora y le hubiera dado la película nada más entrar por la puerta. De no ser así, a saber lo que habría pasado...

—Vamos a tener a su madre en observación unas horas y, si todo va bien, la subiremos a planta.

—¿Cuándo podré verla?

—En cuanto se despierte. Aún tendrá que esperar un ratito, pero así la verá con más ganas.

31

—Hola, Ellen, soy Lilly.

En cuanto llegó a casa, Lilly decidió llamar a su amiga. El episodio la había dejado tocada, pues nunca había visto tan desvalida a la mujer fuerte y abnegada que la había criado. Y aunque por suerte su madre ya estaba recuperándose, necesitaba explicarle a alguien lo sucedido.

—¡Lilly! —exclamó Ellen—. ¿Estás bien?

—Sí, yo sí, pero...

—¿Qué ha pasado? ¿Hay novedades?

—Sí que las hay. Mi madre está en el hospital.

—¿Qué? ¡Por Dios! ¿Qué le ha pasado?

—Apendicitis. Pero ya la han operado y todo ha salido bien.

—¿Y me lo dices ahora? Podías haber llamado antes.

—Lo habría hecho, pero se me fue la cabeza. Ahora estoy en Hamburgo, al cuidado de la casa. Mi padre está de viaje, en una regata con el club de vela, se va a llevar un buen susto cuando se entere.

—¿Y cómo se encuentra tu madre?

—Bastante bien.

Durante un momento, Ellen pareció estar pensando.

—¿Necesitas algo? —preguntó al fin—. ¿Un poco de apoyo moral, quizá? Si quieres, podría ir a Hamburgo un par de días.

Su oferta sorprendió a Lilly, y estuvo a punto de decirle a su amiga que se había vuelto loca. Pero no dijo nada, pues en el fondo le parecía una idea fantástica. Con Ellen a su lado todo resultaría menos penoso. Además, su madre la adoraba, así que le haría bien recibir su visita. Y de paso podría enseñarle el vídeo del misterioso anciano.

A la mañana siguiente, justo cuando Lilly se disponía a ver el vídeo en el ordenador portátil, llegó un taxi. Al principio ni siquiera le prestó atención, pero cuando llamaron a la puerta y levantó sorprendida la vista de la mesa de la cocina, vio a Ellen por la ventana. Entusiasmada, fue corriendo a abrir, y en una décima de segundo ya la tenía entre sus brazos.

—Lo que no te pase a ti... —la reprendió Ellen mientras le acariciaba la espalda.

—¡A mí no, a mi madre! En cuanto se pueda levantar pienso darle un buen tirón de orejas. ¡Mira que no llamarme! Pero pasa, que acabo de hacer café.

Ya sentadas en la mesa de la cocina, Lilly le contó con todo lujo de detalles lo sucedido y cómo se había encontrado a su madre.

—Ni en el vuelo a Padang pasé tanto miedo.

—Menos mal que viniste rápido.

—Ya lo creo, debió de ser mi sexto sentido —repuso Lilly pensativa—. Yo atribuía mi nerviosismo a que quería enseñarle las imágenes del anciano cuanto antes, pero ahora tiendo a pensar que ya tenía el presentimiento de que se encontraba mal.

—Yo diría que fue una mezcla de ambas cosas. Mi madre adoptiva solía hablar de la llamada de la sangre, y creo que no andaba desencaminada.

Por la tarde fueron en tranvía al hospital, lo cual entusiasmaba a Ellen:

—Me siento como cuando teníamos dieciséis años. ¿Recuerdas cuando íbamos en tranvía por la tarde al centro?

—Cómo iba a olvidarlo. Y también me acuerdo de que más de una vez nos equivocamos de tren a la vuelta.

—Sí, una vez mi madre estuvo a punto de llamar a la policía porque creía que nos habían raptado.

—Sí, incluso metió en el ajo a la mía. Y lo único que había pasado era que nos habíamos quedado dormidas. Nos despertamos al final del trayecto en la otra punta de la ciudad...

Antes de que Lilly pudiera añadir nada más, una voz metálica anunció por megafonía que habían llegado a su parada.

—No puedo soportar el olor a hospital —dijo Ellen mientras recorrían los largos pasillos buscando la habitación.

—A mí me pasa lo mismo —coincidió Lilly.

Cuando llegaron a la habitación, la puerta estaba abierta y una enfermera le estaba sacando sangre a Jennifer.

—¡Un momento, por favor! —exclamó la mujer al ver que venían visitas—. ¿Es usted la hija de Jennifer Nicklaus?

—Sí —se explicó Lilly—. Ella es Ellen, una amiga de la familia.

—Bien, pues ya pueden pasar, ya he terminado —dijo la enfermera extrayendo la aguja del brazo de Jennifer.

—Lilly, cariño —Jennifer recibió a su hija con un abrazo. Tumbada en la cama del hospital parecía muy vulnerable, pero a pesar de la sonda tenía mejor cara—. ¡Qué alegría verte! ¡Y además has traído a Ellen!

Esta sonrió y le dio la mano.

—Me alegro mucho de verla tan recuperada, señora Nicklaus. Cuando Lilly me llamó y me dijo que estaba en el hospital casi me caigo de espaldas.

—No te preocupes, estoy bien. Solo ha sido apendicitis. Seguramente Lilly exageró un poco.

—Al hospital solo se va cuando la cosa es grave, mamá —se defendió Lilly.

—Es verdad, pero hoy en día una apendicitis no es algo que revista peligro. —Jennifer volvió a girarse hacia Ellen—. Estás hecha toda una mujer, la última vez que te vi tenías veinte añitos y acababas de conocer a ese joven... Dean, ¿verdad?

—Eso es, Dean —dijo Ellen con una sonrisa.

—¿Hace cuánto que os casasteis? Lo menos veinte años, ¿no?

—Nos casamos hace quince años —la corrigió—. Pero antes estuvimos viviendo juntos.

—Aun así es una eternidad. Hoy en día es raro ver matrimonios tan duraderos. Pero seguro que no habéis venido hasta aquí para oír mis quejas sobre los matrimonios de ahora. ¿Qué os traéis entre manos? Que haya venido Ellen contigo indica que se trata de algo gordo. Cuando erais pequeñas, siempre que tenías algo importante que decirnos te la traías.

Lilly sonrió avergonzada, pero era la verdad. Cuando no sabía cómo decirle algo a su madre recurría a su amiga como apoyo moral.

—Quiero enseñarte un vídeo. En realidad vine a Hamburgo por ese motivo.

—¿Y no para ver a tu anciana madre? Eso me ofende...

—Pero mamá...

—Está bien, solo quería hacerte pensar un poco. ¡Enséñame el vídeo!

Lilly sacó el portátil y lo encendió.

—Hace un par de semanas vino un hombre a mi tienda y me hizo un regalo.

—¿Qué te regaló?

—Un violín. Insistió en que era mío, pero no me dijo por qué. Tampoco me dijo su nombre ni cómo me había encontrado. El caso es que me gustaría saber si lo conoces. Es posible que sea un familiar de Peter, pero antes de ir a ver a sus padres quería estar segura de que no sabes quién es.

Dicho lo cual puso en marcha el vídeo. No tenía sonido, pero la calidad era bastante buena: se veía perfectamente tanto al hombre como a Lilly. Cuando vio al anciano entregándole el violín a su hija Jennifer se puso pálida como un cadáver.

En cuanto Lilly se dio cuenta, cerró el ordenador.

—¿Estás bien, mamá? ¿Llamo a la enfermera?

—No, no hace falta —repuso su madre un poco turbada—. Me encuentro bien. Es solo que...

De pronto se quedó callada. Lilly miró perpleja a Ellen, pero justo cuando estaba a punto de apretar el botón que llamaba a la enfermera Jennifer reaccionó. Parecía que hubiera vuelto de un viaje a lo más profundo de su memoria.

—Sí que sé quién es ese hombre.

—¿Estás segura? ¿Quieres que te vuelva a poner el vídeo?

Jennifer negó con la cabeza.

—No hace falta. Vino a verme hace muchos años, cuando tú aún eras una niña. Obviamente, tanto él como yo éramos mucho más jóvenes.

—¿Y por qué me dijo que el violín me pertenecía?

—Eso no sabría decírtelo, lo mandé a paseo. Pero me dio su nombre, e incluso su dirección.

—¿A paseo? —Lilly miró asombrada a Ellen, que tampoco podía creérselo.

—Sí, a paseo. No quise saber nada del asunto. ¿Para qué quería yo un violín a esas alturas? Tenía un marido y una hija, y tuve miedo de descubrir algo que pudiera alterar mi vida. A veces es mejor dejar en paz los fantasmas del pasado...

¿Tendría razón su madre?, se preguntó Lilly. Aunque así fuera, para ella ya era demasiado tarde, pues había despertado a unos cuantos «fantasmas», e incluso conocía algunos de los secretos que se habían llevado a la tumba. ¿Qué le faltaría aún por descubrir?

—¿Recuerdas su dirección? —preguntó Ellen, a lo que Jennifer asintió.

—Aunque no quise aceptar lo que ese hombre quería darme jamás olvidaré su nombre ni cada una de las palabras que me dijo.

32

La casa baja con tejado de caña, ubicada en un barrio a las afueras de Hamburgo, estaba pidiendo a gritos una reforma, pero no parecía que el dueño pensara lo mismo. Junto a ella, un arbusto de forsitias lucía en todo su áureo esplendor, y en el patio delantero las campanillas ya asomaban descaradamente la cabeza, mientras que unas flores de azafrán de color lila jugaban a esconderse entre la hierba.

Indecisa, Lilly abrió la cancela, pero no se atrevió a poner los pies sobre el camino de baldosas que llevaba a la entrada.

—¿Y si no está?

—Pues entonces nos tocará venir otro día —repuso Ellen—. ¿Es que no vas a averiguarlo?

Mientras recorrían el caminito, Lilly reparó en el magnolio en flor que había en el patio trasero. Aunque las flores rosas de esos árboles formaban parte del paisaje berlinés, nunca había sido tan consciente de ello como ahora. También había visto magnolios en Sumatra...

Llegaron a la puerta decorada con una guirnalda blanquiazul un poco desvaída y Lilly pulsó el timbre con el corazón en un puño. Rápidamente buscó la mano de Ellen, que le dio un suave apretón y la miró con fijeza a los ojos, infundiéndole ánimos.

Durante unos instantes, que a Lilly le parecieron una eternidad, no sucedió nada. Pero finalmente se oyeron unos pasos. Entonces Ellen le soltó la mano a Lilly. Esta entendió que era una forma de decirle: «Esto es asunto tuyo y has de ser tú quien lleve la voz cantante».

En cuanto abrió la puerta, Lilly no tuvo ninguna duda de que se trataba del hombre que le había dado el violín.

Al verla se quedó de piedra.

—¡Señora Kaiser!

—¿Señor Hinrichs? Mi madre me ha dado su dirección.

Una sonrisa asomó en el rostro del anciano.

—Me preguntaba cuánto tardaría en venir —dijo echándose a un lado—. Adelante, no se queden ahí.

—Esta es mi amiga Ellen Morris. Me ha ayudado a reconstruir la historia del violín.

—Encantado de conocerla. Morris suena a inglés. ¿Es usted de allí?

—Mi marido es inglés. Yo soy de aquí.

—¿Y sabe algo de violines?

—Un poco. —Ellen sonrió.

—¡Pues ha venido al lugar indicado!

La casa de Karl Hinrichs, repleta de objetos y adornos marineros, parecía un decorado de cine. En las paredes, pintadas de azul con zócalos blancos, colgaban cuadros de navíos antiguos, y el mueble de pared estaba atestado de barcos metidos en botellas y de viejos instrumentos de navegación. El reloj de pie que había junto a la ventana, al que Lilly le echó unos ciento cincuenta años, marcaba solemnemente las horas, y cuando el péndulo se balanceaba a la izquierda, un rayo de sol lo hacía brillar.

—Querrá saber cómo llegó el violín a mis manos... —dijo tras ofrecerles asiento en unas sillas que podían tener más de cincuenta años.

—Me interesa mucho más saber por qué ha acabado en las mías. Y también por qué se fue corriendo como alma que lleva el diablo, sin darme ninguna explicación.

—Me temo que esa es una larga historia. —Una enigmática sonrisa se dibujó en ese rostro que el tiempo había llenado de arrugas—. ¿Les apetece un té? Acabo de hacerlo. Y tendrán que admitir que se habla mucho mejor con un buen té entre las manos.

—Sí, muchas gracias —dijo Lilly tras ver asentir a Ellen.

Mientras el anciano iba a la cocina, las dos mujeres intercambiaron varias miradas.

Lilly estaba muy contenta de tener a su amiga a su lado en aquel momento decisivo, pues presentía que estaba a punto de encontrar la última pieza del rompecabezas.

Pasados unos minutos, Hinrichs regresó con el té. Las blancas tazas de porcelana le recordaron a Lilly el juego de té de sus suegros.

—Por aquel entonces, yo era un joven marinero, y como quería escapar del alistamiento me enrolé en un barco mercante que navegaba por el océano Índico —comenzó a contar el anciano una vez hubo servido el té—. En 1945, poco antes de que Alemania capitulara, el ejército japonés atacó un barco de pasajeros cerca de Sumatra. Corrimos a ayudarlos, pero no pudimos evitar que el barco se hundiera. Entre los pocos supervivientes del naufragio había dos niñas, una de nueve años y otra de dos. La mayor llevaba consigo un estuche de violín.

Lilly sintió cómo se le enfriaban las manos.

—Nos dijeron que sus padres estaban en el barco, pero por más que los buscamos no dimos con ellos. El nombre de la madre era Helen Carter. Las niñas se llamaban Miriam y Jennifer.

Lilly miró a Ellen, que pareció adivinar lo que iba a decir su amiga, pero ambas guardaron silencio y dejaron que el anciano siguiera hablando.

—Enseguida sacaron de allí a las dos niñas y yo me hice cargo del violín. A los pocos días, con la intención de entregarles el instrumento, fui a la misión cristiana donde sabía que las habían llevado. Pero ya no estaban, y no supieron decirme adónde habían ido. Como no podía dejar las cosas así, me puse a investigar, y finalmente descubrí que después de la guerra habían llevado a las niñas a Alemania. Supe también que la pequeña Jennifer había sido entregada a la familia Paulsen, de Hamburgo, y Miriam a la familia Pauly.

—¡No es posible! —dijo de pronto Ellen, pálida como un muerto.

—Lo es —aseveró el anciano con una sonrisa—. Una vez dadas en adopción, las hermanas Carter pasaron a ser Jennifer Paulsen y Miriam Pauly.

Lilly y Ellen se quedaron atónitas. Miriam Pauly. Hacía mucho que Lilly no oía ese nombre. De hecho, no era capaz de asociarlo a ninguna persona en concreto, sino más bien a una sombra. Una sombra que estaba estrechamente ligada a Ellen.

Miró a su amiga y vio que sus ojos estaban vidriosos. A ella el apellido Pauly parecía decirle muchas más cosas. De hecho, habría sido su nombre de soltera si no la hubieran adoptado. Y Miriam... Miriam era su madre, su madre biológica, la joven que había muerto hacía muchos años en un accidente. Miriam Pauly y Jennifer Paulsen.

Lilly tardó unos instantes en darse cuenta. Si su madre y la madre de Ellen eran hermanas, ellas eran...

¿Sería posible que fueran primas?

—Años después busqué a Miriam para darle el violín, que llevaba largo tiempo guardado en casa de mi madre —continuó Hinrichs—. Aún ignoro por qué la muchacha no fue a recogerlo. Cuando llegué a Alemania me enteré de que Miriam había muerto hacía poco en un accidente, así que me centré en la otra niña, Jennifer, que entretanto se había casado. Cuando nos encontramos le hablé de su hermana, a lo que reaccionó con asombro. Me aseguró que no tenía ninguna hermana y que debía de tratarse de un error, lo cual es comprensible si tenemos en cuenta que solo tenía dos años cuando ocurrió el naufragio y que obviamente sus padres adoptivos jamás le hablaron de su hermana. Con todo, más adelante le escribí una carta en la que traté de explicarle lo que sabía, pero nunca recibí respuesta. Al final tuve que asumir que no tenía sentido seguir intentando devolver el violín... Pero cuando ya estaba decidido a deshacerme de él descubrí la partitura entre el forro, entonces pensé que valía la pena probar una vez más y fui a verla a usted, señora Kaiser.

El silencio siguió a sus palabras. Cada uno parecía absorto en sus propios pensamientos.

—Quisiera saber una cosa más —dijo al fin Lilly—. ¿Por qué desapareció después de darme el violín? ¿Por qué no me contó la historia entonces?

—El hombre aprende de sus errores —dijo el anciano con una sonrisa maliciosa, después de darle un sorbo al té—. No quería seguir cargando con el violín. Así que, después de las molestias que me había tomado en encontrarla, no le di la oportunidad de que me lo devolviera. Por eso me esfumé de esa manera. Espero que sepa entenderme.

Como tras la charla con Hinrichs ninguna de las dos tenía ganas de volver a casa decidieron pasear por la orilla del Alster. Al principio guardaron silencio, pero al poco Lilly preguntó:

—¿Cómo te explicas que nuestras madres nunca volvieran a verse?

—Jennifer, tu madre, era muy pequeña. Probablemente ni se acordara de su hermana. Y Miriam... —Ellen frunció el ceño y se mordió el labio inferior. Al final dijo—: Tal vez ella intentara localizarla.

—¿Tú crees?

—Tanto tu madre como la mía fueron adoptadas, ¿verdad?

—Sí.

—Pues entonces es muy posible que nuestras respectivas abuelas adoptivas hicieran lo posible por que ese encuentro no se produjera.

—¿Adónde quieres llegar, Ellen? ¿No habíamos quedado en que mi madre era demasiado pequeña como para acordarse de su hermana? —se revolvió Lilly.

—Pero mi madre no, por lo tanto es muy probable que intentara volver a verla, ¿no? Me pregunto si realmente lo intentó.

—A saber lo que les dirían sus respectivas madres adoptivas. Y una niña no puede por sí sola ponerse a buscar a su hermana. Las autoridades no le darían esa información. —Lilly se encogió de hombros—. Lo mejor será ir mañana a ver a mi madre y preguntárselo directamente. Si hay alguien capaz de contestar a esa pregunta, ese alguien es ella.

Al día siguiente, pegada a la cama del hospital, Lilly intentó contarle la historia a su madre lo más sosegadamente posible; cosa difícil, pues por dentro le bullían las preguntas. Aún no podía creerse que Ellen y ella fueran primas.

Jennifer cruzó las manos sobre la manta y escuchó sin decir palabra mientras Lilly y Ellen se iban pasando el testigo para contarle la historia de las dos infortunadas mujeres.

Cuando terminaron, el silencio se cernió sobre sus cabezas. Cada una se sumió en sus pensamientos. Lilly miró a su madre, ese rostro tan familiar que, sin embargo, ocultaba una historia que ni siquiera ella misma podía intuir. ¿Rechazaría ahora esa historia como hizo en su día con el violín?

−¿Intentó mi madre, es decir, su hermana, contactar con usted en algún momento? −preguntó Ellen, rompiendo el silencio.

Jennifer suspiró y volvió a quedarse callada unos segundos.

−Sí, lo hizo −dijo al fin−. Lilly, cuando vuelvas a casa, mira en el último cajón de la cómoda de mi dormitorio. Abajo del todo hay una carta. Enséñasela a Ellen antes de que se vaya, ¿de acuerdo?

Lilly asintió y lanzó una mirada a Ellen, que intentaba aplacar los nervios mordiéndose el labio inferior.

−De niña me rondaba a menudo por la cabeza ese recuerdo −prosiguió Jennifer con la mirada puesta en el vacío de la pared de enfrente−. Estábamos en un barco, con mi hermana y mis padres. Eso era todo lo que recordaba, pues era muy pequeña, como una foto que siempre llevaba conmigo, una instantánea. Del ataque no recuerdo nada, y del resto tampoco. Solo que tenía una familia: un padre, una madre y una hermana. −Tras una breve pausa, continuó−: Con el tiempo llegué a creer que habían muerto, o que solo eran producto de mi imaginación. Y de pronto un día aparece ese hombre con el violín afirmando que tenía una hermana. Y yo lo eché de malos modos porque pensé que estaba loco. Pero luego investigué. Nunca olvidaré lo que decía la carta que recibí poco después. Estaba fechada el día 14 de agosto de 1973, y en ella el registro civil me comunicaba que era adoptada y que, en efecto, tuve una hermana, que a su vez fue adoptada por otra familia.

Lilly notó que Ellen estaba a punto de llorar.

—Mi madre murió el 22 de febrero de 1973. Se salió de una carretera helada y se estrelló contra un árbol. Mis padres adoptivos me lo contaron cuando cumplí dieciséis años. Nunca me ocultaron que tenía otra madre.

—Pues a mí mis padres no me contaron nada —adujo Jennifer—. Les enseñé esa carta y lo único que conseguí fue que no me hablaran durante más de dos años. Proseguí con mis pesquisas y los resultados no pudieron ser más desesperanzadores: me enteré de que Miriam Pauly había muerto en un accidente de coche. Busqué su lápida, y al leer la inscripción supe que su hijo pequeño estaba enterrado con ella, y que nuca se casó, por lo que supuse que ya no había más familia que buscar. La pareja que acogió a Miriam también había fallecido, así que di por sentado que ya no quedaba nadie más a quien preguntar. Decidí no remover más el asunto y no contárselo a nadie. Si hubiera sabido que tú eras mi sobrina...

—Mi madre no pudo contarme que tenía una tía —repuso Ellen—. Y en la Oficina de Protección de Menores no sabían nada al respecto. Lo único que me dijeron era que había sido adoptada.

—¿Quién iba a imaginárselo, mamá? —dijo Lilly posando la mano sobre el brazo de su madre. La posibilidad de haber crecido junto a Ellen habría sido maravillosa, pero ninguno de los implicados pudo hacer nada para que así fuera.

—Pude haber ido a ver a ese tal Karl Hinrichs y decirle que estaba en lo cierto, pero no tuve valor. Aunque no conocí a mi hermana, sentí mucho su muerte, pero viéndote a ti quiero pensar que todo lo que pasó no fue en vano. Y ahora, gracias a vosotras dos, he podido conocer la historia completa.

33

La llamada pilló a Lilly a la salida del hospital, mientras corría para tomar el tranvía. A su madre estaban a punto de darle el alta y su padre regresaba de su viaje al día siguiente. Por desgraciada, el tiempo de Ellen en Hamburgo tocaba a su fin. Esa misma tarde volvería junto a Dean y las niñas, a las que podría contarles que «tía Lilly» era realmente su tía, una tía de segundo grado, pero su tía al fin y al cabo.

−¿Qué tal por Hamburgo?

Era Gabriel. Una sonrisa se dibujó en el rostro de Lilly.

−Bien. Aunque no tanto como tú en Londres.

−¿Cómo está tu madre?

Después de visitar a Karl Hinrichs, le había escrito un largo correo contándole toda la historia.

−Mejor, incluso hace bromas. Si todo marcha como hasta ahora, le darán el alta pasado mañana. Y se lo hemos contado a mi padre: se ha quedado de piedra. Mañana mismo regresa.

−Me lo imagino. Yo también estaría preocupado.

Lilly sonrió soñadoramente para sus adentros. Era agradable sentir cómo el amor crecía en su corazón como una planta que va echando brotes. Y también lo era constatar que a Gabriel le pasaba lo mismo.

−¿Cuándo voy a volver a verte? −preguntó él, después de que ambos guardaran un breve y armonioso silencio.

−Preferiría ser yo quien volara a Londres −respondió Lilly−. Pero primero he de echar un vistazo a la tienda. No puedo seguir abusando por más tiempo de Sunny. Ya ha hecho demasiadas cosas por mí.

–¿Se te ha ocurrido pensar que también podrías vender antigüedades aquí? Sobre todo tratándose de objetos provenientes de Alemania. No sé si sabes que los relojes de cuco están causando furor, tanto entre los turistas como entre los londinenses.

–Es una pena que yo no venda relojes de cuco –dijo Lilly con una sonrisa, y enseguida recordó que la primera noche que pasaron juntos ella había tenido la misma idea.

–Pues tendrás que hacer acopio de ellos. Pero, al margen de los relojes de cuco, ¿qué te parece? ¿Te imaginas viviendo en Londres?

–Cuando pienso en ti, soy capaz de imaginar cualquier cosa –repuso ella–. Incluso mudarme a Londres. Pero, por otro lado, mis padres viven aquí. Y no son precisamente unos chavales.

–Para eso están los aviones –adujo Gabriel, y Lilly notó que se había puesto serio.

–Sí, para eso están. Ya hablaremos un poco más adelante.

–¿De los aviones?

–No, de mi traslado a Londres. Nos conocemos desde hace apenas un par de semanas. Tal vez te hartes de mí antes de lo que crees.

–Lo dudo mucho, no soy de los que se enamoran con facilidad. Pero entiendo lo que quieres decirme. Tendré que esforzarme más para convencerte.

–¿Esforzarte aún más?, ¿lo crees posible?

–Ya pensaré algo. ¡Tenlo por seguro!

Y así se despidieron. Lilly cerró su móvil y miró feliz al cielo. Un trocito azul asomaba entre las tupidas nubes, y un poco más allá un rayo de sol caía sobre la tierra. ¿Qué estaría iluminando? Jadeante y alegre, guardó el teléfono en el bolso y se subió al tranvía.

Llegó a casa de sus padres y vio un coche desconocido aparcado en la puerta. Por la matrícula supo que era alquilado. ¿Tendrían visita? ¿O había alquilado Ellen un coche? Pero ¿para qué?

Cuando cruzó la puerta del jardín se detuvo a respirar el aire primaveral. Olía a tierra mojada.

Tras haber descubierto el enigma del violín se sentía en paz consigo misma. Saber que Ellen no solo era su amiga sino también su prima era una de las mejores cosas que le habían sucedido ese año. ¿Qué más podía pedir?

Al entrar en casa oyó voces. Ellen estaba hablando con un hombre... ¡Esa risa le era muy familiar! A grandes zancadas irrumpió en el salón, y una vez dentro se quedó pasmada.

—¿Gabriel?

Gabriel se levantó de un salto y puso la sonrisa más desvergonzada que jamás le había visto.

—El mismo que viste y calza.

—Pero si acabamos de hablar por teléfono, ¿cómo es posible que...? —Antes de terminar la frase se le iluminó una bombillita—. ¡Me has llamado desde aquí! ¡Por eso lo hiciste con número oculto!

Él se echó a reír.

—Me has pillado.

—Pero cómo... —Su mirada se posó en Ellen, que sonrió con picardía.

—En avión, Lilly, en avión. Uno de los mejores inventos de la humanidad. Precisamente, Hamburgo tiene una frecuencia de vuelos envidiable.

Lilly estaba impresionada. De pronto fue como si mil mariposas se hubieran puesto a revolotear en su estómago.

—Y yo contándote todas esas cosas como una tonta...

—Como una tonta no. Gracias a ti, el tiempo que tardó el semáforo en cambiar a verde se me pasó enseguida.

—Pero ¿por qué no me dijiste nada?

—Supuse que la nueva Lilly preferiría que le diera una sorpresa.

Después la estrechó entre sus brazos y la besó.

–Bueno, entonces todavía queda por descubrir por qué lord Havenden faltó a su palabra y dejó en la estacada a su amante embarazada –dijo Ellen mientras se sentaba a la mesa de la cocina con una taza de café y un trozo de bizcocho que había comprado en una panadería del barrio.

Una expresión triunfal se dibujó en el rostro de Gabriel.

–Has averiguado algo –aventuró Lilly.

–A raíz de la carta que encontré en casa de los Carmichael decidí investigar a los Havenden. Tarea que, por cierto, no resultó fácil, ya que ese apellido desapareció hace tiempo. Tras mucho insistir encontré a la hija de su hermana, que ahora vive en Devonshire, cuidada por una enfermera. La vieja dama no conoció en persona a Paul Havenden, pues nació en 1920. Pero aún se acordaba bien de las historias que le contaba su madre. Por eso sé que Paul Havenden murió con su esposa Maggie en un naufragio en el océano Índico.

–¿Qué? –exclamó Lilly, tapándose la boca con la mano.

–He comprobado que, efectivamente, en 1902 un barco de pasajeros naufragó al chocar una noche contra un vapor correo. Hoy en día se hablaría de fallo humano, pues el capitán del vapor correo erró al calcular la ruta.

–Entonces, ¿es posible que quisiera casarse con Rose?

–Tal vez, quién sabe. Lo cierto es que no tuvo tiempo de demostrar su honestidad.

Lilly necesitó un momento para digerirlo.

–¿Sabía la sobrina de Paul algo sobre la carta que Rose quiso hacerle llegar?

–No, no creo. Tiendo a pensar que la carta que hallé en casa de los Carmichael nunca llegó a la de los Havenden. Carmichael debió de enterarse de que Paul había muerto.

–¿Y dejó creer a Rose que él la había olvidado? –Ellen meneó indignada la cabeza–. Pudo haberle dicho lo ocurrido.

–Bueno, quizá quiso protegerla.

–¿Protegerla? –Lilly también estalló–. ¿Qué puede haber peor que creer que nunca has sido amada de verdad? La noticia de la muerte de Paul habría sido un duro golpe para Rose, pero al menos le habría quedado el consuelo de saber que había sido amada. Puede que incluso hubiera tomado otra decisión con respecto a su hija. Y también es posible que hubiera intentado volver a enamorarse.

En ese instante sonó el móvil de Ellen y esta salió de la cocina para atender la llamada.

—Si eso no es una señal... —dijo Gabriel echándose sobre Lilly y dándole un beso, esta vez mucho más largo y apasionado que cuando Ellen estaba delante.

—¿Qué va a pensar mi prima de nosotros? —le espetó Lilly.

—¿Que estamos locamente enamorados el uno del otro?

Lilly sonrió de oreja a oreja.

—Espero que dispongas de tiempo y quieras quedarte un poco más en Alemania. Me gustaría mucho enseñarte mi tienda.

—No sé. Sabiendo que no tienes relojes de cuco...

EPÍLOGO

La luz del sol inundaba su apartamento de la Berliner Strasse cuando el timbre arrancó bruscamente a Lilly de su plácido sueño. Quejosa, abrió los ojos y alcanzó el teléfono de la mesilla de noche.

—Kaiser...

—¡No te lo vas a creer! —vociferó Ellen por el altavoz.

—¿Ellen? —Se restregó los ojos. La pasada noche se había alargado más de lo esperado y ahora, al ver el despertador, comprobó con sorpresa que eran más de las diez—. ¿Qué no me voy a creer? ¿Te ha tocado la lotería?

—¡No! ¡Hemos recibido una carta!

—¿Una carta?

A esas horas su mente iba demasiado despacio como para entender lo que Ellen le decía.

—Nos ha escrito Enrico. Te acuerdas de él, ¿no?

Mientras se iba desperezando poco a poco, Lilly vio de nuevo ante sí la estación de Cremona y ese hermoso *palazzo,* y también a su apuesto habitante.

—Sí, me acuerdo de él. —De pronto se le abrieron los ojos—. Oh, Dios, no me digas que...

—Lo ha hecho. Bueno, ha sido su amigo. Ya tenemos el análisis de la partitura.

—¿Y bien? —Ahora estaba completamente despierta. Y eso que después de los descubrimientos de las últimas semanas ya había pocas cosas que pudieran sorprenderla.

—Tu sueño no iba nada desencaminado.

Hizo una pausa.

—No juegues conmigo... ¡Acaba con esta tortura!

—En la partitura había algo parecido a un mensaje en clave. Al parecer, la compositora se la dedicó a su madre, ya que descifrando las notas de cierta manera sale un nombre.

—¿Qué nombre? ¿Y cómo lo descifró el amigo de Enrico?

—En la carta, Enrico divaga sobre toda una serie de enrevesados cálculos. Lo que cuenta es que su amigo ha logrado descifrarlo, no me preguntes cómo. El resultado de toda esa cábala es una palabra de cuatro letras.

De buena gana Lilly se habría introducido por el altavoz del teléfono para zarandear a su amiga, que obviamente la estaba haciendo sufrir a propósito.

—¿Adit? —preguntó.

—No. ¡Rose!

—¿Qué?

—Rose.

—¡No puede ser!

—¿Por qué no?

—Entonces, ¿no fue Rose quien la compuso?

—Yo no diría eso tan a la ligera. O bien Helen le dedicó la obra a su madre, o bien Rose inmortalizó su propio nombre en la composición. También cabe la posibilidad de que el amigo de Enrico no haya parado de darle vueltas a la partitura hasta sacar algo en claro y en el fondo no sea más que una enorme coincidencia.

—Tal vez —dijo Lilly, a quien la decepción apenas le duró un instante. Había resuelto la mayor parte del misterio y, además, había vuelto a reunir a su familia. ¿Qué más podía pedir?

—¿Está Gabriel contigo?

—Sí.

—Salúdalo de mi parte, ¿vale?

—¡Vale!

Ambas colgaron a la vez. Lilly volvió a dejar el teléfono en la mesilla de noche. Luego se volvió hacia Gabriel. No parecía haber oído el timbre del móvil, pues seguía durmiendo plácidamente. Dedicó un momento a observarlo, aunque llevaba días haciéndolo, siempre descubría algo nuevo en él. Después de aparecer por sorpresa en casa de sus padres, lo había convencido para que se quedara dos semanas más, que por desgracia se acababan al día siguiente. Aunque lamentaba tener que separarse de él, no sería por mucho tiempo, pues tenía pensado ir a verlo muy pronto. Los planes de mudarse a Londres aún estaban lejos de concretarse, pero Lilly había empezado a plantearse en serio esa opción. Por el momento quería poner en orden sus pensamientos, diseñar su nueva vida. Pero para eso hacía falta tiempo, y no sabía cuánto le iban a durar las energías y la confianza en sí misma. Sin embargo, con la ayuda de Gabriel, estaba segura de que lo lograría.

—Gabriel —susurró suavemente mientras le hacía cosquillas en la cara con un mechón de su pelo.

—Umm —profirió él, a quien ni siquiera las cosquillas parecían despertarlo. Entonces se inclinó sobre él y le dio un beso en la mejilla, pero no pasó nada. Solo cuando lo besó en la boca levantó rápido los brazos y la abrazó. Dando grititos de júbilo, Lilly se acurrucó contra su pecho.

—Ellen te manda saludos. Ha recibido una carta de Enrico di Trevi.

—Me he dado cuenta. Al menos de la llamada de Ellen.

—¿No estabas dormido?

—¿Quién va a dormir con semejante ruido?

—Pensé que estabas inmerso en tus sueños.

—Eso solo me pasa cuando sueño contigo, de lo contrario suelo salir bastante rápido del mundo onírico. Y afortunadamente, ya no necesito soñar contigo, ya que te tengo aquí.

Volvieron a besarse y a continuación Gabriel la miró expectante.

—¿Hay novedades?

—Poca cosa... Solo que la partitura al final encerraba un código. Uno que da como resultado una sola palabra: Rose. Pero seguimos sin saber quién compuso *El jardín a la luz de la luna*.

—¿Tú crees que nos hace falta saberlo? —repuso Gabriel, y luego soltó un enorme bostezo.

CORINA BOMANN

La isla
de las
mariposas

Descubre la novela revelación del género
landscape, un apasionante viaje a la antigua
isla de Ceilán en el siglo XIX

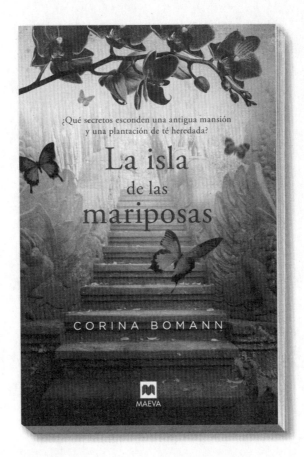

1

BERLÍN, ABRIL DE 2008

Diana Wagenbach se despertó cuando la luz rojiza del amanecer le acarició la cara. Suspirando, abrió los ojos e intentó orientarse. El enorme tilo del jardín arrojaba su sombra sobre los altos ventanales del invernadero, que lindaba con el cuarto de estar. Unas manchas de luz salpicaban la alfombra granate, que protegía el viejo parqué de los arañazos. El aire estaba impregnado de un extraño olor. ¿Habría vertido alguien alcohol?

Diana tardó un rato en darse cuenta de cómo había ido a parar al sofá de cuero blanco. Aún llevaba puesta la ropa de la noche anterior, y tenía la negra melena rizada empapada en sudor y pegada a la frente y a las mejillas, así como los labios resecos.

—Ay, Dios mío —gimió mientras se incorporaba.

Le dolían los brazos y las piernas, como si la noche anterior hubiera estado arrastrando cajas de mudanza. Además, la mala postura en la que había dormido le había debilitado la espalda.

Al desplomarse en el respaldo, por poco le da un ataque. El cuarto de estar parecía un campo de batalla, no porque se hubiera celebrado una fiesta por todo lo alto, sino porque ella había perdido el control. Asustada, se frotó los ojos y las mejillas.

En realidad, Diana era una persona tranquila y algo más que paciente, en opinión de sus amigos. Pero el día anterior había visto a su marido, Philipp, con esa mujer. Es cierto que formaba parte de su trabajo hablar de negocios una vez concluida la jornada laboral. Pero lo que desde luego no formaba parte de su trabajo era besar apasionadamente a su interlocutora y acariciarle ansiosamente los pechos.

Ojalá me hubiera quedado en casa, pensó Diana mientras se sentaba y se miraba los moratones de los brazos. Pues no; tuve

421

que ir a nuestro restaurante favorito pensando que, tras un duro día de trabajo, me merecía algo especial.

Mientras se levantaba del sofá e intentaba mover sus doloridos huesos, repasó de nuevo la noche anterior.

Naturalmente, no había tenido el valor de enfrentarse a Philipp allí mismo, en el restaurante. Antes de que él se diera cuenta, se fue corriendo a casa y, después de dar un portazo, se echó a llorar en el sofá. ¡Cómo podía hacerle una cosa así!

Después de la llantina, se había dedicado a recorrer la casa y a torturarse con un sinfín de preguntas. ¿Había habido indicios? ¿Tendría que haberlo intuido? ¿O estaba equivocada y solo se trataba de un beso de lo más inocente?

No, ese beso era de todo menos inocente. Y sinceramente, la nave de su matrimonio llevaba ya mucho tiempo escorada, a la espera de una ráfaga de viento que la hiciera zozobrar.

Le pasaron mil maldiciones por la cabeza. Reproches, amenazas, insultos, exigencias. Pero luego, cuando apareció Philipp con las llaves en la mano, se le había pasado el propósito de montarle un número. A cambio, se limitó a mirarle y a preguntarle imperturbablemente quién era la mujer a la que estaba abrazando tan apasionadamente.

—Cariño, yo… ella…

Cuando le aseguró que solo se trataba de una conocida, no le prestó el menor crédito. Uno de los dones de Diana era reconocer las mentiras. Ya desde pequeña sabía siempre quién no le decía la verdad. A veces, incluso había pillado a su tía abuela Emmely ocultándole algo.

—¡Lárgate! —fue la única palabra que logró decirle.

Lárgate. Luego dio media vuelta y se dirigió al invernadero. Mientras veía su imagen reflejada en el espejo y miraba hacia el jardín iluminado por la luna, oyó a su espalda cómo se cerraba la puerta.

Ese habría sido el momento ideal para irse a la cama y consultar sus penas con la almohada. Pero Diana reaccionó de otra manera.

Ahora a ella misma le escandalizaba su reacción. Hasta entonces nunca había perdido los estribos de aquella forma. Lo primero que hizo fue arrojar un jarrón contra la pared. A continuación, llegó el turno de las sillas del rincón del comedor. Con todas sus fuerzas las lanzó por la habitación, rompiendo a su paso la mesa baja de cristal junto al sofá y la vitrina que albergaba los premios de Philipp. También habían alcanzado a una botella de whisky de malta, cuyo contenido había absorbido la alfombra.

Más me valdría habérmela bebido, pensó sarcásticamente. Así no tendría que explicarles a los del seguro lo que ha pasado aquí.

Los cristales le lanzaban feroces destellos y crujían bajo sus zapatos mientras atravesaba la habitación. Un baño restablecería el equilibrio de su alma y le brindaría la posibilidad de ordenar sus sentimientos.

Después de desnudarse, se miró en el espejo y se sintió ridícula. ¿Era necesario que se preguntara qué tendría la otra que ella no tuviera?

Aunque tenía treinta y seis años, no los aparentaba; los que no la conocían le echaban veintiocho o veintinueve. Aún no le habían salido las canas con las que, según la publicidad, había que contar a partir de los treinta y cinco. Su melena negra e inmaculada le caía por los hombros, que habían adquirido, como los brazos, el tono dorado del verano que tanto envidiaban sus empleadas y sus amigas. El resto de su cuerpo, no en forma pero sí esbelto, ofrecía un tono más claro y reclamaba una estancia en la playa para poder igualarse a los brazos.

Vacaciones, pensó mientras suspiraba al entrar en la cabina de la ducha. Tal vez debería hacer un viaje para olvidarme de toda esta penuria.

Bajo el chorro templado de la ducha recobró los sentidos, pero por desgracia también el ardor que le producían los nervios en la boca del estómago. Quizá el agua lavara las huellas que la noche pasada había dejado en su piel y en su pelo, pero no las borraba del todo.

Al principio, Diana quiso ignorar los timbrazos del teléfono. Sería Philipp, que le vendría con alguna disculpa tonta. O, en el peor de los casos, quizá le preguntara cómo se sentía. Como había desconectado el móvil, su marido no tenía otra posibilidad de dar con ella.

El teléfono no dejaba de sonar; se le pasó por la cabeza que podía ser Eva Menzel, su socia del bufete de abogados, de modo que salió del cuarto de baño envuelta en una suave toalla azul y fue al pasillo, donde descolgó el auricular. Si es Eva, puedo decirle que hoy no apareceré por el despacho.

—Wagenbach —dijo al aparato.

—¿La señora Wagenbach? —preguntó una voz con acento extranjero.

Sorprendida, se quedó sin aire.

—¿Señor Green?

El mayordomo de su tía se lo confirmó en un alemán chapurreado, por lo que Diana empezó a hablar con él en inglés.

—Me alegro de oírle, señor Green. ¿Va todo bien?

¿Cuánto tiempo hacía que no hablaba con su tía? O con el mayordomo, que actuaba como una especie de mediador y le sostenía el auricular a la tía Emmely, cuyos brazos no le respondían bien desde que padeció un ataque de apoplejía.

—Me temo que no tengo noticias demasiado buenas para usted.

A Diana sus palabras le sentaron como un puñetazo en el estómago.

—Por favor, señor Green, no me torture y dígame qué ha pasado.

El mayordomo dudó un momento antes de atreverse a pronunciar lo inevitable.

—Por desgracia, su tía sufrió hace dos días otro ataque de apoplejía. Se encuentra ingresada en el Hospital Saint James de Londres, pero los médicos no saben cuánto tiempo aguantará.

Diana se llevó la mano a la boca y cerró los ojos, como si de esta manera pudiera bloquear la mala noticia. Pero ya se le había grabado la imagen en la memoria: una mujer mayor cuyo pelo rubicundo iba adquiriendo paulatinamente el color de la nieve. Una sonrisa bondadosa en sus labios fruncidos. ¿Cuántos años tenía la tía Emmely? ¿Ochenta y seis u ochenta y siete? La abuela de Diana, prima segunda de Emmely, que había nacido más o menos al mismo tiempo, llevaba ya muchos años muerta.

—¿Señora Wagenbach? —La voz del señor Green disipó como una ventolera los últimos pensamientos de Diana.

—Sí, sigo al aparato. Es que me he quedado de piedra. ¿Cómo pudo pasar?

—Su tía tiene una edad avanzada, señora Wagenbach, y la vida no siempre la ha tratado bien, si se me permite emitir un juicio. Mi madre solía decir que las personas son como los juguetes, que tarde o temprano acaban por romperse. —Hizo una pausa, como si estuviera imaginando a su madre—. Debería venir. La señora me ha encargado que le diga que venga mientras aún esté algo consciente.

—¿De manera que ha hablado con ella?

En Diana brotó una pequeña y absurda chispa de esperanza. A lo mejor los médicos conseguían curarla. ¿No se decía que uno no moría hasta el tercer ataque de apoplejía?

—Sí, pero está muy débil. Si desea cumplir su deseo, debería venir, a ser posible, hoy mismo. Si se decide a hacerlo, la recogeré yo personalmente en el aeropuerto.

—Sí, iré… Solo tengo que mirar a qué hora sale el siguiente avión y si queda una plaza libre.

—De acuerdo —respondió el mayordomo—. ¿Sería usted tan amable de comunicarme por correo electrónico a qué hora llega exactamente? No me gustaría hacerla esperar en mitad de la lluvia.

—Muy amable por su parte, señor Green. En cuanto sepa el número de vuelo, le enviaré un correo.

De nuevo se hizo una breve pausa. Al otro lado de la línea se oyó un chisporroteo. ¿Se habría cortado la comunicación?

—De verdad que lo siento mucho, señora Wagenbach. Lo dispondré todo de modo que tenga aquí una estancia agradable.

—Muy amable, señor Green. Muchas gracias y hasta luego.

Colgó y se sentó. Naturalmente, no en mitad de los cristales rotos, sino en la cocina. En casa de Emmely también se sentaba siempre en la cocina, cuando iba a visitarla con su madre, Johanna.

Johanna había tenido una relación muy especial con Emmely; no en vano, la había criado después de que su propia madre muriera al nacer ella en medio del caos del final de la guerra. A Beatrice solo la conocía por una foto amarillenta, sacada poco antes de que naciera Johanna. Diana nunca había entendido por qué Emmely, que no tenía hijos, no había adoptado a su madre.

Cuando oyó que daba la hora el reloj del salón, un regalo que Philipp le había traído de Chequia y que ella odiaba pero soportaba por él, recordó que el tiempo pasaba y los aviones no esperaban.

Aunque el disgusto se le agarraba al estómago, y pese a la tiritona que le recorría todo el cuerpo, no tardó más de cinco minutos en vestirse. Eligió ropa cómoda: unos vaqueros, una blusa de manga corta y un fino jersey de punto de color granate por si acaso refrescaba. Se recogió la negra melena rizada en una coleta. Por esta vez prescindió del maquillaje. La práctica que había adquirido en sus numerosos viajes de negocios le ayudó a hacer la maleta en un santiamén. Tampoco metió demasiadas cosas: una blusa de muda, una falda y un cepillo de dientes. Y también el portátil, un cuaderno y, naturalmente, cables y cargadores. Cerca de Tremayne House había un pueblo pequeño que ofrecía todo lo que pudieran necesitar los excursionistas de la zona. Mientras llevara consigo el monedero y la documentación, lo demás podría comprarlo.

Llegó a la puerta y echó un último vistazo al desorden que dejaba atrás. Los pedacitos de cristal brillaban como diamantes a la luz del sol. Que los recoja Philipp, pensó, y en el fondo se alegró de no haber dejado una nota, como hacía cada vez que tenía que irse urgentemente a alguna parte.

Fuera, se montó en su Mini rojo, que tan buen servicio le hacía cuando se atascaba el tráfico en Berlín, y al poco rato enfiló la autovía en dirección al aeropuerto.

Casi al mismo tiempo, el señor Green se dirigía a una estantería de libros que había en el despacho del anterior señor. Su señora le había dado unas instrucciones muy precisas en el caso de que falleciera. Debía encargarse de que Diana lo encontrara. El secreto.

Él no lo conocía. Después de tantos años de servicio en Tremayne House había dejado de sentir curiosidad, si bien tenía que reconocer que desde el primer día había notado que la casa ocultaba algo. Y quién sabe, a lo mejor, pocos años antes de jubilarse, aún podía ser testigo de un descubrimiento revelador.

Hacía un año, la señora Woodhouse le había empezado a hablar del rompecabezas de las pistas. En aquella ocasión, ella creyó que el ángel de la muerte se hallaba ya ante su puerta. Pero Dios le había concedido más tiempo, el suficiente para ir dejando rastros. Una foto aquí, una carta allá… Esta última, dentro de un libro que naturalmente, a ojos de la interesada, debía pasar desapercibido entre los que lo rodeaban. Eso la ayudará a superar mi muerte, opinaba la señora. Aunque Diana llevaba años sin dejarse ver, la señora Woodhouse nunca dudó del amor y de la lealtad de la chica, que ocupaba en su corazón el lugar de una nieta.

El señor Green buscaba en la estantería un título muy concreto. Desde la muerte de la anciana señora Deidre, la madre de Emmely Woodhouse, no se había alterado el orden de los libros. Ni siquiera durante la guerra, que lo dejó todo patas arriba, se cambió de sitio ningún libro.

¡Ah, ahí estaba! Encuadernación verde, letra dorada desgastada. Un libro que parecía haber sido colocado allí al azar. Pero, para quien conociera el ejemplar, saltaba claramente a la vista. Por si acaso la visitante estaba demasiado triste como para pensar con claridad, el mayordomo lo extrajo un poco, un trocito que no llegaba a un dedo. El ruido que hizo sonó como el suspiro de alivio de un moribundo que por fin puede pasar a mejor vida.

El señor Green retiró la mano y contempló satisfecho su obra. Cuando la luz vespertina entrara por los ventanales, aunque el cielo estuviera nublado, ese libro llamaría sin duda la atención de la interesada.

2

La previsión climática del señor Green cuando le dijo que no quería dejarla plantada en medio de la lluvia parecía cumplirse al pie de la letra, pues cuando el avión procedente de Berlín aterrizó en Heathrow, Londres estaba completamente encapotado por unos nubarrones que convertían el día en noche. La llovizna dio paso a un chaparrón; grandes gotas de agua azotaban el aeropuerto y las ventanas del autobús que llevaba a los pasajeros hasta la terminal.

Después de recoger su maleta de la cinta transportadora, Diana se apresuró a la sala de espera, donde debía encontrarse con el señor Green. Aunque este había recibido a tiempo su correo, el intenso tráfico de las horas punta podía gastarle una mala jugada incluso al más concienzudo de los mayordomos.

Era tal la muchedumbre que al principio no logró verlo, pero finalmente lo localizó junto a la puerta. En ese mismo momento se cruzaron sus miradas, y él alzó la mano para saludarla.

Diana aceleró el paso, se disculpó al tropezar con el carrito de un hombre y caminó a través de un grupo de japoneses que alegremente enfocaban sus cámaras hacia un tablón de anuncios.

Cuanto más se acercaba, más le parecía que el señor Green apenas había cambiado desde la última vez que lo vio hacía cinco años. Ahora ya tenía cincuenta y muchos, pero su pelo perfectamente peinado tan solo presentaba unos hilillos de plata, y además no le sobraba un gramo de grasa en el cuerpo. El abrigo loden que llevaba encima del traje tenía un corte tan impecable que se le podría confundir perfectamente con un adinerado hombre de negocios.

Así es tía Emmely, pensó Diana apesadumbrada. La perfección en todo. En el señor Green, que llevaba ya casi treinta años a su servicio, había encontrado al mayordomo perfecto.

—Bienvenida a Londres, señora Wagenbach. Me alegro de volver a verla.

Su apretón de manos era tan cálido y efusivo como su sonrisa. Sin querer, Diana se preguntó si tendría novia de nuevo, después de que la última se largara hacía unos años con un marinero.

—Yo también me alegro de verlo, señor Green —respondió Diana con sinceridad, pues el mayordomo irradiaba algo que la tranquilizaba. Ella aún sigue viva, le susurraba una voz. Todavía llegamos a tiempo—. ¿Ha conseguido sortear el tráfico?

—Estupendamente, señora —contestó él con cortesía, mientras se colgaba del brazo un paraguas de enormes dimensiones—. He tenido la fortuna de hallar aparcamiento un poco más adelante, de modo que se nos brinde la posibilidad de llegar hasta allí, en cierto modo, secos.

Una sonrisa iluminó el rostro de Diana. Era inútil intentar entablar una conversación cercana con el señor Green. Tendrían que pasar unos cuantos días hasta poder arrancar del mayordomo, tan consciente de su deber, algunas palabras personales.

Fuera, los recibió un fuerte aguacero que impulsaba a algunos pasajeros, pese al equipaje, a correr como si les fuera la vida en ello. Imperturbable, el señor Green abrió el paraguas y tapó a Diana.

—¿Vamos, señora?

A Diana le costaba trabajo andar al mismo paso que el hombre, cuyas piernas medirían unos veinte centímetros más que las suyas, y evitar a la vez los charcos que se formaban en el suelo a la velocidad del viento.

Por fin se detuvieron ante una limusina negra, un Bentley Brooklands del 98. A pesar de tener ya diez años a sus espaldas, el coche parecía muy cuidado. Seguramente Emmely lo habría usado solo de tarde en tarde. Y Diana dudaba que el señor

Green lo utilizara para sus viajes privados. Era demasiado correcto como para hacer una cosa así.

Con una sonrisa, el mayordomo le sostuvo la maleta y abrió la puerta. Mientras ella subía, él metió su equipaje en el maletero.

—Supongo que querrá ir directamente al hospital —dijo, después de sentarse con elegancia en el asiento del conductor del Bentley, y volviéndose hacia ella con unas cuantas gotas de lluvia en un hombro y en el pelo.

—Sí, me gustaría —respondió Diana—. ¿Ha podido usted enterarse de alguna cosa más?

—Lamentablemente no, puesto que no soy un familiar. De todos modos, el médico de urgencias, que me tomó por el hijo de la señora, me dijo que sospecha que se trata de un ataque de apoplejía que no solo le ha paralizado definitivamente los dos brazos, sino también las piernas. De no haber sido porque noté que no podía levantarse del sillón, probablemente hubiera muerto anoche mismo.

—Usted siempre tan atento y cuidadoso —dijo Diana sin saber qué añadir.

Después de que Diana se abrochara el cinturón, el señor Green arrancó el motor y puso en marcha el limpiaparabrisas. Poco después se adentraron en el intenso tráfico urbano londinense.

- - - - - - - - - - - - - - -
Continúa en tu librería
- - - - - - - - - - - - - - -

La isla
de las
mariposas

¿Qué misterios esconden la isla de Ceilán,
una plantación de té y una vieja carta?

«Un apasionante relato de viaje que descubre los secretos que
esconden una antigua mansión y una plantación
de té heredada en Sri Lanka.» —*Elle*

«Un best seller, en realidad un juego de pistas, que llevará a la
protagonista a descubrir un antiguo secreto familiar.» —*Mia*

IDENTIFICATION CARDS

YOUR NEW AUTOMOBILE IDENTIFICATION CARDS ARE ATTACHED.
KEEP ONE CARD IN YOUR MOTOR VEHICLE WHILE IN OPERATION.

MERCURY INSURANCE

CALIFORNIA AUTOMOBILE LIABILITY INSURANCE ID CARD

MERCURY INSURANCE COMPANY

AGENCY: DEL VALLE INS AGCY, INC (818) 891-0876

POLICY NUMBER	EFFECTIVE & EXPIRATION DATES
0401 04 120164272	08/12/2015 02/12/2016

YEAR	MAKE
2012	**NISSAN**

VEHICLE IDENTIFICATION NUMBER
3N1AB6AP2CL749762

NAMED INSURED
GUADALUPE RODRIGUEZ

ADDITIONAL DRIVER(S)
ELI GONZALEZ
ERIC RODRIGUEZ

This insurance complies with CVC S16056 or S16500.5   NAIC# 27553

TO REPORT A CLAIM, please call (800) 503-3724.
For access to ROADSIDE ASSISTANCE ONLY, please call (866) 519-6478

↖ fold in half here ↗
555 W. Imperial Highway, Brea, CA 92821

THE COVERAGE PROVIDED BY THIS POLICY MEETS THE MINIMUM LIABILITY LIMITS PRESCRIBED BY LAW

IF YOU HAVE AN ACCIDENT

- Notify the police immediately.
- Capture the names, addresses, telephone numbers, driver license numbers and license plate numbers of all persons involved and of witnesses.
- Note any damage to other vehicles.
- Do not admit fault. Do not discuss the accident with anyone except your agent, Mercury or the police.
- Immediately report all claims to Mercury at (800) 503-3724.
- Take photos if possible.

rev. 09/13

MERCURY INSURANCE

CALIFORNIA AUTOMOBILE LIABILITY INSURANCE ID CARD

MERCURY INSURANCE COMPANY

AGENCY: DEL VALLE INS AGCY, INC (818) 891-0876

POLICY NUMBER	EFFECTIVE & EXPIRATION DATES
0401 04 120164272	08/12/2015 02/12/2016

YEAR	MAKE
2012	**NISSAN**

VEHICLE IDENTIFICATION NUMBER
3N1AB6AP2CL749762

NAMED INSURED
GUADALUPE RODRIGUEZ

ADDITIONAL DRIVER(S)
ELI GONZALEZ
ERIC RODRIGUEZ

This insurance complies with CVC S16056 or S16500.5   NAIC# 27553

TO REPORT A CLAIM, please call (800) 503-3724.
For access to ROADSIDE ASSISTANCE ONLY, please call (866) 519-6478

↖ fold in half here ↗
555 W. Imperial Highway, Brea, CA 92821

THE COVERAGE PROVIDED BY THIS POLICY MEETS THE MINIMUM LIABILITY LIMITS PRESCRIBED BY LAW

IF YOU HAVE AN ACCIDENT

- Notify the police immediately.
- Capture the names, addresses, telephone numbers, driver license numbers and license plate numbers of all persons involved and of witnesses.
- Note any damage to other vehicles.
- Do not admit fault. Do not discuss the accident with anyone except your agent, Mercury or the police.
- Immediately report all claims to Mercury at (800) 503-3724.
- Take photos if possible.

rev. 09/13